盛期之風貌

臥龍生作品　帶動武俠風潮

《飛燕驚龍》開一代武俠新風

《飛燕驚龍》(1958)爲臥龍生成名作，共48回，約120萬言。此書承《風塵俠隱》之餘烈，首倡「武林九大門派」及「江湖大一統」之說，更早於香港武俠巨匠金庸撰《笑傲江湖》(1967)所稱「千秋萬世，一統」達九年以上。流風所及，臺、港武俠作家無不效尤；而所謂「武林盟主」、「江湖霸業」等新提法，竟成爲社會大眾耳熟能詳的流行術語了。

《飛燕》一書可讀性高，格局甚大。主要是寫江湖群雄爲覬覦傳說中的武林奇書《歸元秘笈》而引起一連串的明爭暗鬥；再以一部假秘笈和萬年火龜爲餌，交插敘述武林九大門派（代表正派）彼此之間的爾虞我詐，以及天龍幫（代表反方）網羅天下奇人異士而與九大門派的對立衝突。其中崑崙派弟子楊夢寰偕師妹沈霞琳行道江湖，卻如夢似幻地成爲巾幗奇人朱若蘭、趙小蝶之絕世武功技驚天龍幫，而海天一叟李滄瀾復接連敗於沈霞琳、楊夢寰之手；致令其爭霸江湖之雄心盡泯，始化解了一場武林浩劫云。

在故事佈局上，本書以「懷璧其罪」（與真、假《歸元秘笈》有關）的楊夢寰屢遭險難，卻每獲武林紅妝垂青爲書膽(明)，又以金環二郎陶玉之嫉才害能，專與楊夢寰作對(暗)爲反派人物總代表。由是一明一暗交織成章，一波未平，一波又起，極盡波譎雲詭之能事。最後天龍幫冰消瓦解，陶玉帶著偷搶來的《歸元秘笈》跳下萬丈懸崖，生死不明，卻予人留下無窮想像空間。三年後，作者再續寫《風雨燕歸來》以交代陶玉重出江湖，爲惡世間，則力不從心，當屬狗尾續貂之作。

在人物塑造方面，臥龍生寫男主角楊夢寰中看不中用，固然乏善可陳，徹底失敗；但寫其他三名女主角如「天使的化身」沈霞琳聖潔無瑕，至情至性，處處惹人憐愛；「正義的女神」朱若蘭氣質高華，冷若冰霜，凜然不可犯；「無影女」李瑤紅則刁蠻任性，甘爲情死等等，均各擅勝場。乃至寫次要人物如「賓中之主」海天一叟李滄瀾之雄才大略，豪邁氣派；玉簫仙子之放蕩不羈，爲愛痴狂；以及八臂神翁聞公泰之老奸巨猾，天龍幫軍師王寒湘之冷傲自負等，亦多有可觀。

摘自 葉洪生、林保淳著《台灣武俠小說發展史》

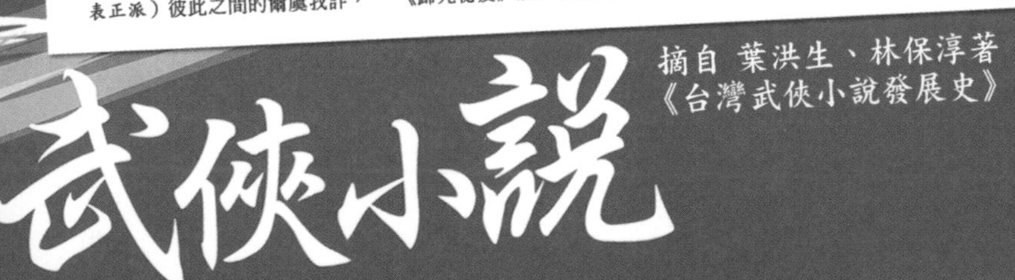

台港武侠文

流行天

臥龍

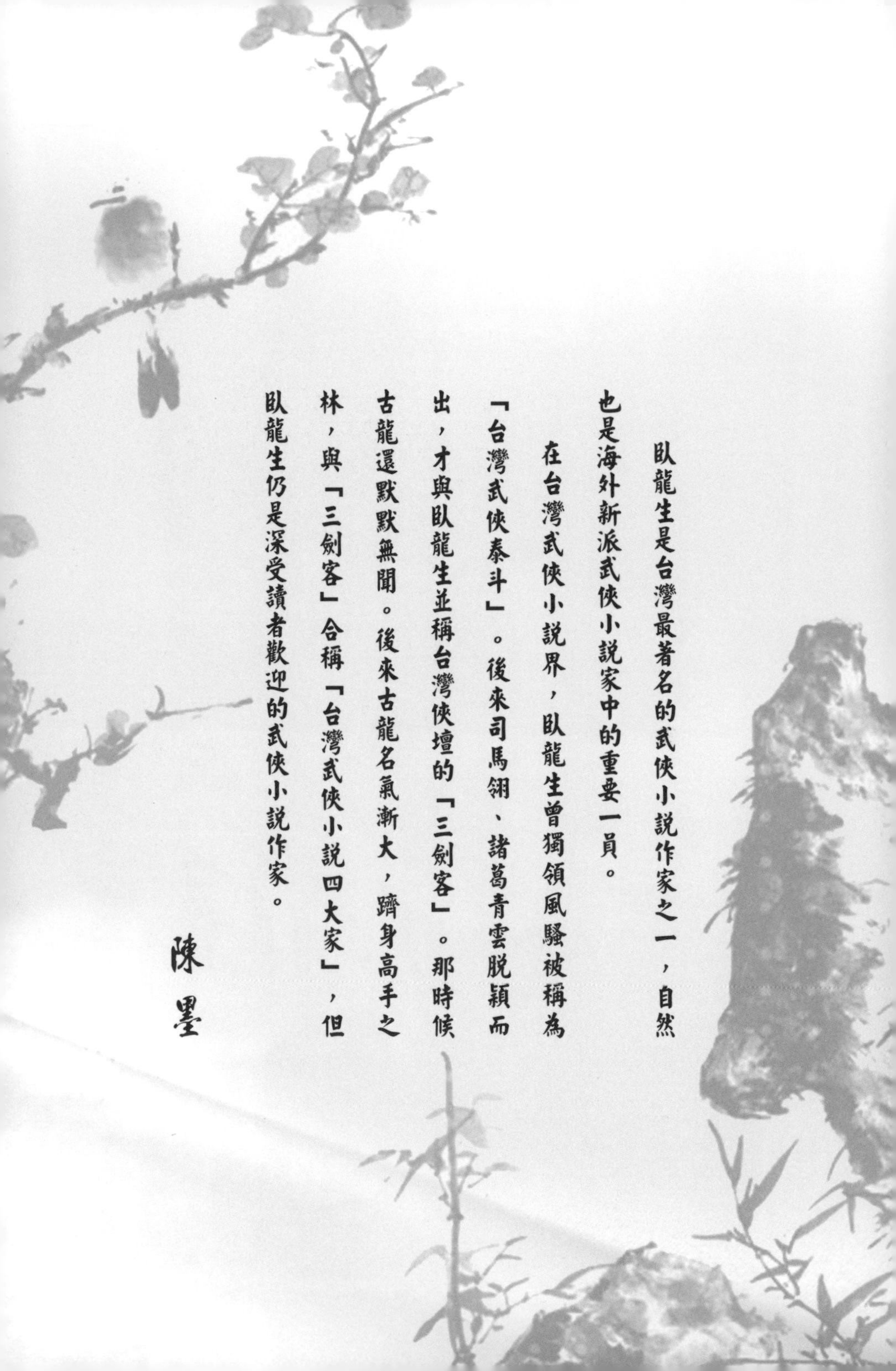

臥龍生是台灣最著名的武俠小說作家之一，自然也是海外新派武俠小說家中的重要一員。

在台灣武俠小說界，臥龍生曾獨領風騷被稱為「台灣武俠泰斗」。後來司馬翎、諸葛青雲脫穎而出，才與臥龍生並稱台灣俠壇的「三劍客」。那時候古龍還默默無聞。後來古龍名氣漸大，躋身高手之林，與「三劍客」合稱「台灣武俠小說四大家」，但臥龍生仍是深受讀者歡迎的武俠小說作家。

陳墨

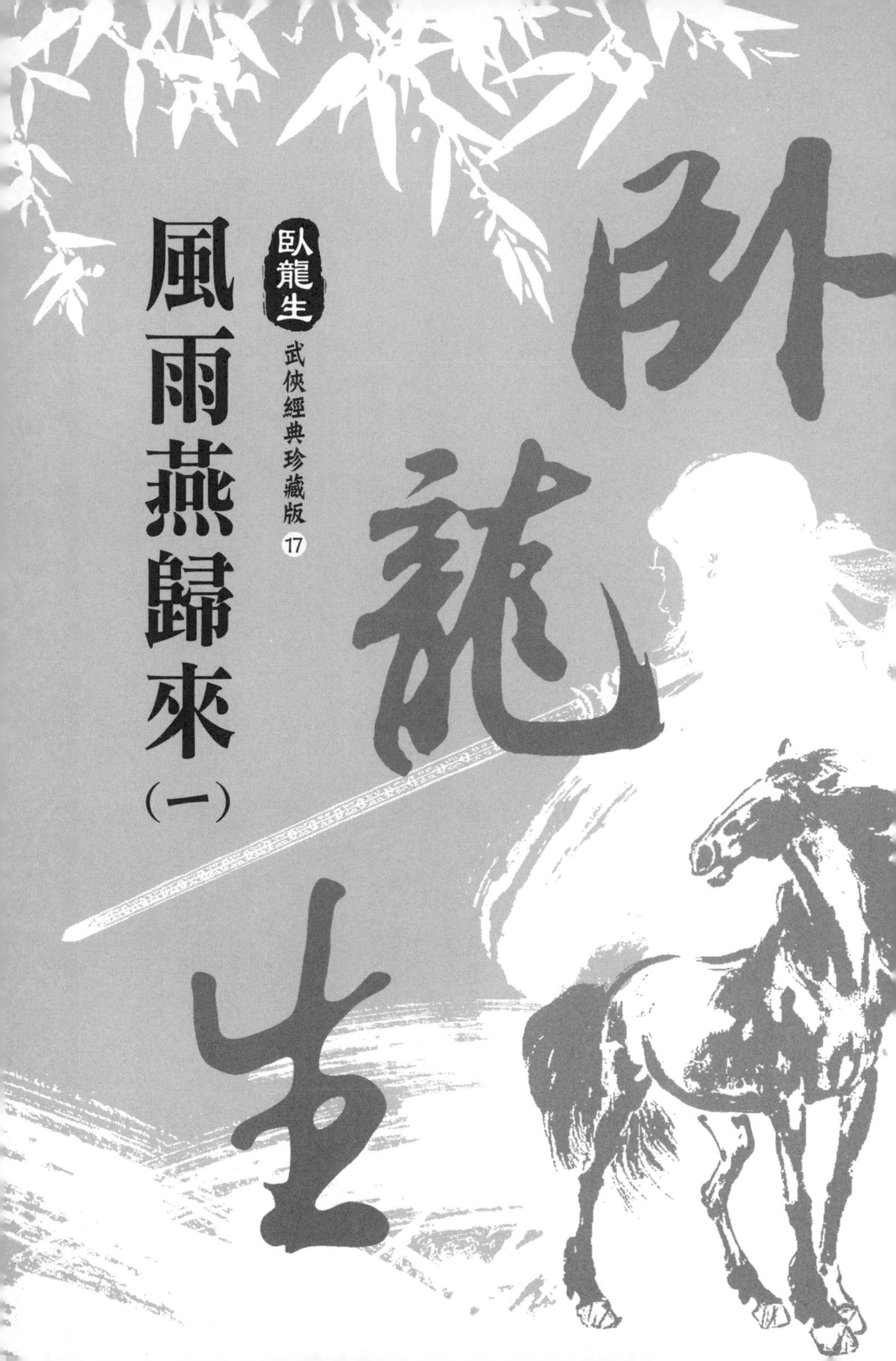
風雨燕歸來
（一）
臥龍生
武俠經典珍藏版
17
臥龍生

臥龍生精品集⑰

風雨燕歸來（一）

目錄

【導讀推薦】

《風雨燕歸來》臥龍生的敘事藝術與主題展開

秦懷冰
知名評論家

臥龍生在台灣武俠小說發展史上的地位與影響，究竟是受到了日後評論者的高估，抑或低估，一直是個見仁見智的爭議性課題；不過，臥龍生作品的可讀性與普及性，在相當長的一段時期，對武俠小說風靡台港讀者群發生了顯而易見的「領頭羊」效應，後來並對中國大陸的廣大讀者亦發揮了不容小覷的磁吸作用，則是眾所公認的共識。

而另一個在武俠文學評論圈中近乎共識的認知是：臥龍生作品之所以能夠在當年寫手眾多、盛極一時的台灣武俠文壇脫穎而出，且能久享盛名於不墜，主要原因，在於他的作品展現了某種融技法與內容於一體的敘事魅力。正是由於這種頗足以吸引讀者一頁接一頁地往下閱讀的敘事魅力，亦即歐美書評界稱道的所謂「不斷使你翻看下一頁」（page turner）的暢銷書效應，使得臥龍生的作品迄今猶自受到重視。

報復的正義與江湖的風暴

〈風雨燕歸來〉即是一個鮮活而生動的例證，展示了臥龍生在其創作全盛時期那種收放自如、隨機轉折的敘事藝術，以及這樣的敘事藝術如何讓讀者在不知不覺中進入他所虛構的武俠世界，且隨著他所營造的故事情節而產生心情上的起伏。

由於當年的成名之作《飛燕驚龍》獲得讀者群極大的迴響與肯定，所以臥龍生在該書行將結束之際，刻意留下了一個重要的伏筆，即：武林各派不惜流血爭奪的曠世武學奇書《歸元秘笈》，在書中反派主角陶玉墜崖而死時，亦隨之亡失。就憑著這個看似平淡無奇的伏筆，臥龍生居然能鋪陳出一部既發展前書情節，卻又充分自出新意的獨立作品；平心而論，不能不承認他對掌握通俗文學的要領、發揮敘事藝術的魅力，確實有他的一套本事。

陶玉既與歸元秘笈一起墜崖失蹤，則他日後挾秘笈上所載的武功絕技復出，既要報復他心目中的仇敵楊夢寰等人，又要剷除異己，建立以他本人為核心的武林霸權，誠然是意料中事。臥龍生娓娓道來：陶玉如何培植體貌與己相似的「四靈化身」以故弄玄虛，如何收攬、懾伏潛力仍然強大的天龍幫中高手並自居幫主，以及如何向以楊夢寰為首的白道勢力，展開步步進逼的攻勢。

就陶玉的心理邏輯而言，既然當年他所愛戀的師妹李瑤紅背叛自己而投向楊夢寰，師父天龍幫主李滄瀾亦不願為他而向整個白道武林廝拚到底；既然他曾經企圖染指的美女沈霞琳始終對他不假辭色，而才慧與武功雙絕的世外仙姝朱若蘭、熟習歸元秘笈的艷女趙小蝶亦均無視於他的存在，卻對楊夢寰青眼有加；然則，如今他無論採取任何卑鄙的手段對付楊夢寰，皆無悖於「報復的正義」。

於是，隨著陶玉展開一連串殘酷絕倫、匪夷所思的報復與爭霸行動，整個江河呈現動盪不安的局面，腥風血雨，迫人而來。處在被動地位的楊夢寰，儼然陷入捉襟見肘的困境。連屢共患難的愛侶沈霞琳都一再落入陶玉手中，甚至爲了拯救他的生命，不惜答應改嫁陶玉，而當面向他索取休書，卻教楊夢寰情何以堪？

激情、畸情：風暴背後的動因

在臥龍生筆下，沈霞琳一直是天真嬌稚、心性純善的少女，不知世事詭譎，自初識起即對楊夢寰一往情深。如今，這樣一個心地瑩潔如玉的女子，歷經變故與兇險，終於成長；她發現連自己一直倚爲畢生靠山、無所不能的「蘭姐姐」朱若蘭都心勞力絀，無法解救她與楊夢寰的生命困境時，即開始自覺地承負起拯救丈夫、對付陶玉的重擔。

甚至，當沈霞琳察覺趙小蝶、朱若蘭都有她們自己在感情安頓與心理調適上的盲點，她毅然決然地揚棄了既往對她們習以爲常的權威崇拜，而按照她所認知、所確信的道理來導引事情的發展，終於化解了趙、朱的生命危機，也達成了她自己所期望的美好結局。從這個意義上看，本書其實有不少部分的篇幅，是在藉由鋪陳與敘述沈霞琳的故事，而側寫具有相當普遍意義的女性心理成長史。與《飛燕驚龍》時代的少女沈霞琳相比，此際的沈霞琳歷經人生困境的考驗與淬煉，已破繭而出，成長爲既美麗又有智慧，能夠掌握自己命運的熟女。

另一方面，因「激情」泛濫難休而演變爲「畸情」，而在「畸情」導引下罔顧人倫親情、人世義理，走上悍然與整個世界爲仇的途轍，即是佛家所指出「貪嗔痴」三毒俱全的「無明」狀態。陶玉的行徑便是「無明」的實例，不但自誤誤人，而且自毀毀人。趙小蝶因眷戀楊夢寰而得不到回應，恚怨之餘，一度化身「多情仙子」，在江湖上興風作浪，逗引無數貪花好色的男性人物，不啻玩火，亦有陷入畸情無明之虞；所幸她本性良善，加以有沈霞琳的包容，終未鑄下不可彌補的大錯。

甚至最具才慧的朱若蘭，在與外來的天竺國師對抗時遇到與自身清白直接相關的衝擊，竟然也發生疑神疑鬼、失去自信的嚴重徵狀；若非沈霞琳鎮定如恆，將計就計，從根源上解脫朱若蘭自疑失貞的生命窘境，朱若蘭亦未始不可能陷於幽怨纏身的困局。

由此可知，臥龍生在抒寫江湖風暴、陶玉爭霸的同時，也深入刻畫了男女兩性的感情、激情與畸情的發展與變化，是如何在決定整個武林的大勢、正邪雙方的消長。楊夢寰表面上與人無爭，所以面對陶玉咄咄逼人的攻勢，顯得捉襟見肘；但也正因爲無人將他當作威脅，都願擁他爲首，所以他似弱實強。而陶玉在畸情作祟下一往無前，亢而無悔，與整個白道武林爲敵，所以似強實弱。休看陶玉來勢洶洶，在楊陶之爭中早有種種布局，但陶玉的最終敗亡，其實早可預見。

而被陶玉始亂終棄的崑崙女弟子童淑貞，對陶玉從不惜背叛師門誓死追隨，到因一再遭到陶玉背棄，愛情徹底幻滅，而走上千山萬水苦心孤詣的報復之路，終於破壞了陶玉一切勝券在握的部署，更以極端殘酷的手段誅殺陶玉，隨即卻又自戕殉情，種種可驚可怖的行徑，實在也說明了畸情無明的毀滅性力量，在世間處處可以彰顯。童淑貞與陶玉的故事，令人聯想到金庸筆下穆念慈與楊康的故事；前者應是受到過後者的啓發，但結局顯然比後者更可怖。

而男女的激情與畸情，最終證實爲江湖風暴背後重要的動因及決定勝負的力量，亦正是臥龍生作品最具代表性的母題之一。

序幕

寒冬臘月，殘陽拖著一抹餘暉，逐漸地向西沉去。江邊的枯樹、衰草，在這殘陽斜照下，更顯得蕭條、蒼涼。

永嘉江上，吹起陣陣的刺骨寒風，搖撼著枯樹老枝，矮荆衰草，響起了一片瑟瑟之聲。凍雲布湧，掩蓋去殘陽的餘光，灰黯的蒼穹，正醞著濃厚的雪意。

呼嘯的風濤中，送來幾聲寒鴉的悲啼。

突然，由灰黯的天空中，飄下疏疏落落的雪花……

銀片玉屑的飛雪中，映出點點鴉陣，冒雪破風，似是經受不起風雪的侵壓，急急地飛向括蒼山中。

風、雪愈來愈大，頃刻之間，已變成羽片粉球，奇峰插雲的括蒼山，在翻滾的大雪中，顯得蒼蒼茫茫，雪光山色，混成一片，如不是山岩石隙中伸出幾片鮮紅的紅葉，幾乎無法分辨出天、地、山、川。

這時，在括蒼山峭壁夾峙的一道深谷中的雪地上，卻並肩坐著四個藍衫少年。朔風勁撲，大雪紛飛下，四人仍然端坐不動。

天色入夜，四人身上的藍衣、方巾，已全爲落雪掩去，變成一片粉白，地上的積雪，也愈來愈厚，人也逐漸的陷於積雪之中。

左首一人，突然睜開微閉的雙目，抖抖身上的積雪，低聲問道：「什麼時候了？」最右一人啓目答道：「大約是二更過後。」

左首那人四顧了一眼，道：「時刻快到了。」

語聲甫落，對面峭壁上響起了一聲冷笑，道：「你們可是等得不耐煩了？」隨著話聲，飄落一條人影。

四個藍衫少年，一起抬頭，啓目望去，只見一個身著淡黃及膝大褂，腰束一條三寸寬白絲腰帶，淡黃綢褲，粉底快靴，高卷袖管，露出四只耀眼金圈的少年。

雪光映射下，隱隱可見他玉面劍眉，俏目隆鼻，好一個翩翩濁世佳公子。

四個藍衫少年看清了來人之後，都不禁爲之一呆，只覺此人竟和自己長得一般模樣，年歲也似伯仲之間，除了衣著不同之外，身材相貌，無不酷肖。

就在四人打量那黃衣少年之時，那人兩道冷電般的目光，也緩緩由四人臉上掃過，只見他臉上泛出得意的笑容，說道：「蒼龍何在？」

那左首少年略一怔神，應聲而起，跨前一步，抱拳說道：「在下便是。」

黃衣少年道：「蒼龍習掌，練那龍形八式，騰雲九掌，練得怎麼樣了？」

藍衫少年應道：「已有七成火候。」

黃衣少年點點頭，又道：「白虎何在？」

第二個藍衣少年應聲起立也跨前一步，道：「白虎在此。」

黃衣少年道：「白虎主拳，你那怒虎七翻，破山十拳，練的怎麼樣了？」

那自稱白虎的藍衫少年答道：「破山十拳，已可一氣發出。」

黃衣少年道：「能夠連發十拳，那也該算有六成火候了……」微微一頓，接道：「朱雀是哪一個？」

第三個藍衣少年起身向前應道：「區區就是。」

黃衣少年道：「朱雀主劍，你那驚天五劍，可都全記下了？」

藍衣少年答道：「都記熟了。」

黃衣少年點點頭：「那很好。」接著又道：「玄武出見。」

那最後一個藍衣少年，站立原地不動，道：「只餘下一人，想是不用動了。」

黃衣少年道：「玄武為四靈之末，應以輕功、暗器見長，你學到何種程度了？」

那自認玄武的少年答道：「日行千里，手揮八種追命芒。」

黃衣少年道：「你一舉能同時發出八種暗器，那也算過得去了。」

語聲微微一頓，臉色突轉嚴肅，說道：「爾等家世，姓名，從此一筆抹去，就以蒼龍、白虎、朱雀、玄武四靈相稱。」

那被稱為蒼龍的藍衣少年，道：「你能一口說出我們各人擅長之技，實是足見高明，想來定是我們那師父的好友了？」

黃衣少年微微一笑，道：「你們師父是誰？」

白虎接道：「家師就隱居在對面石壁間一處秘室之中，今夜是他坐關期滿，定在三更中啓開山門，我等特來迎他出關。」

黃衣少年道：「你們可見過你們那傳藝的恩師麼？」

四人齊齊搖頭，道：「沒有。」

黃衣少年道：「你們既是未見過授藝之師，見著了也不會認識。」

朱雀怒道：「你是什麼人，竟敢這般無禮……」

黃衣少年笑接道：「我就是你們要找的授業之師……」

玄武道：「就憑這點年紀，也敢大言不慚！」

黃衣少年答非所問的笑道：「天下不乏骨格好過你們之人，我爲什麼要選擇你們四個傳授武功，個中道理，你們可曾明白？」

朱雀冷笑說道：「咱們兄弟恭候師父出關，無暇和你鬥口……」

黃衣少年冷笑一聲，道：「我就是傳授你們武功的師父。」

朱雀正待發作，卻被蒼龍伸手攔住，接口說道：「家師雖然隱居在對面石壁之中，但他武功精博舉世第一，定然是一位年高望重的老人，你的年齡和我們在伯仲之間，如何能有這等武功？」

黃衣少年笑道：「武功高的一定要年紀大麼？」

白虎、玄武齊聲說道：「空口無憑，如何能使我等相信？」

黃衣少年笑道：「這樣吧，你們四人各以絕技攻我四招，如果打我不到，總該相信了

吧？」

蒼龍右手舉起，當胸而立，說道：「好！你先接我一掌……」右手一揮，掌勢疾劈而出，隨著掌勢，帶起了一股強大的暗勁，劃空生嘯！

黃衣少年微微一笑，左手握拳，迎掌擊出，卻是那破山十拳中一記絕招，正好是那蒼龍劈出一掌的剋星。

白虎冷哼一聲，道：「原來你也會破山十拳。」右拳閃電擊出，搗向黃衣少年的肘間，出手一擊，雖也是破山十拳中的招式，卻正好是那黃衣少年拳勢的剋星。

但見那黃衣少年右手招式一變，用出了騰雲九掌中的一招，又正好制住白虎攻出的拳勢。

蒼龍、白虎看他施用的手法，竟是兩人各擅勝場的絕技，運用之熟，已到了勢隨念發之境，不禁心中信了八分，齊齊向後躍退。

黃衣少年微微一笑，道：「你們信了沒有？」

朱雀突然一翻手腕，刷的抽出一柄長劍，道：「半信半疑，試過我『驚天五劍』再說。」領動劍訣，正待攻出，突然一聲清冷的大喝傳了過來，道：「住手，爾等有眼無球，竟敢和師父動手。」

幾人轉臉望去，只見一個黃衫儒巾，胸前飄垂著花白長髯的老人，卓立丈外雪地之上。

四個藍衣少年一見來人，正是接引自己來此絕谷的王寒湘，立時長揖拜倒，齊聲說道：「原來是王老前輩，我們有失遠迎，請老前輩恕罪。」

王寒湘冷冷說道：「你們膽子不小，竟敢和師父動手過招，如果老夫晚來一步，爾等豈不犯逆師大罪，還不快向師父請罪。」一面叱責四個藍衣少年，一面卻對那黃衣少年抱拳作禮。

四個藍衣少年轉身對那黃衣少年拜了下去，齊聲說道：「弟子等罪該萬死！」

黃衣少年笑道：「不知者不罪，你們站起來吧。」目光轉到王寒湘的臉上，冷冷說道：「事情都準備好了麼？」

王寒湘道：「幸未辱命。」

黃衣少年仰天大笑一陣，突然把目光轉投到四個藍衣少年身上，緩緩說道：「你們形貌身材，都長得和我一般模樣，只有一處不像……」

四個藍衣少年只覺答話不對，不答話也有些不對，齊齊抬起頭來，瞠目結舌，不知如何開口。

但見黃衣少年展顏一笑道：「你們可曾瞧出哪裏和我不一樣麼？」

四個藍衣少年齊聲說道：「弟子等愚昧無知，瞧不出來。」

黃衣少年突然舉步而行，四個藍衣少年發覺他一條左腿有些吃不上力，走起路來一瘸一拐，那黃衣少年繞行了一個圈子，重又走了回來，道：「你們看到沒有？」

四人雖然瞧出他腿上有病，但卻不敢說出口來，你望我，我望你，不知該如何回答才好。

黃衣少年笑道：「不妨事，你們如是瞧出來，儘管說出，其實，你們都瞧得清楚，只是不敢說出口來，是麼？」

那朱雀膽子較大，輕輕咳了一聲道：「弟子看師父左腿，似是有病。」

黃衣少年道：「不錯，爲師這條左腿，碎了膝骨，你們當該如何？」

四人聽得怔了一怔，沉吟良久，仍是想不出該如何回答。

黃衣少年道：「這事簡單得很，你們如果想和爲師一般模樣，最好也把左腿上的膝蓋骨敲碎，那就不但貌似爲師，連走路也是不會錯了，日後你們穿上我這樣的衣服，行走江湖之上，別人對咱們師徒五人，就無分辨之能了。」

四個藍衣少年聽得由心底泛起了一股寒意，但卻又不敢出言爭辯，心中暗道：師徒間雖是情若父子，但也沒有每處都和師父一般模樣的……

只見那黃衣少年臉上笑容一斂，冷冰冰的說道：「想什麼？可是不願答應麼？」

蒼龍道：「弟子……弟子們在想……」

黃衣少年道：「不用想了。」左手疾飛而出。

但聞那蒼龍悶哼一聲，一屁股坐倒雪地上，抱著左腿，咬牙苦忍，不讓發出呻吟之聲。

黃少年右手連揮，白虎、朱雀、玄武依序跌坐雪地上，各自抱著左腿，滿頭汗珠，滾滾而下，都在運氣抗拒痛苦。

這是幅殘忍的畫面，四個好好的人，無緣無故的都被擊碎了左膝骨。

那黃衣少年望了望四人痛苦的神情，臉上又泛起歡愉的笑意，道：「我傳你們的療傷內功，乃世間難得之秘，你們各依心法，運氣療傷，在半個時辰之內，就可以完全止痛了。」

四個藍衣少年強忍痛苦，齊聲應道：「弟子等領命。」

黃衣少年道：「你們從師四年，各成絕技，可知爲師的名諱麼？」

四個藍衣少年答道：「弟子等不知。」

黃衣少年道：「爲師姓陶名玉，人稱金環二郎……」忽然轉目望著王寒湘道：「你帶他們去岳陽養息傷勢，三月之後，趕往岳陽聽命！」

一　麗人行

一項流言傳誦江湖，震動了各地的豪雄、霸主！

數年前江湖上掀起的一次大殺劫，使數百年一直未曾平靜過的江湖，出現了從未有過的平靜局面，這平靜卻爲一項傳誦於江湖的旖旎流言震起漣漪，沒有人能預言這徵兆是福、是禍，但它卻充滿著香艷、綺麗……

它像是一陣風，突然而來留給人難忘的回憶，和深深的懷念……

它像是一縷輕煙，悄然而去，未留下一點痕跡，是那般飄忽。

無數人爲它瘋狂，無數人爲它憂慮，無數人憧憬那飄緲的奇遇，但它是那麼遙遠，是那般無法捉摸，唯一能給人預測的徵象，那事情必然發生在明月這夜。

有不少江湖高手，不惜爲此奔波萬里，希望能追查出一些蛛絲馬跡，但他們失敗了，也更增加了這旖旎傳說的神秘。

這日，日落時分，湖南長沙府突然掀起了一陣奇異的波動，使這座古老的名城，籠罩了一層神秘的喜氣。

威震三湘的神刀柳遠，突然接到了一封紅色的簡帖，簡帖上指明要神刀柳遠親自拆閱。

和柳遠同時接到這紅色簡帖的有長沙知府張人清。此人素負詩名，文采風流，不足三十歲，由翰林院編修處外放長沙知府，除了這兩個首要之外，長沙府所有的人物，和那些走馬章台稍有文名、風流自賞的紈褲弟子，都接到一封紅色簡帖。

柬封上寫著袖呈、親拆，是以，接到那簡帖之人，大都是親自拆閱。

拆開封柬，裏面是一張雪白的素箋，只見上面寫道：接著此柬者，都是有緣人，今夜二更，敬備玉液瓊漿，恭候台光，請移駕城西仙女廟，手持此箋，迎月而立，自有迎駕之人。下面署名多情仙子。

這封突如其來的怪柬，震動了長沙名城，不少接得這封怪函的人，心中都驚喜交集，不知該如何才好，喜的是這封怪函充滿著人嚮往的誘惑，江湖上傳誦的綺麗艷事，竟然降臨到自己的頭上，驚的是這函中的赴會之法是那般詭奇、神秘，使人有著莫測兇吉的恐怖！

且說那神刀柳遠，初更過後，換了一件深藍色的長衫，暗中帶了八口柳葉飛刀，靴套中暗藏了一把手叉子，依約赴會而去。

那仙女廟在城西六七里處，是一處十分荒涼的地方，柳遠趕到了仙女廟，那廟前早已站著一個長衫福履，手執摺扇的文士。

只見那長衫文士，手中執著一張白箋，面東而立，仰臉望著明月，呆呆出神，正是那簡帖上規定的動作。

只聽一陣輕微的步履之聲，仙女廟中突然走出來幾個青衣小婢，走到那中年文士身前，低

言數語，護擁那中年文士而去。

就在那人一轉身間，柳遠突然看清了那中年文士，竟是素有風流之名的府台大人張人清，不禁心中一動，暗道：「那多情仙子，究竟是何許人物，不但和武林人物來往，而且竟結交官府……」忖思之間，突聽一個十分嬌柔的聲音傳了過來，道：「柳大英雄，既然應邀而來，何必隱在暗處……」

柳遠暗暗吃了一驚，忖道：好敏銳的眼光。口中卻微笑接道：「在下不知如何求見，有勞姑娘相問了。」

隨著一陣迎面香風，急步走出一個玄裝少女，月光下只見她面含笑意，行了過來，接道：「柳大英雄，請過來登馬上路吧！」

柳遠暗中忖道：既然來了，那就索性聽她們擺布好了。一言不發隨著那玄衣少女行去。

只見仙女廟幾處暗影之中，分站著十幾個青衣婢女，每人手中，都牽著一匹鞍鐙俱全的健馬，肅立待命。

玄衣少女突然由懷中摸出一條黑色帶子，說道：「委屈柳大英雄，請蒙上眼睛如何？」

柳遠略一沉吟，笑道：「儘管出手。」

玄衣少女嫣然一笑，展開黑巾，蒙上了柳遠的眼睛。

柳遠覺出那蒙臉黑巾包住了雙目之後，竟是連一點微弱的光線也不透，心中忽覺不對，念頭還未轉完，突覺雙臂肘間的「曲池穴」一麻，兩條手臂，頓然失去了作用。只聽柔音細細，起自耳際，道：「柳大英雄，請暫時忍耐一二，閣下乃是我們仙子的貴賓，自會受盡優待，但

此刻卻不得不先讓柳大英雄受點委屈，但這片刻的委屈，卻換得我家仙子半宵溫存，和那旖旎難忘的輕歌妙舞，足以補償。」

神刀柳遠心中雖然有點忿怒，但人已受制，雙臂穴道被點，只好強自按耐下心中的激動，裝出一付平靜神情，淡淡說道：「柳某既然赴約，早已把生死之事，不放在心上了。」但覺一雙滑嫩的手掌不停在身上搜動，暗帶的飛刀、匕首盡爲人搜去。

那柔柔清音又在耳邊響起，道：「柳大俠這些飛刀、匕首暫時由我保管，待此會終了，再行交還，請上馬吧！」

柳遠被人搜出兇器，自知理屈，不再多言，舉步跨上馬背，健馬立時放蹄奔去。

那神刀柳遠雖被點了雙臂穴道，蒙了眼睛，但他對長沙百里之內的地形十分熟悉，心中暗辨方位，算計健馬奔行的方向，發覺自己正向西奔行，乃是去岳麓山的方向。

心念初動，突覺胯下坐騎忽的轉了一個方向向北行去，不及十丈，又折轉向西。

柳遠雖然熟悉地形，但連經數十次折轉之後，也被鬧得暈頭轉向，忘了方位，不知奔向何處，奔行的健馬忽又緩了下來，一陣美妙的樂聲，遙遙飄傳過來。

身旁響起了一個嬌如銀鈴的聲音，道：「到了，我家仙子已然奏起了迎賓的樂聲。」但覺兩肘間被人拍了兩掌，解開了被點的「曲池穴」。

神刀柳遠舒展了一下雙臂，本能的伸手去解那蒙面黑巾。

就在他雙手還未觸及蒙面黑紗之際，頓覺眼前一亮，那蒙面黑巾已被人解開。

一個美麗的青衣少女垂著長長的秀髮，俏立馬前，柳眉舒展，臉上喜氣洋洋，手中捧著一束鮮花，嬌聲說道：「小婢奉命迎賓……」

神刀柳遠原來鬧得一肚子氣，但見那青衣少女容色如花，笑容嬌稚，一肚子怒火，頓時消失，心中自言自語的說道：我神刀柳遠是何等的英雄人物，難道還真要和這些小姑娘們生氣不成……

心中意念轉動，人卻翻身下馬，連聲說道：「不敢，不敢，有勞姑娘了。」

青衣少女臉上的笑容更見嫵媚，纖纖的玉指，摘下了一朵鮮花，插在柳遠的衣襟之上，笑道：「盛宴已開，佳賓已齊，只在等你柳大俠一個人了。」

柳遠微微一笑，道：「那真是失禮得很。」

青衣少女道：「小婢走前一步，替柳大俠帶路。」舉步向前行去。

柳遠道：「有勞玉趾，在下心中十分不安。」舉步隨在那青衣少女身後行去。

他心中憋有一腔怒火，全在那青衣少女輕顰淺笑中，化作雲煙散去。

穿過了一片疏落的雜林，景物忽然一變，只見一座五色的帳幕矗立在草地上，百盞以上的五色彩燈環繞四周，筵席已張，佳賓滿座，數十個美麗的青衣少女蝴蝶般繞奔筵席之間，送上佳肴。

天上明月如畫，人間玉女如花，加上那五色帳幕中傳出的動人樂聲，撩人綺思，直疑是誤入天台。

那捧花少女，緩步前導，把柳遠帶入了席位上。

並列兩旁的首席上，已然坐著一位長衫福履的中年，正是那長沙知府張人清。

神刀柳遠不但在武林享有盛名，而且家產萬貫，為長沙府數一數二的富豪，和張人清甚是熟悉，當下微一欠身，抱拳說道：「府台大人。」

張人清微微一笑，道：「此時此情，只宜吟風談月，你我之間，也該以兄弟相稱才好，柳兄請坐。」

神刀柳遠道：「這豈不折煞在下麼？」

張人清答非所問的接道：「人生幾得月當頭，柳兄快請入坐，莫負今宵好月光。」

此人豁達不羈，不拘小節，一派名士氣度。

那神刀柳遠亦是豪放人物，眼見張人情那等放蕩情懷，不禁激起豪氣，哈哈一笑，大步入坐。

五色帳幕中，樂聲忽然一變，弦管和鳴，輕快悅耳，十幾個白衣白裙的美麗少女，魚貫由五色帳幕中走了出來，柳腰款擺，蓮步生花，配著那行雲流水的樂聲，姿態動人至極。

環伺在四周的青衣少女，齊齊移動蓮步，伸出皓腕，執起酒壺，穿花蝴蝶般繞行在席位之間，動作輕快熟練，不大工夫，每個席位前的酒杯，都斟滿了酒。

一陣陣酒菜芳香，撲入鼻中。碧空如洗，明月在天，美女如花，輕歌曼舞，如夢如幻，撩人綺念。

環坐在四周之人，初時還可自持，正襟而坐，過了片刻，都有些心猿意馬，難再自禁，端起酒杯，一飲而盡。

酒味醇厚，直沁心肺，在座之人，不是武林中人，就是走馬章台、風流自命的富豪子弟，大都是善酒之人，但這等佳釀醇酒，竟是從未飲過，一杯下肚，無不交口稱贊。

張人清放下酒杯，笑道：「只飲此一杯美酒，已不虛今夜之行……」

只聽交鳴弦管聲，忽又一變，那隨著樂聲婆娑而舞的白衣少女，也隨著慢了下來。

一縷清音，由那五色幕帳中婉轉而出，混入了悅耳動人的弦管聲中。

歌聲低沉，充滿誘惑，十幾個白衣白裙的少女，突然分向四周席前行去，長髮和衣裙隨著搖曳生姿的舞步，姍姍移動。

月光下，只見那些白衣少女，個個柳眉生春，星目含情，櫻唇微啓，玉齒隱現，臉上是一股自惜自憐的神色，媚態橫生中，混入了一抹輕愁薄怨。

像春閨怨婦，夢想遠道未歸的丈夫……

像懷春少女，沉醉在情郎懷抱……

兩種大不相同的情態，混合成一種嬌羞，冶蕩的嫵媚。

四座佳賓，都不禁爲之心神搖動起來，雙目圓睜，盯注那些白衣少女身上。

張人清輕輕嘆息一聲，道：「雲鬢花顏金步搖，月明酒香舞春宵，仙子多情寵召宴，苦無緣作護花人。」

神刀柳遠又乾了面前的酒，哈哈一笑，接道：「我柳遠走遍了大江南北，見過了無數美麗的女子，但卻從未見今夜這般標致的妞兒，當真是叫人……」

突然間樂聲頓住，五色幕帳中，緩步走出個絕世無倫的藍裝少女。

那翩翩起舞的十幾個白衣少女，已然夠美，但這藍衣少女現身之後，那十幾個姿容絕世的白衣女，立時黯然失色。

她身後緊隨著四個青衣垂髫小婢，前兩個各抱一個玉鼎，鼎中香煙裊裊，第三個是抱著一個琵琶，第四個雙手托著一個木盤，也不知放的何物。

但見那藍衣少女行至場中，星目放射出兩道奇光，環顧了四周一眼，輕啓櫻唇說道：「今宵承各位賞光，賤妾未能善盡地主之誼，簡慢之處，還得請諸位大度包涵……」

張人清突然起身說道：「聽姑娘的口氣，想來定然是多情仙子！」

藍衣少女微微一笑，道：「多情最易成恨事，願各位多自珍惜。」

神刀柳遠接口道：「仙子既是無情，爲什麼飛箋召來我等？」

藍衣少女道：「滿座佳賓各有所長，有的文采風流，有的英挺動人，妾雖多情，只有一人，如何能同時兼顧到這多佳客……」

她嫣然一笑，接道：「不過賤妾隨行舞姬侍婢中，尚都薄具姿色，諸位如能看得起她們，儘管請去同坐。」言下之意，無疑說明，遍場佳麗，任君選擇。

張人清哈哈一笑，道：「仙子多情，果非是浪得虛名。」語聲微微一頓，環顧了四周一眼，說道：「各位兄弟，咱們不能負了主人的雅意。」離坐而起，大步向一個白衣少女行去，探手一把，抓向玉腕。

那白衣女竟是不肯閃避，任他一把抓住玉腕，口中嚶嚀一聲，倒向張人清的懷中。

他這一來，立時引得四座佳賓紛紛站了起來，各自奔向一位姑娘。

那站在場中的藍衣少女，突然從一個青衣小婢手中接過琵琶，玉指撥動，錚錚幾聲弦響，四周佳賓突然感覺到心頭一震，迷亂的神智，忽地清醒過來。

神刀柳遠突然放開手中的白衣少女，大步向場中那藍衣少女行去，口中縱聲大笑，道：「多情仙子……」右手一伸，五指如鉤，疾向那藍衣少女左腕之上抓去。

但見那藍衣少女嬌軀一閃，輕靈異常的避開了柳遠的右手，躲入另一位藍衣少年的身後。

神刀柳遠一把未曾抓住，立時疾追過去，左手一撥那藍衣少年，右手仍向那藍衣少女抓去。

但聞「媽呀！」一聲，那藍衣少年，橫裏摔出去四五尺遠，撞在另一個少年身上，兩個人一齊跌倒在地上。

那藍衣少女卻輕快絕倫的閃到了另一個黑衣大漢身旁。

神刀柳遠酒性已然發作，難以自制，瞧也未瞧那摔倒的藍衣少年，疾向藍衣少女衝去，右手疾伸而出，抓向那藍衣少女的後背。

但聞蓬然一聲輕震，撞在另一隻伸過來的手掌之上。

原來那黑衣大漢，眼看那美艷如花，嬌麗動人的藍衣少女，行近身側，哪肯放過機會，右手一伸，抓了過去，但那藍衣少女靈活無比，奔行的嬌軀，陡然向後一仰，收住了奔行之勢，橫裏一閃，避開三尺，黑衣大漢伸出五指，正好擊向柳遠伸來的手上。

神刀柳遠一心想著那藍衣少女艷麗的春色，動人的笑靨。

再加上腹中的烈酒作怪，早已失去自制能力，眼看有人攔住了去路，不禁大怒，不問青紅皂白，呼的一拳打了過去。

那黑衣大漢的酒意，尤重過神刀柳遠，也未看來人是誰。和柳遠一般心意，揚手打出了一拳。

這一拳，兩人都是蓄力而發，拳勢強猛異常，但聞蓬的一聲大震，兩人的拳頭接實，那黑衣大漢被震得向後連退三步，撞翻一個白衣少年，才拿住了樁，收住後退之勢，但那神刀柳遠也被震得向後退了一步。

場中形勢，形成了瘋狂的混亂，應邀而來的與會之人，都已忘去身分，滿場追逐那白衣少女。

奇怪的是，那些看上去嬌麗柔弱的小姑娘，個個都靈活迅快，穿行在紛亂的人群中，竟是沒有一個被人抓住。

瘋狂的追逐，延續有一頓飯工夫之久，才逐漸的靜了下來，那些人終因是些走馬章台，吟風弄月的紈褲少年，早已累得不支倒了下去，能夠勉強支撐不倒的大都是武林中人。

只見那藍衣少女手中琵琶，弦音忽震，錚錚幾聲，立時又有不少人倒了下去。

琵琶彈奏出醉人的樂聲，倒臥地上的人，也愈來愈多，終於，武功最高的柳遠也摔倒地上。

場中恢復了原有的沉寂！

藍衣少女放下懷中琵琶，四下打量了一眼，突然格格嬌笑起來。

聲音清亮，靜夜中傳出老遠。

只聽那笑聲逐漸不對，月光下清晰可見她順腮而下的淚水，那笑聲不知何時已變成了嗚咽的哭聲。

原本是一幅充滿著誘惑的畫面，陡然間，變成了一片觸目淒涼的景象。

那舞姿美妙，撩人綺念的白衣女，和那些執壺斟酒，輕顰淺笑的青衣小婢，一個個都失去歡愉之色，代之而起的是一陣淡淡的憂鬱，似是在她們那美麗的笑容之後，深藏著傷心的往事。

四個玄裝少女，並肩出了那五色幕帳，行到那藍衣少女身前，齊齊跪了下去，黯然說道：「姑娘保重身體要緊。」

藍衣少女舉起衣袖，拂拭一下臉上的淚痕，緩緩說道：「現在什麼時候了？」

四個玄裝少女齊聲應道：「四更過後，五更不到。」

藍衣少女道：「咱們也該上路了。」有氣無力的拖著手中琵琶，緩步向那五彩幕帳中行去。

四個玄裝少女，望著她緩步而去的背影，流露出無限的淒涼，每次的歡笑過後，都無法在她心底裏留下一絲餘韻。

左首一個玄裝少女低聲說道：「我瞧咱們不用再這般胡鬧下去了，由冀北到江南，迢遙萬里，閱人何止千萬，但竟然無一人能獲姑娘芳心，這麼看來，再鬧下去也是枉費心機。」

第二個玄衣少女接道：「姑娘用情太專，根本就沒有仔細的看過與會之人，這些年來，咱

們路行萬里，閱過千萬人，如是無一人能強過那姓楊的，我倒是有些不信。」

第三個玄衣少女道：「就算姑娘沒有留心，但我卻是用心瞧了，單只論倜儻風流，那確有強過楊相公的，如是論及那清雅氣質，柔中含剛的英挺風標，確實無一人能和楊相公相提並論。」

第四個玄裝少女接道：「以我瞧來，咱們也不用費上如許大勁，天涯海角的找姑爺了，乾脆去把那姓楊的搶來就是。」

左首玄裝少女搖頭說道：「不成，咱們去搶來楊相公，姑娘也未必高興，何況那沈姑娘和李姑娘豈不都要活活守寡了？」

第四個玄裝少女接道：「只要能讓姑娘高興，理他什麼沈姑娘、李姑娘守不守寡！」

第二個玄衣少女道：「四妹的話，不是沒有道理，我瞧咱們姑娘，已經是『曾經滄海難為水，除卻巫山不是雲』，大約除了那位姓楊的之外，世間再沒有她芳心暗許之人了……」

第四個玄衣少女接道：「是啊！還是二姊明白事理，眼下咱們有兩條路可以選擇，一條是讓那待咱們恩比天高，情比海深的姑娘，憂鬱成疾，含恨而逝，一條路就是讓那李姑娘、沈姑娘守守活寡，三位姊姊請仔細的想上一想，咱們該走哪條路才是？」

左首第一位玄裝少女，似乎是四人中的首腦，為人也較為持重，凝目沉思了一陣，道：「如若咱們把此意告訴姑娘，她決然不同意。」

那站在最右，也是四人中最小的一位玄衣少女，道：「為什麼要事先和姑娘商量呢？咱們先動手把那姓楊的抓來，造成已成之勢，姑娘縱然在表面上責罵咱們幾句，但心中定然是喜歡

得很。」

那年齡最大的玄衣少女道：「四妹，姑娘的憂傷和悲痛，爲姊的並非不明白，亦非是不夠關心，但你這主意，卻是萬萬行不通，一則是咱們姑娘決不同意，二則那楊相公武功高強，非咱們能敵……」

第四個玄衣少女道：「那不要緊，咱們可以用迷藥先把他迷倒呀！」

左首玄衣少女臉色一變，道：「這等江湖上下五門的手段，咱們也能用麼？」

那第四個玄衣少女年齡雖是最小，但她的性格卻強悍得很，固執己見的說道：「爲什麼不能用？咱們只不過是借藥力迷倒姓楊的罷了，又不是用它來作什麼壞事。」

第二個玄衣少女接道：「四妹怎麼可以和大姊抬槓，大姊說不行，想是定然不行。」

那第四個玄衣少女抗聲說道：「姑娘待咱們情深恩重，咱們豈能忍心看到她終日裏憂鬱愁苦，此舉縱然損人，但也顧它不得了。」

只聽那五色幕帳中傳出一陣清亮的聲音，道：「叫她們快些收拾一下，咱們快些走啦。」

四個玄衣少女應了一聲，顧不得再多辯論，分頭督促那青衣婢女，整理行裝，收拾衣物，她們已有過無數的經驗，收拾起來，快速異常，不過頓飯工夫，已然收拾乾淨，除了那橫七豎八躺在地上的人外，收拾的不留絲毫痕跡。

四輛快速的篷車，數十匹長程健馬，劃破了夜的沉寂，也帶走了數十個風姿綽約的少女，只留下那如夢如幻的回憶！

月落烏啼，東方天際間透出曙光，一輪紅日，冉冉升起。

晨露清風，吹醒了神刀柳遠，只見他緩緩伸動一下雙臂，挺身坐了起來。

抬頭看去，只見一片曠野，那五色幕帳，五色花燈，和那風情撩人、艷麗如花的少女，早都走得一個不剩，哪裏還有一絲一毫可資追尋的痕跡。

只在心田中留下溫馨旖旎的記憶。

他緩緩站起身來，四下望了一陣，不禁啞然失笑。

原來那些躺在地上的人，形態百出，有橫身而臥，有仰面睡倒，也有蜷腿抱足的怪模怪樣，加上彼起此落的鼾聲，組成一付百態雜陳的畫面。

神刀柳遠呆呆打量四周形勢一陣，突然奔到那長沙知府張人清倒臥之處，抱起張人清疾奔而去。

天到中午，所有倒臥在荒野的人，都逐漸醒了過來。

昨夜那美麗的半宵，留給了他們難忘的回憶，但此刻的狼狽形態，又使他們心中生出了慚愧之感，彼此之間，互不招呼，誰先醒來就搶先而去。

長沙古城，又回復了往日的平靜，但那溫馨神秘的傳說，卻逐漸流傳開去。

正當那流言廣傳之際，另一個消息也隨著播傳出來。

那是神刀柳遠突然的失蹤，自從那夜的事件之後，從無人再記得見過柳遠，即使柳遠常常走動的地方，都絕了他的蹤跡。

於是，另一項謠傳附會而起，說神刀柳遠已被那多情仙子召去，常伴身側，過著那無拘無束的神仙生活。

這附會而起的流言，不知羨煞了多少人，每人都爲柳遠的艷福而慨嘆自己福淺命薄……

其實，神刀柳遠正孤寂的策馬在北上的大道上，追蹤那馬車的行蹤。

他不但富甲一方，而且頗有俠骨，那日與會的人大都留戀在多情仙子留下的溫馨回憶中時，他卻獨具慧眼，認定這是武林人物耍出的把戲，或是正在進行著一件震蕩江湖的陰謀，是以覺得必須追查出一個水落石出不可。

他悄然趕回那夜會見多情仙子的地方，果然，除了發現雜亂的馬蹄痕跡之外，還有車輪的軌轍。

他對自己的判斷更增加了幾分信心，仔細的查過那馬跡輪痕的去向，便單刀匹馬追了下去。

這柳遠膽大心細，沿途之上，雖然遇上了很多疑陣，但都被他細心勘破，未爲所惑。一則因爲那多情仙子在迢迢萬里的行程中，從未出過事故，難免日久疏懶，雖然布下了很多疑陣，導人入錯亂之境，但已不如先前一般細心，粗枝大葉的布置了一下，遇上了神刀柳遠這般細心的武林高手，不但未能亂他耳目，反而留下了可資追尋的痕跡，但他鑒定那疑陣，也用去不少時間，是以，數百里行程中，始終未能追上那多情仙子的馬車。

這日，太陽下山時候，到了岳陽境內。

這是條行人如梭的官道，往來車馬眾多，反而失去了可資追查的跡象。

柳遠沿途探聽，有無成群的馬車疾馳而過，但得到的答覆是，一日數起，幸好，那些車馬，說是奔入了岳陽城內。

一抹靈光，疾快由柳遠的腦際閃過，心中暗暗忖道：這岳陽武事最盛，那名聞遐邇的「水月山莊」就在岳陽附近，那多情仙子，或將在岳陽製造出一場鬧局……

這神刀柳遠不但武功高強，而且機智亦有過人之處，經過了一番忖思，分析之後，料定那多情仙子等一行必然留在岳陽，因此決定在岳陽暫息行蹤，當下找了一處僻靜客棧，住了下來，換過一身土布裝束，臉上塗了一層鍋灰，出店而去。

他為人精細異常，生恐被那多情仙子屬下認了出來，才易容改裝，準備尋各處客棧，找尋那多情仙子一行人的落足之處。

這時，夜幕已垂，華燈初上，街上行人如梭，接踵擦肩。

神刀柳遠連走了數十家客棧，仍然找不出多情仙子的落腳之處。

但此人信心堅強，雖然連走了數十家客棧都找不到多情仙子，但仍是不肯灰心，這時已然是初更過後，各處酒樓、飯館大都關門休息，只有那名聞天下的岳陽樓，仍是燈火輝煌。

柳遠行近岳陽樓時，突覺腹中有些饑餓，便信步登樓。

他衣著土里土氣，臉上又塗了鍋灰，看上去似是初由鄉下入城的鄉巴佬，那岳陽樓中的跑堂小二看柳遠走進店來，只冷冷的望他一眼，理也不理。

柳遠富甲一方，一向是揮金如土，長沙府酒樓、飯館，見到了神刀柳遠，無不是卑躬屈

膝，恭迎恭送，此刻受店家如此冷落，可算他有生以來，從未經過的事情，不禁感慨叢生。
他強自按下了心頭的怒火，沒有發作出來，回顧了幾個跑堂小二一眼，緩步向樓上走去。
忽聽一聲呼喝道：「慢著。」一個店小二急奔而來，橫身擋在樓梯口處，冷冷說道：「你幹什麼？」
柳遠道：「上樓吃酒。」
店小二上下打量著柳遠，冷漠地一笑，道：「我瞧你還是將就一下，隨便在樓下吃碗白飯淡麵就算了。」
柳遠長長吁一口氣，壓制下暴發的怒火，道：「為什麼，我不能上樓喝酒？」
店小二道：「樓上價錢貴，你吃了付不出錢，丟人現眼，倒不如在樓下將就一下算了。」
柳遠淡淡一笑，道：「你們這岳陽樓，最貴的酒席，一桌何價？」
店小二怔了一怔，道：「算了，說出來嚇你一跳，我看是不用……」
柳遠探手從懷中摸出一錠黃金，接道：「這個夠麼？」
店小二看那一錠黃金，少說點也在十四兩以上，心中已知道看走了眼，回頭一個大揖，道：「大人不見小人怪，小的有眼無珠，您老不要生氣……」身子一閃讓開去路，哈腰擺手說道：「大爺快請樓上坐。」神刀柳遠微微一笑，手腕一抖，把一錠黃金拋了過去，道：「這個送你買杯茶喝。」大步上樓而去了。
店小二接著一錠黃金，不禁為之目瞪口呆，這岳陽樓雖是天下聞名，不乏豪客，但像這等滴水未進，出手就是十兩以上黃金的小賞，卻是從未有過的事。

待他神志清醒，那柳遠已然走上樓去，急急趕了上去，柳遠已然在一處靠窗的席位上坐了下來。

這時，樓上酒客尚甚稀少，連同柳遠，只不過有四個人。靠北角一桌席位上，兩個黃衫及膝，面如冠玉，手套金環，星目劍眉的俊俏少年，對面而坐，舉杯對飲。

這兩人不但衣著一樣，面目身材，無不酷肖，加上肩上斜插著形式一般的一柄奇形長劍，看上去實叫人無法分辨。

柳遠打量了兩人一陣，暗暗忖道：這兩人生的面貌一樣，也還罷了，穿著這般同一形式的衣服，背著同一形式的兵刃，豈不是有意的讓人無法分辨？回首望去，身後丈餘外一張桌子上，坐著一個全身黑衣，形容古怪的老者，瘦骨嶙峋，長髮披垂，除了兩隻眼睛神光閃動之外，全身再無一點活人氣息。

那店小二急急奔到柳遠身前，低聲說道：「大爺吃點什麼？小的去給您老準備。」他原本想把那錠黃金送還柳遠，行近柳遠時，又突然改變了心意，悄然把黃金藏入懷中。

柳遠道：「替我來一桌上等的酒席……」

店小二應了一聲，急急下樓而去。

這樓上雖然有四個人，但卻聽不到一點聲音，柳遠隱隱感覺到，這沉默中潛伏著無比的緊張。

大約過了一盞熱茶工夫，突然響起了一陣沉重的腳步聲，有如巨錘擊打樓梯一般，震得耳中嗡嗡作響。

柳遠心中一動，暗道：「看來今宵這岳陽樓上，有好戲可瞧了，來人落足如此之重，分明是有意如此的……

忖思之中，那人已然登上了樓梯，直向那黑衣老者席位上走去。

柳遠轉頭望去，只見來人頭大如斗，五短身材，挺著一個大肚子，頭戴虎皮帽，身穿羊皮衣，手中提著一柄形如鹿角般的拐杖，行近那黑衣老者席位前面，一語不發的坐了下去。

那瘦骨嶙峋的黑衣人，恍如未聞未見，望也未望來人一眼。

神刀柳遠看得心中暗暗奇怪，忖道：這兩人似友非友，似敵非敵，但卻又似事先約好一般，實叫人瞧不出一點徵象……

念頭還未轉完，樓梯口處，又走上一個人來，此人來得無聲無息，以柳遠的耳目，竟未聽出他登樓的步履之聲。

抬頭看去，只見來人又瘦又高，穿了一件藍色的長衫，站在哪裏有如一根竹竿豎在樓梯口處，一雙眼睛，猶如利刀在眼上拉了一道口子，如不是他目中透射出兩道神光，很難看得出他有一對眼睛。

兩道又濃又長的眉毛，緊緊和眼睛連在一起，長得一付怪樣子。

他五官齊全，毫無短缺，只是生的位置太擠了些，嘴巴、鼻子都往眼睛上擠，雖是生的小頭小臉，但因五官擠在一起，看上去那張臉顯得很大。

只見他閃動一雙小眼睛，四下打量一陣，突然向黑衣老者席位上走去，不言不語的坐了下去。

這三人坐在一張桌子上，看上去十分好笑，當真是各具典型，極盡奇觀。忽聽那兩個衣著、面貌一般模樣的黃衣少年哈哈一笑，道：「看來，伏牛三惡人，已經到齊了。」

那枯瘦的黑衣老者冷冰冰的接道：「不錯，咱們三兄弟到齊了。」

靠東首的一個黃衣少年，道：「那很好，咱們可以開始了吧！」

那五短身材，挺著大肚子，頭戴虎皮帽，身穿羊皮衣的矮子，道：「兩位劃出道兒來吧！咱們兄弟是無不奉陪。」

柳遠暗暗忖道：原來這五人是早已約好在此見面，準備比武的了。

只聽靠西首的黃衣少年接道：「咱們是文比呢？還是武比？」

那瘦長有如竹竿的人，說道：「文比如何？武比又如何？」

這幾人雖是談論比武大事，但卻是誰也不肯瞧誰一眼。

東首黃衣少年說道：「文比，咱們就在岳陽樓上動手，你們三人，每人打我兩人一拳，咱們兩人再各擊你們一拳，看看那個承受不起，誰的傷勢最重，就算誰輸……」

他微微一頓，又道：「如是武比，咱們就不受任何限制，拳掌、兵刃、暗器，各盡所能，打上一場了。」

那枯瘦的黑衣人道：「咱們終年打雁，豈能被雁兒啄了眼去……」

那頭戴虎皮帽的矮子道：「不錯，咱們不能在陰溝裏翻了船。」

那瘦如竹竿的人接道：「文比太雅了，還是武比的好。」

西首黃衣少年，突然放下杯子，道：「好，咱們立刻就走如何？」

這時，雙方都已站了起來，準備下樓而去。

柳遠心中甚急，暗道：這幾人都是我要找之人，看來得跟著他們了……

但見五個身影，逐漸消失不見。

柳遠叫的一席酒菜卻還未送到，但勢又不能留此不去，只好起身下樓，遠遠的釘著幾人暗中跟蹤。

一路上，他都在暗中想著兩個少年的奇形衣著似是聽人說過，只是一時想不起來。

幾人下得樓後，折向南關行去，但覺地勢逐漸荒涼，片刻之間，已然人蹤不見。

兩個當先而行的黃衣少年陡然停了下來，道：「此地僻靜無人，咱們就在此地比試如何？」

那頭戴虎皮帽的矮子四下打量一眼，道：「好小子還不給我滾出來，難道要老人家伸手把你抓出來麼？」

柳遠吃了一驚，正待起身，突然站起了一條人影。

只聽那矮胖大漢說道：「偷瞧人家比武，乃武林中一大忌，你自己講，該當何罪？」

柳遠仔細瞧，那人素不相識，只聽他冷冷說道：「此地何地？此時何時？閣下未免說得太過自信了吧！」

那瘦高有如竹竿的大漢道：「這小子不知我們兄弟是誰，我去收拾他……」

黑衣人冷冷說道：「不行，先辦我們的正事。」

兩個黃衣少年低言數語，東首一個突然轉身一躍，飛落於丈餘外處，說道：「你們三兄弟是一齊上呢？還是一個一個來？」

那頭戴虎皮帽的矮胖大漢冷笑一聲，道：「咱們三大惡人，向來是以一對一，從不群毆，在下先來領教。」

縱身一躍，飛衝過來，揚起手中那形如鹿角的怪形兵刃，接道：「你亮兵刃吧！」

黃衣少年淡淡一笑，道：「我赤手空拳接你的兵刃，如是超過三招，那就算我敗了。」

柳遠隱身暗處，聽得怔了一怔，暗道：此人好大的口氣。

那矮胖大漢怒聲喝道：「有這等事！」手中兵刃一抖，點了過去。

他那形如鹿角的兵刃，一招點來，有如七八件兵刃點出一般，籠罩了數尺方圓。

只見那黃衣少年身子陡然一轉，不知如何閃開了點來的那一招，右手一揮，反擊過去，夜色黝暗，柳遠無法看清那黃衣少年的手法，卻聽得一聲悶哼，那矮胖大漢突然倒了下去

伏牛三惡，在江湖聲名甚著，遠到江南、西北地區，都聽到他們兇名，但竟在一交手間，傷在那黃衣少年手下。

只聽那黃衣少年哈哈一笑道：「伏牛三惡，情義深重，想來不致被唬住，不敢救人吧？」

這幾句話，無疑是向餘下未傷的兩人挑戰，雖然說得還算客氣，但卻用詞刻薄，極盡諷刺之能事。

那瘦如竹竿的高個子冷冷說道：「暗施算計，勝之不武。」

黃衣少年道：「兩位如是分開動手，還得多上一次麻煩，我瞧還是一起動手的好。」

那乾枯的黑衣老者怒道：「你要我們兩人聯手，如是傷在我們手下，那可是自找苦吃。」

那黃衣少年，早已盤弓坐馬，蓄勢待敵。

但聽那竹竿一般之人，大聲喝道：「你自己要討苦頭……」話還未完，突然中斷，蓬然一聲，倒在地上。

伏牛三惡人，片刻間倒下去了兩個，只餘下那黑衣枯瘦老者，靜靜立在夜色中。

那黃衣少年突然一伏身子，飛躍而起，直向那黑衣老者衝去。

他的動作迅速無比，有如電光激射而去，那黑衣人拍出一掌後，不知怎的亦被點中穴道。

兩個黃衣少年，相視一笑，高聲說道：「你們都被我點中了奇經大穴，七日內不會發作，但一過七日，那被點奇經大穴上，就將逐漸的麻木僵硬而成潰爛……」

語聲微微一頓之後，環顧了四周一眼，接道：「但眼下你們卻有一個最後機會，三日之後，請重上岳陽樓去，去見過一位和我一般模樣的人，只要你們求得他答應，你們就有救了。」也不待伏牛三惡答話，轉身大步而去。

柳遠隱身花叢中，瞧得十分真切，只是想不出那兩個黃衣少年是誰，竟有那般驚人功力。

兩個黃衣少年去後，大約過有一盞熱茶時分，那黑衣枯瘦老者突然挺身而起，施展推宮過穴手法，在兩個同伴身上推拿起來。

柳遠看得吃了一驚，忖道：好啊！當真是這山猶比那山高，原來這黑衣枯瘦老者，是偽裝被點穴道，不知是何居心？忖思之間，那頭戴皮帽、身著皮衣的矮子，當先醒了過來，緊接著那形如竹竿之人，也跟著醒了過來。那矮子一拍頭上的皮帽子，道：「兩個小子都走了麼？」

黑衣人冷冷說道：「都走了。」

那奇高的瘦子接道：「不知那娃兒用的什麼手法，我連看也未看清楚，就被點了穴道。」

黑衣老者冷漠的說道：「咱們伏牛三惡，闖了大半輩子江湖，從未遇上此等情事，今日之事，如是傳揚於江湖之上，咱們也無顏在江湖立足了！」

那矮子一挺大腹，道：「幸好是無人見到。」

鼻子、眼睛擠到一處的瘦長之人，道：「那小子臨去之際，留下了話，說是點了咱們的奇經大穴，七日後傷勢才會發作，不知是真是假？」

黑衣老者道：「一點都不錯。」

胖矮子接道：「你老大見多識廣，難道就沒法子解救麼？」

黑衣老者道：「我能解開被他點中的穴道，但卻無法救治那受他內力透肌打傷的經脈。」

長瘦的接道：「這麼說將起來，咱們還真得去那岳陽樓了？」

黑衣老者道：「如是咱們都不怕死，那就不用去了。」

胖矮子道：「死雖不可怕，但那不死不活的味道，卻是難以禁受……」目光一轉，望著那黑衣人道：「大哥之意呢？」

黑衣老者道：「如是害怕受罪，還是去的好些。」

瘦高個子道：「小弟亦是此意，但不知二哥意下如何？」

胖矮子道：「大哥和三弟的公決，我豈可單獨行動。」

黑衣人冷漠的說道：「看那兩個小子的衣著裝束，很像一個人……」

這也正是神刀柳遠心中的疑問，當下凝神聽去。

只聽胖矮子問道：「大哥心中所想，可是那金環二郎陶玉麼？」

黑衣老者道：「不錯，當今之世，除了那金環二郎之外，從無人再穿著那等衣著，奇怪的是陶玉只有一個，但那兩個小子，卻是長得一般模樣，叫人想不出是怎麼回事！」

柳遠心中一震，忖道：金環二郎陶玉，不錯啊！就是那身怪模樣的衣著，我早該想起此人才是。

只見那黑衣老人轉過身子，大步向前行去。

這三人雖是稱兄道弟，但彼此之間，顯得十分冷漠。

那胖矮子和瘦長漢子，也是一語不發，跟在那黑衣老者身後而去，轉眼之間，消失在夜色之中不見了。

直待三人去遠，神刀柳遠才站起身來，撣撣身上灰塵，正待轉身而去，突然衣袂飄風，劃空而來，一個人影電馳而至，攔住了柳遠的去路。

柳遠定神一看，只見來人正是那伏牛三惡中的黑衣老者，不禁一呆。

那黑衣老者冷冷說道：「你藏在此地瞧了很久麼？」

柳遠雖明知據實而言，對方爲保持顏面，必將動殺人滅口之機，但他也算是霸居長沙一方的雄主，不善謊言，沉吟了一陣，道：「不錯。」

黑衣老者道：「那你是全都瞧到了？」

柳遠道：「都瞧到了，但在下和你們伏牛三雄，素無嫌怨，自是當守口如瓶……」

黑衣老者接道：「這般承諾，在下豈能相信？」

柳遠道：「那該如何？」

黑衣老者道：「最好的辦法，就是你想個死法，在我眼前死去，咱們兄弟才能安心。」

柳遠淡淡一笑，道：「若是在下不想死呢？」

黑衣老者道：「貪生怕死，人之常情，你既是無法自行下手，說不得只有在下代爲效勞了！」揚手一指，點向柳遠死穴。

柳遠暗暗忖道：人稱他們兄弟爲三大惡人，看來的確是不錯，閃身避開一指，刷的一聲，抽出背上單刀。

黑衣老者道：「單看拔刀手法，當是一位小有名氣之人，那是勿怪你不願輕易的死了？」口中說話，人卻掌指並出，攻向柳遠，招招具是致命的毒著。

柳遠心中惱怒，暗道：彼此無怨無仇，下手如此歹毒：非得給點顏色瞧瞧不可，手中單刀暗蓄真力，待勢反擊。

那黑衣老者連攻了七掌八指，都被柳遠閃避開去，才知遇上勁敵，立時收斂狂傲之態。就在他心念轉動，掌指一緩間，柳遠已展開了猛烈的反擊，暗蓄真力的單刀，順勢推出，

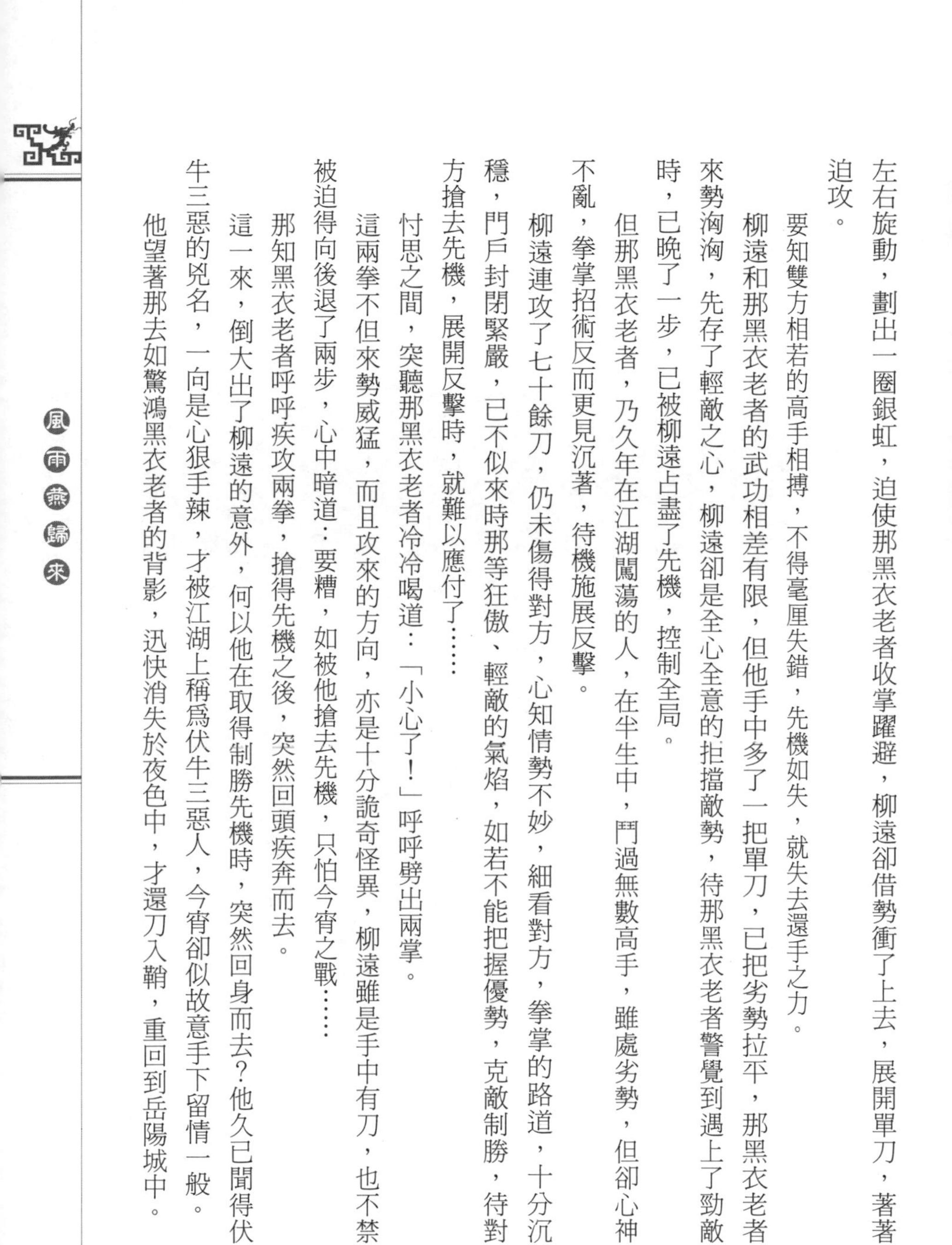

左右旋動，劃出一圈銀虹，迫使那黑衣老者收掌躍避，柳遠卻借勢衝了上去，展開單刀，著著迫攻。

要知雙方相若的高手相搏，不得毫厘失錯，先機如失，就失去還手之力。

柳遠和那黑衣老者的武功相差有限，但他手中多了一把單刀，已把劣勢拉平，那黑衣老者來勢洶洶，先存了輕敵之心，柳遠卻是全心全意的拒擋敵勢，待那黑衣老者警覺到遇上了勁敵時，已晚了一步，已被柳遠占盡了先機，控制全局。

但那黑衣老者，乃久年在江湖闖蕩的人，在半生中，鬥過無數高手，雖處劣勢，但卻心神不亂，拳掌招術反而更見沉著，待機施展反擊。

柳遠連攻了七十餘刀，仍未傷得對方，心知情勢不妙，細看對方，拳掌的路道，十分沉穩，門戶封閉緊嚴，已不似來時那等狂傲、輕敵的氣焰，如若不能把握優勢，克敵制勝，待對方搶去先機，展開反擊時，就難以應付了……

忖思之間，突聽那黑衣老者冷冷喝道：「小心了！」呼呼劈出兩掌。

這兩拳不但來勢威猛，而且攻來的方向，亦是十分詭奇怪異，柳遠雖是手中有刀，也不禁被迫得向後退了兩步，心中暗道：要糟，如被他搶去先機，只怕今宵之戰……

那知黑衣老者呼呼疾攻兩拳，搶得先機之後，突然回頭疾奔而去。

這一來，倒大出了柳遠的意外，何以他在取得制勝先機時，突然回身而去？他久已聞得伏牛三惡的兇名，一向是心狠手辣，才被江湖上稱爲伏牛三惡人，今宵卻似故意手下留情一般。

他望著那去如驚鴻黑衣老者的背影，迅快消失於夜色中，才還刀入鞘，重回到岳陽城中。

孤獨行程中，他突然發覺了自己是這般微不足道，能夠在江湖叫響萬兒的人，似乎武功都強過他很多……

自己辛辛苦苦的來追查那神秘的馬車和多情仙子，真的追上了，又該如何？心念轉動，雄心忽消，數日來的豪興、熱情，有如被冷水澆下，再也提不起一點勁頭。

突然間，車輪轆轆，疾馳而至。

如果在一個時辰之前，這轆轆車聲，必然將使這柳遠精神大振，但此刻，他意興闌珊，連轉頭望那馬車的興頭也沒有，馬車疾快馳近了柳遠身側，馬頭忽然一轉，攔住了柳遠的去路。

車簾起處，躍出來一個全身青衣的美麗少女，舉手理著鬢邊的散髮，笑道：「柳大官人，別來無恙，有勞千里追蹤，足見官人多情，小婢奉命迎賓，大官人請來上車吧！」

柳遠豪興已消，輕輕嘆息一聲道：「你是什麼人？」

青衣女道：「大官人貴人多忘事，連小婢也記不得了？」

柳遠道：「你可是那多情仙子的隨身使女？」

青衣女道：「不錯，大官人由長沙追來岳陽，披星戴月，十分辛苦，仙子大為感動，特遣小婢來迎接官人。」

柳遠道：「請上覆仙子，就說我柳某人要即返長沙，無暇拜晤了。」

青衣少女臉色一變，道：「大官人說得好生輕鬆，你既是無心，何苦要千里追蹤。」

柳遠道：「在下來此時，雖然是豪興勃勃，但此刻卻已興意全消了！」

青衣少女道：「如是小婢請不去柳大官人，必將受仙子責罰，我看大官人還是上車的好。」

柳遠拱手說道：「在下實已無再見仙子之興，有勞姑娘代為美言一二。」

青衣女冷笑一聲，道：「不吃敬酒，吃罰酒，那也是沒法子的事了。」

柳遠呆了一呆，道：「姑娘之意呢？」

青衣女冷冷地道：「我加上一個請字，不過是對你客氣，其實你去也得去，不去也得去。」

柳遠微微一笑，道：「姑娘準備勉強麼？」

青衣女道：「你可是有些不信？」右腕一揮，欺身而進。

神刀柳遠但覺得手腕一麻，單刀已被青衣女奪了過去，心神微微一震，還未完全清醒，刀鋒已然逼在前胸之上！手法的乾淨俐落，卻是未聞未見之學。

只聽那青衣女冷冷的說道：「上車吧！」

神刀柳遠自知反抗也是枉然，一語不發的掀起車簾，上了馬車。

青衣女放下車簾，馬車疾快的向前奔馳而去。

車中布設，十分舒適，隱隱間有一股清香的脂粉氣味。

那多情仙子的美麗情影，陡然間浮在神刀柳遠的腦際，那倩影隨著他轉動的心念，不斷的擴大，終於在眼前描繪出一付美麗的形貌，不禁輕輕嘆息一聲，忖道：一個人能得一親那絕世玉容的芳澤，縱然死了，那也算不虛此生……

他的思想，逐漸爲多情仙子那美麗的幻影占據，陶醉在幻夢中。

馬車突然停了下來，那青衣女掀開車簾，高聲說道：「到了，下車啦！」

她一連呼叫數聲，柳遠才似大夢初醒般啊了一聲，睜開眼來，說道：「到了麼？」

青衣女冷冷說道：「你可是被嚇糊塗了？」

柳遠也不答話，舉步下了馬車。

夜色中，只見一片幢幢屋影，似是停在一座大莊院前。

耳際間又響起那青衣女嬌脆的聲音，道：「你最好是閉上眼睛……」

柳遠道：「閉上眼睛，我怎能走路？」

青衣女道：「我牽著你走。」

柳遠果然依言閉上雙目，青衣女牽著他一隻衣袖，向前行去，一面說道：「你這人心地還好，等會見著我們姑娘時，說話要小心一些，如果不再惹惱她，也許這檔事也就算了。」

柳遠道：「什麼事啊？」

青衣女道：「你是真不明白呢？還是故意在裝糊塗？」

柳遠道：「只有不知，哪有故作糊塗之理。」

青衣女道：「你家產萬貫，不坐在家裏享福，苦苦的追查我們行蹤爲何？就憑這一樁事，殺了你也是活該！」

柳遠道：「你們那位姑娘很兇麼？」

青衣女道：「這就很難說了，她脾氣好時，你忤逆她一點也不要緊，如是不樂之時，一點

事就要挨罵了！」

柳遠道：「這麼說來，你們是常常的挨罵了？」

青衣女未答柳遠之言，卻回過頭來道：「你一直沒有閉上眼睛麼？」

柳遠暗暗忖道：我既然答應了她，怎的竟會忘去……

只聽那青衣女道：「哼！我已經告訴你了，閉不閉眼，是你的事，你以後瞎了眼，不能怪我。

柳遠吃了一驚，暗道：她說得這般嚴重，倒不似故作聳聽危言，只怕這其間當真有什麼古怪……

四下打量一陣，才發覺自己正穿行一座花園中，夜風中花香芬芳。

青衣女突然加快了腳步，行近一座廳前，那廳門緊緊關閉著，不見燈光，四周花樹環繞，青衣女右手在門上輕叩三下，木門大開，一推柳遠，道：「進去吧！」

她雖是生得嬌小美麗，但腕力卻是很強，柳遠被她用力一推，竟身不由己的走了進去。兩扇廳門，突然關了起來，室中更是黑暗，伸手不見五指。

這情景充滿著神秘的恐怖，柳遠本能的伸手去摸刀把，一手抓空，才知身上單刀早已被人取去。

只聽一個冷漠的女子聲音，由花廳一角中傳了過來，道：「你快馬兼程，追查我們行蹤，是什麼用心？」

柳遠用盡了目力瞧去，竟然瞧不出一點徵象，雖然他可憑藉傳來的聲音，判別出那人的停

身之處，他自信憑藉自己的目力，雖無法辨視出室中細小之物，但一個人決逃不過目光。

只聽那冷漠的聲音又傳了來，道：「我們仙子雖是生性仁慈，但如激惱了她，那就很難說了，你如是裝聾作啞，那可是自討苦吃了。」

柳遠一提真氣，暗自戒備，應道：「在下初時確有追查諸位行蹤之心，但此刻已經是意興索然。」

那冷漠的女子聲音接道：「為什麼？」

柳遠道：「那多情仙子雖然玩世不恭，但並無惡行，在下縱然追尋到諸位行蹤，也無可責之言。」

室中突然亮起了一道火光，燃起了一支紅燭。

一個全身黑衣的少女，高舉著紅燭走了過來。

柳遠恍然大悟，暗道：原來她穿著一身黑衣，隱在花廳一角，如再舉起衣袖，掩住五官，就使人無法瞧見。

只見那黑衣女把紅燭放在木案之上，說道：「你既無惡念、邪心，罪行不大，但你千里追蹤，亦不能說毫無懲罰。」

柳遠一皺眉頭，道：「如是在下不願接受呢？」

黑衣女忽然啓唇一笑，道：「為什麼呢？」

柳遠道：「大丈夫可殺不可辱……」

黑衣女接道：「不成，如是要你死，你想活也活不成，如是不讓你死，你想死也死不了，

你罪不致死，我怎能殺了你。」

突然一伸右手，疾向柳遠抓去。

柳遠右腕一沉，避開了掌勢，右手反擊一掌。

黑衣女嬌軀一轉，人已閃到柳遠的身後，柳遠右手疾收，正待向後退去，突然右手「曲池」穴上一麻，一條右臂軟軟垂了下去，緊接著左臂「曲池」穴上也被點中，兩條手臂作用齊失。

這柳遠也算是一方豪雄，動手不過一招，就被人點了雙臂穴道。心中一股激憤，實難忍耐，怒聲喝道：「臭丫頭……」三個字剛剛出口，突覺啞穴一麻，再也接不下去了。

那黑衣女緩緩轉到柳遠身前，說道：「你口不能言，手不能動，再也沒有法子洩露所見的事了。」

柳遠心中怒火高張，雙目盡赤，但手不能揮，口不能言，心中乾自著急。

只聽那黑衣少女接道：「我這奇特點穴手法，雖然點了你身上三處穴道，但卻不傷身體，回家去好好休養一年，穴道即可自解，這一年之中，不可妄動怒火，怒則傷身，室外已替你備了健馬，你可以走了。」呼的一聲，吹熄了案上燭火，室中又恢復一片黑暗。

柳遠依在一處壁上，準備待胸中一股激動、憤怒稍為平息之後，再作決定。

黑暗中柳遠隱隱感覺到那黑衣少女已然走去，這座黝暗的大廳中目下已無人主持。

他長長吁一口氣，緩步向外走去。

廳門外早已站著一位身穿青衣的姑娘，冷肅地站在六七尺外，冷冰冰地說道：「你再不出來，我也走了……」語聲微微一頓，道：「此刻，我送你上馬。」

柳遠心中暗道：既已無反抗之能，那就不如一切聽憑她們安排，看看又是如何？舉步行了過去。

那青衣小婢直待柳遠行近身前，才轉身帶路。

穿越了幾重庭院，到了大門之外，果然有一匹鞍鐙俱全的長程健馬。

青衣女道：「可要我扶你上馬？」

柳遠不知雙臂的「曲池」穴，身上啞穴被點之後，是否影響到其他武功，當下一提真氣，突然一躍，直向馬背上飛了過去，蓬然一聲微震，已騎在馬背上。

那青衣女突然上前兩步，輕輕在健馬身上拍了一下。

但聞健馬一聲長嘶，放蹄而去，如驚鴻，眨眼間，已走得蹤影不見。

神刀柳遠單人一騎，奔馳在夜色中，仰望著天空閃爍的繁星，更覺得自己是如此的孤獨。

他想縱聲大叫，以舒情懷，但卻發不出一點聲音，他用盡了氣力，想揮動一下雙臂，但那兩條臂膀已然不聽使喚。

一個完好的人，陡然間口不能言，手不能動，這痛苦實有著比死亡更難忍受之感。

他縱馬狂奔在荒涼的原野中，有如一個發了瘋的狂人。

不知過去了多少時間，天色曙光已現，那匹長程健馬已跑得遍體大汗，力盡難支，呼的一

聲，摔倒在地上。

這柳遠雖然被點了雙臂上的「曲池」穴，手不能動，口不能言，但他心智無損，武功仍在，經過一陣發狂的奔馳之後，那急躁的情緒，逐漸的平復下來，一種人類生存的本能，使他開始適應這突然的變化，他望望那倒在地上的長程健馬，心中突然生出強烈的求上之望，暗道：我柳遠豈能因穴道的暫時受制，就此消沉，她那獨門點穴手法，難道世間真就無人能夠解得麼？

他緩緩站起身來，辨識了一下方向，不禁長長一嘆，原來他快馬狂奔了大半夜，仍然在岳陽附近。太陽逐漸升起，金黃色陽光，照著那含露草木，一切都顯出蓬勃的生機。

只聽得得蹄聲，由遠而近，瞬息間快馬已到柳遠的停身之處。

馬上坐著一個姿容絕世，全身白衣的女子，長髮和衣袂不停在晨風中飄動。

此刻的柳遠，心中對女人充滿著敵意、畏懼，看那白衣女策馬而來，冷峻的望了她一眼，趕忙別過頭。

那白衣女目光銳利至極，柳遠那充滿敵意的一眼，似已被她發覺，馬頭一轉，直奔過來問道：「你可是遇上強盜了？」

原來柳遠從馬上摔下，沾了滿身土。

柳遠強忍心中的激動，頭也不回，裝作未聞。

只聽鞍鐙微響，白衣女竟然躍下馬來。

一縷柔柔清音傳入耳際，道：「你被人點了穴道？」

隨著這喝問之聲，一掌拍向了柳遠的右臂。

柳遠意識中感覺到一掌拍來，但卻是閃避不開，只覺右臂上經脈一震，似是隨著那拍來的掌勢中，挾著一股暗勁，透肌而入，震蕩經脈，本能的一抬右臂。

那知右臂竟應勢而起。

柳遠還未來得及轉動念頭，那柔柔清音又在耳際響起，道：「你左臂也被人家點傷了。」呼的一掌，又擊在左肘上。

神刀柳遠那無法舉動的雙臂，陡然間完全恢復，心中大爲震動，忍不住回頭望去，只見她嬌艷如花的臉上，帶著溫柔的笑容，緩緩說道：「你被人家用透骨打穴的手法，傷了經脈，這手法十分怪異，和一般點穴手法大不相同，當今之世，很少人能夠解得……」

語聲微頓，卻不見柳遠說話，又自接了下去道：「不過傷你經脈的人，心地很好，下手甚有分寸，縱然是無人幫你活開被傷的經脈，一年之後，即可自動復原。」

柳遠初時對她原抱有很深的敵意，但見她平和的笑容，誠懇的言詞，毫無做作譏諷之意，心念頓時一變，心想說幾句感謝之言，卻又無法出口。

那白衣女皺了一下眉頭，道：「你怎麼不說話呢？……」

但見他目中流露出感激之意，心中忽然動了懷疑，接道：「你是天生的啞子麼？」

柳遠搖搖頭，黯然一笑。

白衣女道：「那是不願理我了？」

柳遠心中大急，舉起雙手一陣亂搖。

白衣女凝目沉思了片刻，笑道：「我明白啦！你可是被人點了穴道？」

柳遠點點頭，目光流現出求救之色。

白衣女緩步走了過去，輕揚玉腕，解開他啞穴上的禁制笑道：「那點你穴道的人壞死啦，點了兩臂上的穴道不算數，又點了你的啞穴。」

柳遠長長吐出一口悶氣，道：「在下長沙柳遠，我承姑娘援救，感激不盡，不知姑娘可否留下姓名，也好讓在下日後報答。」

白衣女凝目沉思片刻，道：「不用報答了，江湖上偶伸援手，也算不得什麼大事……」話至此處，雙頰上突然泛現出兩圈紅暈，微帶嬌羞的接道：「你一定要問我的姓名，叫楊夫人就行了。」

柳遠自言自語道：「楊夫人，楊夫人……我明白了，你可是楊夢寰大俠的夫人麼？」

白衣女笑道：「不錯啊！你可是敬佩我那寰哥哥麼？」

柳遠道：「楊大俠武功絕世，俠名震蕩江湖，武林中人有誰不敬佩於他，唉！除了楊夫人外，世界上還能有幾人具此等身手！」

白衣女微微一笑道：「多謝你誇獎我那寰哥哥，他實在是個很好的人，江湖上人人敬重他，我心中很……」

只聽一陣尖冷的長笑傳了過來，道：「沈姑娘仍然是處子之身，怎的自稱起楊夫人了？」

白衣女轉頭望去，只見兩丈外站著三個面目俊俏的少年，身著黃色及膝大褂，腰束一條三寸寬的白絲腰帶，淡黃綢褲，粉底快靴，高卷著袖管，背上斜插金環劍，三個人一般的裝束，

每人手腕上都帶著一個金環，日光下閃閃耀目，不禁心頭一震，失聲叫道：「陶玉，你沒有摔死麼？……」

只見那居中的黃衣少年格格一笑，道：「好啊！霞琳姑娘，你還能記得故人……」

沈霞琳臉色突然一變，冷冷笑道：「哼！你不用騙我了，你不是陶玉。」

那居中的黃衣少年微微一怔，道：「怎麼？我哪裏不像了。」

沈霞琳道：「你長像倒和那陶玉是一般模樣，但那陶玉只有一個，你們三個卻長得一般模樣，自然不是陶玉了。」

陶玉微微一笑，道：「幾年不見，沈姑娘的見識，竟是大有進境了。」

沈霞琳道：「我已經長大了，誰也別想騙得過我！」

陶玉道：「不論在下是否就是那陶玉，但沈姑娘一眼之間能夠看出我像陶玉，那是足見沈姑娘尚未忘懷昔年之情……」

沈霞琳心中大急，厲聲喝道：「誰對你有情了，那時我不過是看在寰哥哥的份上，因爲你是他的朋友，才肯聽你的話，誰知道你竟是個很壞很壞的人……」

語音微微一頓，又道：「這些往事，你如何知道？」

陶玉道：「因爲都是我親身經歷的事，豈有不知之理！」

沈霞琳訝然說道：「這麼說將起來，你當真是那陶玉了！」

陶玉道：「貨真價實，一點不錯。」

沈霞琳望著他身後站立的兩個黃衣少年，道：「那兩人又是誰呢？」

陶玉微微一笑，道：「那是我門下弟子。」

沈霞琳道：「怎麼會長得和你一樣呢？」

陶玉道：「形貌相同，衣著一樣，一眼看去，自是一般，沈姑娘如是仔細的看上一陣，就可分辨出真偽來了。」說話之間，舉步行了過來。

沈霞琳微微一笑，道：「我不要仔細瞧你了，你如是真的陶玉，吃過這一次苦頭，也該改過自新，做個好人，如你是那假冒陶玉之名，瞧不瞧你都是一樣。」

陶玉呆了一呆，停下了腳步，道：「沈姑娘還是這般的坦誠性格。」

沈霞琳道：「你這話不是說得很奇怪麼，一個人的生性自是終身不變……」

陶玉臉色一變，接道：「不錯，一個人的性格應該是終身不變，在下心中對你沈姑娘一直是念念不忘。」

沈霞琳搖搖頭，道：「我已經是楊夫人了，你以後不用再叫沈姑娘啦！」

陶玉道：「你騙得過別人，如何能騙得過我陶玉，眼下你仍是處子之身。」

沈霞琳粉臉一紅，道：「我和寰哥哥雖無夫妻之實，但已有夫妻之名。」

陶玉聞言，不由冷冷說道：「既是虛有其名，那你就不用再回去了。」

沈霞琳奇道：「我不回家去，要去哪裏？」

陶玉道：「跟著我走，日後我如達到那稱霸武林之願，你就是天下武林盟主的夫人了。」

沈霞琳道：「你這人講起話來，怎麼沒有一點分寸，我和寰哥哥，恩愛夫妻，生死與共，你是他的朋友，這般的對我輕薄，豈不是大笑話麼？」

陶玉怒聲說道：「誰是他的朋友了，那楊夢寰奪去了我的師妹，害得我吃盡了苦頭，我這次重出江湖，第一件事就是要找他算帳。」

沈霞琳微微一笑道：「我一點也不害怕，你決然打他不過。」

陶玉冷笑一聲道：「你認為我要去找他當面比武麼？」

沈霞琳道：「你要和他分個高下，自然是非要比武不可了。」

陶玉道：「我先要奪其所愛，使他折騰一陣，然後再搏殺於他。」

沈霞琳道：「你要用什麼方法折磨他呢？」

陶玉道：「我先要把你帶走，然後我再派人送信給他，告訴他你已是我陶玉的了……」

沈霞琳臉色大變，怒聲接道：「你這人胡說八道……」

陶玉格格大笑道：「我說的句句實言，沈姑娘如是不信，那是敬酒不吃吃罰酒了。」

沈霞琳一轉身，跑近愛馬旁邊，伸手拔出鞍上掛的長劍，說道：「你說話太無禮貌，我要好好的教訓你一次才行。」她左手領動劍訣，封住了門戶，接道：「你出手吧！」

陶玉冷然一笑，道：「沈霞琳，幾年不見，不知你的武功如何……」

沈霞琳接道：「當然是大有進步，五年前寰哥哥大破天龍幫後，已被江湖上尊為一代名家，這些年來，我和那紅姊姊都在跟著寰哥哥練武功……」

陶玉一聽沈霞琳提到師妹，心中不由一陣暗痛，厲聲喝道：「那李瑤紅怎麼樣了？」

沈霞琳道：「她很好啊。」

陶玉雙目圓睜，怒聲喝道：「好！我先把你搶到再說……」一伏身，弩箭離弦一般，直向

沈霞琳衝了過來。

沈霞琳長劍一閃，劃出了一圈銀虹，封住了門戶。

陶玉眼看無法得手，立時仰身而退，一來一往之間，不過眨眼工夫。

沈霞琳看他進退之間的快速身法，不禁吃了一驚，暗道：這人動作好快，看將起來，似是還要強過寰哥哥了。

陶玉冷笑一聲道：「好啊，幾年不見，沈姑娘武功果然是有了很大的進境。」

沈霞琳正待答話，瞥見人影一閃，陶玉已疾如閃電般衝了過來，不禁心頭駭然，匆忙間疾舉長劍，一招「天女揮戈」以攻迎攻。

那知長劍剛剛舉起，突覺右腕一麻，腕力頓失，長劍陡然落地。

陶玉格格一笑道：「這是天罡指力，你可曾學過麼？」

談笑聲中，左手已托住沈霞琳肘間關節。

沈霞琳道：「天罡指乃『歸元秘笈』上的武功，我那蘭姊姊最擅此技。」

陶玉道：「楊夢寰可會『天罡指』麼？」

沈霞琳道：「當然會了，那『歸元秘笈』上記載的武功，他大都學過。」

陶玉道：「不知他有幾成火候？」

沈霞琳正待答覆，心中突然一動，冷冷說道：「你想由我口中問出寰哥哥的虛實……」

陶玉笑道：「好啊，幾年不見，你倒是懂事多了。」右手連揮，又點了沈霞琳三處穴道，接著又道：「想你必已學過自行解穴之法，那只好多點你幾處穴道了。」

風雨燕歸來

沈霞琳道：「你仍然這樣壞，將來定然不得好死。」

陶玉道：「將來的事，待將來再說，但眼下你已被我生擒，那楊夢寰搶走了我的師妹，我陶玉奪了他的妻子，豈不是很應該麼？」

沈霞琳心知多言無益，索性不說話。

陶玉緩緩轉過身，目光凝注在神刀柳遠身上，冷冷說道：「你自己自絕呢？還是要我動手？」

柳遠抬起雙掌護住前胸，道：「在下雖然自知非敵，但也不甘束手待斃。」

陶玉道：「好！那我就讓你嘗嘗分筋錯骨的滋味。」陡然欺身而上。

柳遠右掌急揮，一招「飛鈸撞鐘」迎胸搗去。

掌勢出手，突然肘間一麻，右臂肘間關節，已被陶玉托住。

柳遠萬想不到，連一招都無法攻出，長嘆一聲，道：「想不到我柳遠習了數十年的武功，竟然無能接你一招。」

陶玉道：「你既然敗得心服口服，想來死得定也能瞑目九泉了？」右手微一用力，錯了柳遠右腕關節。

柳遠悶哼一聲，痛出了一身大汗。

陶玉格格一笑，道：「味道如何？」

沈霞琳星目圓睜，怒聲喝道：「住手！」

陶玉已然托起柳遠左肘關節，聽得沈姑娘喝叫之言，回身笑道：「沈姑娘有何吩咐？」

沈霞琳道：「我要你放開他。」

陶玉笑道：「在你沈姑娘的眼中，我陶玉早已是無情無義的小人，那也不用充什麼英雄好漢了。」

沈霞琳道：「他不是你的敵手，殺了他也算不得英雄。」

陶玉道：「為什麼？」

沈霞琳隨著年齡增長，人已成熟了很多，當下冷笑一聲道：「我明白了。」

陶玉道：「你明白什麼？」

沈霞琳道：「你可是怕他去告訴我寰哥哥，殺他滅口？」

陶玉道：「我還要楊夢寰知道我擄了他的妻子，豈會怕他知道？」

沈霞琳道：「你如不怕我寰哥哥知道此事，那就放了他去『水月山莊』報訊。」

陶玉道：「這豈不太便宜楊夢寰了麼？我要先故布疑陣，使他疑神疑鬼的鬧個六神不安，然後再知道你已為我所有。」

沈霞琳嘆道：「你當真是越長越壞了！」

陶玉右手一抬，又錯開了柳遠左臂關節。

神刀柳遠極力忍耐，但仍然忍不住這錯骨椎心的痛苦，失聲而呼。

陶玉格格一笑，道：「我還道你是鐵打銅澆的人，當真能忍得下這傷筋錯骨之苦！」雙手齊出，又錯開了柳遠雙肩關節。

柳遠只痛得汗如雨下，大叫一聲，暈倒地上。

陶玉又錯開柳遠雙膝關節，回頭對沈霞琳，道：「他幾處重要關節都被錯開，一身武功，作用全失，但兩三天內也死不了……」

沈霞琳道：「他人已痛得暈了過去，你爲什麼不殺了他？」

陶玉道：「一頓飯工夫之內，他自會清醒過來，我要他躺在這裏，慢慢死去。」

沈霞琳道：「那要數日夜之久，你不怕別人救了他麼？」

陶玉笑道：「除非有人能接上他被錯開的筋骨，否則只要一動他，必將劇疼刺心……」突然伏下身去，自動接上了柳遠的右肩、右肘關節。

沈霞琳只瞧得茫然不解，道：「你這是幹什麼？」

陶玉笑道：「我與他留下一條有用的右手，如果是有人救他，觸動他的筋骨，他在刺骨椎心的劇疼之下，必將失去了理性，揮動右臂，擊傷那救他之人，如是救他的人不會武功，定將被他一掌擊斃。」

沈霞琳嘆道：「禍連無辜，你當真是毒如蛇蠍。」

陶玉道：「那只怪救他的人多管閒事；如何能夠怪得我呢？」右手一伸，點了柳遠啞穴。

沈霞琳道：「這又是什麼惡主意？」

陶玉道：「簡單得很，我要他口不能言，無法告訴那救他的人，不要動到他的傷處，才能造成誤會，傷害那救他的人。」

沈霞琳道：「世上惡人都可恕，只有陶玉不可恕！」

陶玉冷冷說道：「我陶玉死後被打入十八層地獄，那是死後的事，但沈姑娘不要忘記，你

此刻已為我陶玉生擒，我可使你死，也可使你生，也可讓你受盡羞辱，歷盡痛苦……」

沈霞琳接道：「我不怕死。」

陶玉臉色一變，右手一揮，砰砰兩聲，左右開弓，打了沈霞琳兩個耳括子，他陰沉的一笑，冷然接道：「在下已沒有五年前那份憐香惜玉之心，沈姑娘如若頂撞在下，那是自討苦吃。」

這兩記耳光，落手奇重，只打得沈霞琳雙頰紅腫甚高，口中鮮血汩汩而下。

沈霞琳一咬牙齒，強忍著傷疼，不再言語，心中卻念頭電轉，忖思著如何設法把此訊通知楊夢寰。

陶玉回顧了躺在地上的神刀柳遠一眼，臉上閃掠過一抹獰笑，探手一把抱起沈霞琳，疾奔而去。

那兩個衣著、形貌都和陶玉一般的少年，正是陶玉四靈化身中的朱雀、玄武，緊隨在陶玉身後，急奔而去。

荒涼的郊野又恢復了原有的平靜，金色的陽光照射在青草地上，顯得是那樣柔和、安祥。

柳遠揮動一下僅可伸動的右臂，抓起了一顆石子，瞪著一雙無法轉動的眼睛，望著官道。

他雖兩腿左臂關節盡為錯開，但他的心智並未受損，他極力忍受著痛苦，希望能藉著一條尚可活動的右臂之力，把消息傳入「水月山莊」。

他心中冷笑著，忖道：陶玉啊！陶玉啊！你千般算計，萬般算計，該想到我右手可以寫

字，一樣能把消息傳到「水月山莊」中去……

一股倔強的意念支持著他，使他一直保持著清醒的神智。

太陽光照花了他的眼睛，但他仍一瞬不瞬的望著官道。

突然間，響起了一陣轆轆的輪聲，劃破了荒野的沉寂，也驚動了神刀柳遠。

他伸動一下右臂，抓起了自己的頭髮，猛力向上一提，這一動，震動了他的傷處，只疼得出了一身大汗。

但終於他瞧到了一輛馬車，由正西方向馳來。

他聽著輪聲漸漸的接近，算準了距離，突然一振右腕，拋出手中的石塊。

但聞蓬然一聲，石塊正擊在車輪上。

他的心計沒有白費，果然驚動了馬車中人。

但聞腳步之聲，行近身側，一個土布衣褲的車夫打扮的大漢，緩緩步行了過來。

柳遠舉起右手在頭上揮繞了一周，示意他蹲下身來。

那大漢如何能解得柳遠之意，停下腳步，嘆道：「你可是遇上了強盜，唉！在家千日好，出門一時難，你不用謝我了，我抱你上車。」伸手抓柳遠的左臂。

二　心狠手辣

他誤解了柳遠那繞動右手之意，是在拜謝他相救之情。

因爲柳遠除一條右臂之外，左臂和兩腿上的關節，都被陶玉錯開，難以掙動，眼看那車夫伸手抓向左臂，就是無法閃避。

只覺一陣筋斷骨折，裂心碎膽的劇疼，左臂硬被那大漢抓了起來。

事情果如陶玉所料，在這等裂心碎膽的痛苦之下，那還能多作思慮，右臂一揮，砰然一聲，擊在那大漢胯間。

那大漢被柳遠打了個仰面朝天，半晌才掙扎爬起，指著柳遠大聲喝道：「不知好歹的東西，不分敵友，出手就打，我瞧你躺在這裏等著狗來吃吧。」轉身大步而去。

他似已被柳遠打得不輕，心中有些害怕，不敢再多停留了，轉身急步而去，片刻間輪聲轆轆，趕車而去。

足足過了有一盞熱茶工夫，柳遠那震動的筋骨痛疼，才逐漸平復下來，抬頭看那車夫時，早已走得不知去向。

他長長吁一口氣，右手又抓起一顆石子，等待著第二個時機。這時，他被移動的方位，已

無法看到官道，只能憑藉雙耳去聽。

不知道過去了多少時間，才聽到一陣蹄聲傳來。

這時柳遠有了準備，早已用右手在地上寫了兩行字。

只聽蹄聲得得，由遠而近，柳遠憑聽覺算準了位置，猛投出了手中石塊。

果然，應手響起了一陣馬嘶，想是投出石塊，擊中那匹健馬。

他無法抬起頭看，只好舉起右手來，不停的搖晃，希望藉此能引起來人的注意。

但聞砰的一聲，一條馬鞭，正抽在柳遠的右腕上，雖然有些痛疼，但他尚可忍耐，藉勢抓住鞭梢，用力一帶，手指指向預先寫好的字跡上。

果然那人驟不及防的被他一帶，身子直衝過來，正待發作，突然瞧到了地上字跡。

只見第一行寫道：「我被人點了啞穴。」

這時，柳遠因來人的方位移動，已可看清楚來人是一位十八九歲，身著藍色長衫的少年。

那藍衫少年回頭望了柳遠一眼道：「你可是不會說話……」大概他亦自覺到此言多餘，也不待柳遠回答，目光又移向下面一行字跡上，只見上面寫道：「請到『水月山莊』，就說楊夫人已爲陶玉所擄去。」

只聽蹄聲得得，又一匹快馬奔馳而來。

那藍衣少年回顧來人一眼，道：「我帶你同去那『水月山莊』如何？」伸手去抱柳遠。

神刀柳遠嚇得連連揮著右手。

那藍衣少年愕然不解，凝目想了一陣，道：「你還是用手寫出來吧！」

柳遠無可奈何的伸出右手在地上寫道：我被人錯開了全身關節，全身不能碰得。

那藍衣人呆了一呆，道：「我雖然學過推宮過穴的手法，但卻從未學過替人接續關節，此事兄弟無能爲力……」

突聽一個尖冷的聲音道：「這是西域三音神尼的『拂穴錯骨』手法，不足爲奇。」

藍衣人轉頭看去，不知何時，身後已站著一位手持拂塵的道姑。

道姑生得十分美麗，只是眉宇間有一股怨憤之氣，似是對世間所有的人物，都充滿著恨意。

藍衣人聽她口氣托大，本想出言譏諷她幾句，但一見她那泛現怨憤的臉色，竟是不敢多言。

只見那道姑放下手中拂塵，蹲下身子，伸出白嫩的雙手疾快的替柳遠接上被錯開的關節，說道：「這手法雖然歹毒，但如在三十六個時辰之內施救，人就不會受到一點傷害，哼哼！他可是認爲那『三音神尼』的『拂穴錯骨法』就無人能解得了麼？」

那藍衣少年暗中瞧了那道姑兩眼，只覺除了她臉上一股怨憤之氣外，秀眉櫻唇，美麗不可方物，不禁心頭一蕩，暗道：這出家人好生美艷，當下一伸大拇指道：「喝！仙姑武功了得，在下好生佩服。」

那道姑緩緩轉過臉去，雙目充滿怨毒之色，瞧了那藍衣少年一眼，冷冷說道：「你可是活得不耐煩了。」

藍衣少年吃了一驚，回身急奔而去，縱上馬背，放轡疾馳。

柳遠深深一揖，道：「多謝仙姑救命之恩。」

那道姑冷冷說道：「不用謝了……」微微一頓，接道：「那錯開你關節的人，可是當真名叫陶玉麼？」

柳遠道：「自然是真陶玉了。」

那道姑道：「他穿了什麼衣著，仔細的說給我聽。」

柳遠道：「黃色及膝大褂，手套金環，背插金環劍。」

那道姑雙目中厲芒一閃，道：「果然是他，想不到他竟然未死……」突然厲聲接道：「他往哪個方向去了？」

柳遠略一沉思，指指正北道：「似乎向正北方去了。」

那道姑怒道：「什麼似乎不似乎的，你難道沒有看清楚麼？」

柳遠道：「不錯，在下確實未瞧清楚……」忽然想起昨夜那黃衣少年和伏牛三惡，訂下岳陽樓的約會，急急接道：「不過仙姑如要找那陶玉，還有一個辦法。」

那道姑道：「什麼辦法？」

柳遠道：「那陶玉邀約了伏牛三惡，在岳陽樓上見面，仙姑請到那岳陽樓去，或者可見著陶玉。」

那道姑冷冷望了柳遠一眼，道：「他們約好幾時見面？」

柳遠凝目思索了片刻，道：「他們約定的日期十分含糊，約了日期，但卻未講明時刻。」

道姑道：「怎樣一個約法？」

柳遠道：「前夜相約在三日之後，應該是後天才對。」

那道姑道：「後天就後天吧，我能等他很多年，難道還不能多等兩天。」

她自言自語，聽得柳遠莫名其妙，但又不敢追問，心中忖道：此人不知是何許人物，和陶玉似乎有著很深的仇恨。

只聽那道姑冷冷問道：「你現在要到哪裏去？」

柳遠道：「我要到水月山莊，去見那楊大俠，告訴他妻子被人擄去……」

那道姑道：「我瞧你不用去了。」

柳遠詫聲問道：「爲什麼？」

那道姑道：「找到我也是一樣，別人都怕陶玉，但我卻不怕他。」

柳遠心中納悶，暗道：那楊夫人也對我有過救命之恩，我豈可過河拆橋，不予置理，當下說道：「不行，我已答允那楊夫人，如何可以失信。」

那道姑道：「我說不行，就是不行，你敢勉強去，我就再錯開你身上關節。」

柳遠聽得吃了一驚，暗道：這話倒也不盡是恐嚇之言，她能接上錯開的關節，再錯開自非難事……忖思之間，突聽那道姑冷冷說道：「從現在起，你就跟著我吧！」

柳遠道：「仙姑的救命之恩，在下是感激不盡，要我赴湯蹈火，那是萬死不辭，但在下去通知楊大俠一聲，似亦無害……」

那道姑冷冷接道：「我說不行，就是不行，不用再談這件事了。」轉身直向岳陽行去；行了兩步，突然又回過頭，道：「走吧！」

柳遠略一沉吟，只好隨那道姑身後行入城中，問道：「咱們還要到哪裏去？」

那道姑道：「找一個客棧住下，我利用這兩天的空閒，傳你一點武功，到時候，也許有用你的地方哩！」

柳遠暗暗嘆息一聲，忖道：看來是無法把訊息傳入「水月山莊」了。

只聽那道姑問道：「你認識楊夢寰麼？」

柳遠搖搖頭，道：「不認識，但那楊大俠鼎鼎大名，天下知聞，不認識他的人雖多，但不知他名的人那確是少之又少了。」

那道姑又道：「他的聲名如何？」

柳遠一伸大拇指道：「江湖之上，提起楊大俠楊夢寰三個字，誰不肅然起敬。」

那道姑充滿著忿恨的臉上，突然綻現出一抹笑容，自言自語道：「楊師弟能有今日，也算光了我們崑崙派的門戶了——」

柳遠聽得心中一動，不覺接口說道：「聽說那楊大俠，原本出身崑崙門下，姑娘想必也是崑崙門中弟子了。」

那道姑回過臉冷冷說道：「我不是。」

柳遠心頭納悶，暗暗忖道，這人有些瘋癲，明明聽她自稱崑崙門下，卻又不肯承認……

流目四顧，只見街上行人側目，大都望向兩人，柳遠霍然警覺，暗道：我這一身裝束，帶著一個美麗的出家道姑同行，自然引起別人的好奇之心了。

轉眼看去，只見那道姑大步而行，似是毫無所覺，心中大感奇怪，暗道：這女子只怕是真的有毛病，和她同行在一起，倒是真得小心一些才是。

那道姑當先帶路，行入了一家客棧之中。

柳遠隨她身後直入一座客房。

店伙計看了那道姑冷若冰霜的臉色，竟是不敢問話，直待兩人進了客房，才躬身說道：「兩位可是要住店麼？」

那道姑冷冷答道：「不住店來此作甚？多此一問。」

店伙計愣了一愣，悄然退出，隨手帶上了房門。

只聽那道姑尖聲喝道：「站住。」

聲音不大，卻充滿著煞氣，嚇得那店伙奔了回來，道：「女菩薩還有什麼吩咐麼？」

那道姑冷漠的說道：「誰要你帶上門了？」

店伙計連連說道：「小的該死，小的該死。」抱頭鼠竄而去。

柳遠望著她滿臉憤怒之容，亦不禁心頭凜然，只覺她隨時隨地都可以出手殺人。

只見她放下手中的拂塵說道：「過來，我傳你幾招武功。」

這幾句話卻說得口氣大見緩和。

柳遠依言走了過去，那道姑果然一式一招地解說起來，這柳遠，武功本有根基，一聽之下，立時覺出，都是極具精奇的手法，立即全神集中學習。

那道姑傳過口訣之後，端然而坐，指點著柳遠練習，半日時光，就這般匆匆過去。

太陽沉下西山，夜幕低垂，室中一片漆黑，柳遠仍然沉醉在那幾招深奧的手法中，不住的揮拳出手，苦苦習練，渾然不覺間，黑夜已至。

直待他把三招手法練熟，天色已經是初更時光，這才警覺室中還未點燈，招呼了店伙，送上燈火，再看那道姑，還盤膝閉目而坐，運氣調息，一層茫茫如煙的白氣，不停的由她頂門面蒸蒸上騰，不禁吃了一驚，暗道：此人好精湛的內功。

那道姑似是練功正值緊要關頭，根本未曾留心到室中景物，柳遠點上燈火，她仍是毫無所覺。

柳遠想到未能通知那楊夢寰，內心極爲不安，探手摸到懷中的黃金，心中突然一動，暗道：我雖不能親自趕往那「水月山莊」，爲何不可派人前往一行，重賞之下，必有勇夫，此事想來不難。

心念轉動，悄然離室，喚過店家，借了筆墨，修好書信一封，問道：「伙計，店中可有閒人麼？」

店伙計道：「東廓之下，住了一位客人，吃飯沒飯錢，終日無事，清閒的很。」

柳遠道：「好！快去喚他過來。」

店伙計應了一聲，片刻間帶來一個鬚眉皆白，衣著襤褸的老人。

柳遠瞧了那人一眼，搖搖頭，道：「不行，此人年紀太大。」

那老人望了柳遠一眼，道：「老朽是老當益壯。」

柳遠仔細打量他一眼，果然發覺他臉色紅潤，雖然是鬚眉皆白，毫無龍鍾老態，問道：

「你可走得動麼？」

白眉老人道：「日行百里，算不得什麼稀奇。」

柳遠道：「你可知道那水月山莊麼？」

白眉老人先是一怔，繼而淡淡一笑，道：「大大有名之處，天下誰人不知！」

柳遠道：「好！我有書信一封，快送往『水月山莊』。」探手入懷摸出黃金一錠，交給那店伙計，接道：「這塊金錠，暫存你處，待這老先生送信歸來，你扣除宿飯之後，餘下的銀錢都找還於他。」

老人接過書信，雙目中神光閃了一閃，大笑而去。

柳遠聽得那大笑之聲，心中突然覺出有異，回頭望時，那老人已閃出了店門，消失於黑暗之中，不禁吃了一驚，暗道：「好快的身法，難道我柳遠遇上了什麼深藏不露的高人麼？」

心念一轉，緩步而回，低聲對那店伙道：「那人住在這裏好久時間了？」

店伙計道：「不足十日。」

柳遠道：「他可曾付過飯錢？」

店伙計道：「他如能付宿飯之資，咱們做生意的，也不敢把他攆到廓沿上住了。」

柳遠心中大感奇怪，看那老人氣宇不凡，何以竟付不出宿飯之資，口中問道：「他可曾說些什麼？」

店伙計一抱拳，道：「大爺請恕小人之罪，小人才敢直言。」

柳遠心中愈奇怪，急道：「你說吧！」

店伙計道：「那老人說十日之內，自會有孝子賢孫來此替他老人家付帳，要我們店裏放心，他決不會賴我們一宿之資。」

柳遠一日夜間，連經了兩次生死大劫，脾氣好了甚多，心中暗道：好啊！你們明明知道，故意害我罷了。口中卻微微一笑，轉身而去。

那道姑只顧自己打坐調息，柳遠的進進出出，她似渾如不覺。

次晨天色微明，柳遠已然醒來，想到昨日學到的三招手法，也該溫習一下，當下輕啓房門，準備轉到後院中去，那知室門一開，竟赫然有一人站在門外。

那人身著黃色及膝短褂，高卷著一雙袖管，雙袖之上，各套著一雙金環，背上斜插著一支金環劍，唇紅齒白，俊俏動人。

這裝束，留給柳遠深刻無比的印象，不禁瞧得一呆。

黃衣人舉手輕揮，低聲道：「我不願驚動別人，所以進門都未叫，咱們到房裏談談吧！」

柳遠心中雖想拒絕，但他心中過深的畏懼，竟然講不出話，不自覺的向後退去。

那黃衣少年隨手關上了兩扇房門，微微一笑，道：「咱們合伙作一筆買賣如何？」

柳遠經過這一陣子工夫之後，心神才逐漸平復下來，暗中提聚真氣，雙掌上凝聚功力，說道：「什麼買賣？」這句話說的聲音甚高，有意要驚動別人。

那黃衣少年突伸右手，疾向他肘間點來，口中細聲細氣接道：「講話不可以小心些麼？」

柳遠左掌一圈，右手疾快由黃影中穿了出來，擊向那黃衣少年右腕。

黃衣少年似是不存心和他動手，隨隨便便的點出一指，立時收回了掌勢，接道：「這椿買賣，對你大是有利，只要你答應下來，終身受用不盡。」

柳遠忽然覺到，眼下這黃衣少年和那日錯開自己關節的少年聲音有些不對，不禁心中一動，問道：「你不是陶玉？」

黃衣少年道：「你看我是不是？」

柳遠道：「不是……」突覺腕脈一緊，右腕已被那黃衣少年拿住。

柳遠冷冷說道：「你說話的聲音雖然不像，但心地的毒辣、陰險卻是和他一樣。」

黃衣少年揚指點了他一處穴道，冷冷說道：「什麼人救了你，接續上你的斷骨，快說。」

柳遠還未來得及答話，室門砰然大開，一個身著道裝，手執拂塵的道姑當門而立，冷冰冰他說道：「是我，陶玉，想不到吧？」

黃衣少年抬頭瞧了那道姑一眼，道：「你是什麼人？」

那女道姑臉色一變說道：「先放開他，咱們再慢慢算帳。」

那黃衣少年目光一轉，瞧到了那道姑目光隱含怨毒之情，直似擇人而噬，和她那柳眉櫻口的嬌美之貌，大相徑庭，不禁一皺眉頭，緩緩放下神刀柳遠，暗中提聚真氣戒備，冷冷問道：「你認得家……」突然想到了陶玉警告的話，如果武林中有人把他認作陶玉，不可出言解釋。

那道姑拂塵一揮，唰的劈了過來，隨著那根根豎立的馬尾，帶起一股勁風。

黃衣少年吃了一驚，暗道：瞧不出這美貌年輕的道姑內功，如此精深！心中忖思，人卻橫裏避開三尺。

那道姑拂塵攻出，目光卻凝注在他雙腿之上，看他身形移動之勢，冷笑一聲，道：「果然是你，我已經忍耐等待了許多年，今日不把你碎屍萬段，難消心中之恨。」

那黃衣少年哈哈一笑，道：「你對我積怨很深……」

道姑道：「傾盡長江之水，難洗心中之恨。」

黃衣少年笑道：「好！今日定有你報仇雪恨的機會就是，但在未動手之前，我要請教一事。」

那道姑道：「什麼遺言？」

黃衣少年道：「請教法號？」

那道姑臉上泛現出重重殺機，一字一句的說道：「好，任你裝模作樣，也難減我報仇之心……」

黃衣少年怒道：「哪個裝模作樣？」

那道姑呆了一呆，道：「你當真不認識我了？」

黃衣少年道：「自然當真了，難道和你說笑不成？」

那道姑厲聲喝道：「童淑貞，你該記起了吧！」

黃衣少年道：「童淑貞，童淑貞……好一個陌生的名字……」翻腕抽出了背上的金環劍，接道：「你可以出手了。」

這一次倒是該她發起呆來，仔細的瞧了那黃衣少年一陣道：「你當真不是陶玉麼？」

神刀柳遠突然接口說道：「他不是。」

童淑貞回顧了柳遠道：「你怎麼知道？」

柳遠道：「昨天在下被那陶玉錯開關節，棄置荒郊時，曾經見過那真的陶玉，和他同行的有兩個黃衣少年，衣著相貌，都和陶玉一般模樣。」

童淑貞道：「既是一樣模樣，你如何辨得清楚？」

柳遠道：「在下從他說話聲音中辨別出來。」

那黃衣少年哈哈一笑，揚起手中金環劍，指著童淑貞道：「找我也是一樣，能夠勝得我手中兵刃，再去找他不遲。」

童淑貞冷然說道：「你是誰？爲什麼要和他穿著一樣的衣服，用著一樣的兵刃？」

黃衣少年道：「我是他身外化身……」

童淑貞冷笑一聲，接道：「擒你之後，再行逼供，不怕你不說實話。」手中拂塵一揮，掃了過去。

那黃衣少年正是陶玉四靈化身中的朱雀，專習劍道，眼看童淑貞拂塵掃來，金環劍隨著發動，幻起了朵朵劍花，擋開一擊，飛起一腳，踢開後窗，穿窗而出。

童淑貞冷冷說道：「還想走麼？」一提氣，如影隨形般，疾追出窗。

這兩人的身法迅快至極，柳遠探首窗外時，已不見了兩人蹤影，不禁搖頭一嘆，道：「江湖之上只怕將從此多事了……」語聲未落，突然右腕一麻，穴道竟被人緊緊扣住。

回頭看時，只見一個黃衫佩劍的俊美少年，臉上似笑非笑的望著自己。

此人來得無聲無息，不知何時進入室中。

柳遠自知非其敵手，縱然有心拚搏，也是絕難幸勝，何況右腕穴道，已被人扣住，想到那錯骨分筋之苦，不禁心中一寒，暗中把功力聚貫左掌，陡然反乎一擊，猛向天靈穴上拍去。

只見那黃衣少年右手一抬，疾快絕倫的一指點在了柳遠的左肘「曲池穴」上，一條左臂，軟軟垂了下來。

黃衣少年哈哈一笑，道：「想死麼？沒有那麼容易。」

柳遠暗暗嘆息一聲，忖道：這陶玉不知有幾多化身，個個武功高強，心狠手辣，與其活著受罪，倒不如死了的好，只是楊夫人被擄之訊，不知是否已傳到「水月山莊」……

那黃衣少年看柳遠沉吟不語，若有所思，當下冷笑一聲，道：「你不用再打尋死、逃走的主意，眼下只有兩條路可以選擇，一條是受盡人間最痛苦的折磨，求死不能，求生不得，一條是聽受在下之命任在下……」

只聞一個清脆的女子聲音，接道：「只怕是還有第三條路，快放開他。」

轉身望去，只見一個青衣青裙，頭挽宮髻的美麗少婦當門而立，一條左袖，在晨風中微微幌動。

黃衣少年微微一怔，道：「你是誰？」

那青衣少婦動作奇快無比，就在黃衣少年一句話間，人已欺近身側，說道：「師兄死裏逃生，還活在人間，足見皇天相待之厚，怎的還不洗面革心，仍這般黑心辣手！」

這黃衣少年乃是陶玉四靈化身中的蒼龍。

只見他凝目打量了青衣少婦兩眼，道：「你是誰？報上名來。」

青衣少婦一對大眼睛動了兩下，道：「師兄連我也不認了麼？」

蒼龍道：「咱們從未見過。」

青衣少婦臉色一變，道：「師兄當真翻臉不認人了，好，你既無師兄之義，我也不用講師妹之情了，我那霞琳妹妹現在何處？快說出來。」

蒼龍雖然不知詳情，但沈霞琳被擄一事，卻已聽陶玉說過，當下哈哈一笑，道：「你可是由『水月山莊』中來的？」

青衣少婦怒道：「陶玉，你裝模作樣是何用心？」

蒼龍又是一陣哈哈大笑，道：「你可是說那楊夫人麼？」

青衣少婦忽然動了疑心，一雙眼神盯注在蒼龍臉上，道：「咱們從小在一起長大，別人不知你的爲人，我卻是清楚得很，任你詭計多端，也別想瞞得過我。」一面留心觀察著他的神情變化。

蒼龍笑道：「你盯住我瞧什麼？」

青衣少婦道：「你當真不是陶玉？」

蒼龍答非所問的道：「那位沈姑娘就要變成陶夫人了。」

青衣少婦人已經漸趨冷靜，淡淡一笑，道：「你想得很好，只怕心機白費了。」右手一伸，緩緩向蒼龍右腕抓去。

她出手動作緩慢，直似舉不起一條右臂。

蒼龍微微一皺眉，呼的劈出一掌。

掌勢出手，那青衣少婦抓來的右手，也突然由慢變快，一閃而至，擊向肘間關節。

蒼龍吃了一驚，霍然向後退去。

他忘了一雙手還牽著神刀柳遠，後退之勢，受此牽制，動作一緩。

就這一緩之間，青衣少婦指尖已然掃中了蒼龍的肘間。

在這危亡一發，生死須臾的瞬間，蒼龍哪裏還顧得到別人，左手一鬆，放開柳遠，疾快的向後退出三尺。

饒是他應變迅快，肘間仍被指尖掃中，一條左臂，再難運用。

柳遠自知非敵，身軀移向一側。

青衣少婦冷冷說道：「你果已練成了『歸元秘笈』上的武功？」

蒼龍怔了一怔，暗道：我這身武功，都是師父所傳，哪裏是從『歸元秘笈』學來。

只聽那青衣少婦又道：「你可記得我爺爺那『乾元指力』嗎？」

蒼龍莫名所以的答道：「不記得了。」

青衣少婦道：「你果然不是陶玉，快些說你是誰？」

蒼龍道：「你得先報上名來。」

青衣少婦一字一句的說道：「李瑤紅，聽人說過麼？」

蒼龍搖搖頭，道：「沒有。」突然躍起拍出一掌。

李瑤紅右臂一揚，接下了這一掌，竟然被震得右臂一麻，心中吃了一驚，當下一提真氣，呼呼搶攻三掌。

她只有一條右臂，是以曾下過數年苦功，克服女人先天上的弱點，以增長掌力雄渾，劈出的掌力，一招強過一招。

那知對方竟然把三掌全都接了下來。

原來這蒼龍主掌，李瑤紅以掌力和他拚搏，正是他的專長。

室中勁風激蕩，桌翻椅倒。

蒼龍接過李瑤紅三掌之後，突然高聲喝道：「住手。」

李瑤紅依言停下手來，說道：「有什麼話說？」

蒼龍道：「這室中地方狹小，施展不開，咱們找一處空曠地方，能夠施展開手腳之處，好好的比試一陣如何？」

李瑤紅道：「我志在尋找我那霞琳妹妹的下落，並無意和你比拚掌力。」

蒼龍哈哈一笑，道：「這比與不比，豈是你能決定的麼？」

談笑中，陡然一躍，穿窗而出。

就在他躍起穿窗而出的同時，回臂劈出一掌。

一股強大的潛勁，直湧過來。

李瑤紅身子一側，右手斜裏拂出，引過撞擊過來的力道，一挫柳腰，疾快的追了出去。

只見一條人影閃了一閃，已然消失不見。

柳遠目睹數日來所見高人的武功，才知自己一身所學，實不過武功中的皮毛功夫而已，求進之心，油然而生。

正在感慨之間，突然一聲輕咳傳了過來。

柳遠已然成了驚弓之鳥，這一聲輕咳，嚇得全身一顫。

轉頭望去，只見一個長髯飄飄的老者，當門而立，一身儒衫，滿面慈和。

只見那老者一拱手，道：「驚擾兄台，老朽這裏先行謝罪。」

連日來連番的折磨，已使他以往的豪強之氣大減，抱拳還了一禮，道：「不敢，不敢，老前輩有何見教？」

那者者目中神光閃爍，一望之下，即知是一位內家高手，只見他淡淡一笑，道：「請問兄台貴姓啊？」

柳遠道：「在下柳遠，世居長沙府。」

長髯老者道：「柳兄可認識那楊夢寰麼？」

柳遠道：「在下是久聞其名，心儀已久，只是緣慳一面，無由晉見。」

長髯老者道：「那你認得楊夫人了？」

柳遠道：「昨日見過一位楊夫人……」

長髯老者接道：「剛才那青衣少婦，不就是楊夫人麼？」

柳遠道：「這個在下就不清楚了。」

那老者微微一笑，道：「剛才她在和什麼人動手打架？」

柳遠沉吟了一陣，道：「陶玉的化身。」

那老者臉色一變，道：「陶玉還活在世上麼？」

柳遠道：「仍活在世上，昨日在下還被他錯開了身上關節。」

那老者長吁一口氣，道：「如是他當真仍活在世上，想必已盡得那『歸元秘笈』上的武功。」

忽見柳遠臉色一變，道：「陶玉來了。」

那老者霍然回身，果見一個身著黃衣及膝大褂，粉面朱唇，高卷袖管，腕套金環的少年，停身在四五尺，正是五年前被那朱若蘭打落懸崖的陶玉，不禁呆了一呆，才拱手說道：「賢侄果然仍活人世，還識得老夫麼？」

這黃衣少年乃陶玉四靈弟子之中的白虎，雙目轉動，打量了那老者一眼，道：「你是誰，口氣托大得很。」

那老者眉頭一皺，道：「賢侄當真連老夫也認不出了麼？」

白虎道：「什麼老夫老夫的，你難道沒名沒姓麼？」

那老者臉色一變，似欲發作，但他終於又忍了下去，道：「老夫蕭天儀，賢侄總該想起了吧？」

白虎搖搖頭，道：「咱們素不相識，你這般倚老賣老，稱我賢侄，是何道理？」

蕭天儀臉色一變道：「你縱然練成了『歸元秘笈』上的武功，也不能對老夫這般無禮，無怪李兄談起你時，長吁短嘆，自責甚深，說你心地歹毒，如若不死，必將為江湖上一大禍患。」

白虎怒道：「你自拉自唱，說的什麼，快些給我閃開……」目光一轉，投注到柳遠身上，接道：「你可是叫柳遠麼？」

柳遠道：「不錯，在下正是。」心中卻是暗暗震驚道：這陶玉不知有多少化身，似是每一個都身懷上乘武功……

只聽蕭天儀冷冷說道：「賢侄既然不識得老夫，老夫也不好勉強……」

白虎怒聲喝道：「你囉囉嗦嗦說些什麼？閃開……」右手一揮，橫裏掃來。

蕭天儀氣的冷哼一聲道：「好大的膽子。」右手五指箕張，扣向手腕。

白虎怒喝一聲，突然收回右手，道：「老匹夫可是想要討死。」雙拳連環擊出，眨眼間，連攻出六拳。

拳勢如巨斧開山一般，帶著呼嘯勁風。

蕭天儀道：「怪不得你如此狂妄，連老夫也不認了，原來是自恃武功高強。」

雙手齊出，連封帶避的才把六拳讓開。

他雖是擋開了對方六拳，心中卻是震驚不已，對方如是拳再強兩分，自己就無能招架了。

要知陶玉四靈弟子中，白虎主拳，破山十拳，乃拳勢中剛猛無濤的絕學，蕭天儀接下了六拳之後，立時展開反擊，掌指齊出，夾雜著擒拿手法，專以點襲白虎雙臂上的要穴、腕脈。

那白虎對敵經驗不足，被蕭天儀快速攻勢，迫得無法還手，雖然身具了世間最威猛的拳勢，卻是難以施展。

突然間傳過來一聲尖喝道：「住手。」

白虎應聲而退，躍退四尺。

蕭天儀抬頭看去，只見又一個黃衣少年，站在六尺以外，面上帶著微笑，赫然又是一個陶玉。

只見那人一抱拳，道：「老前輩別來無恙，還識得陶玉麼？」

蕭天儀望望白虎，又望望那自稱陶玉的黃衣少年，只覺兩人形貌，無一處不同，竟然無法分辨，呆了一呆，道：「你是陶玉麼？」

陶玉道：「正是在下。」

蕭天儀望著白虎，道：「這一位又是誰呢？」

陶玉道：「是晚輩四靈化身之一。」

蕭天儀口中啊的一聲，心中仍是有著懷疑。

陶玉道：「晚輩正想尋找老前輩，想不到竟在此不期而遇。」

蕭天儀道：「找我有什麼事？你那恩師……」

陶玉打斷了蕭天儀未完之言，接道：「晚輩想重振天龍幫，有勞老前輩助我一臂之力。」

蕭天儀道：「你師父是何等英雄人物，都不作死灰復燃之想，難道你還自信強過師父不成？」

陶玉笑道：「有道是長江後浪推前浪，一代新人勝舊人，我師父十年前，雖然是不可一世的人物，但今日武林，卻是我陶玉的天下了。」

蕭天儀臉泛不樂之色，道：「你是自信強過你那師父了？」

陶玉道：「老前輩適才和四靈化身對敵，覺著他武功如何？」

蕭天儀道：「不在老夫之下。」

陶玉道：「這就是了，當今武林之中，又有幾人強過老前輩了？」

蕭天儀道：「你可知道這幾年來，最受武林尊仰的人是誰麼？」

陶玉道：「晚輩數年未在江湖上走動，對武林形勢，隔閡不明。」

蕭天儀道：「兩年前，少林派首作東道，邀請九大門派，和各方豪雄，聚會少室峰頂，縱論武事，楊夢寰一篇宏論，使與會數百英雄，驚服不已……」

陶玉接道：「那我就先制服楊夢寰，以鎮天下英雄。」

蕭天儀道：「楊夢寰天縱奇才，已隱隱成為武林中的領袖，你這般輕言相侮……」

陶玉突然仰面哈哈大笑起來。

蕭天儀一皺眉頭，道：「你笑什麼？」

陶玉道：「楊夢寰能在短短數年中，成為天下武林人物心目中的偶像，倒可使我陶玉省去不少手腳了。」

蕭天儀道：「這話怎麼說？」

陶玉道：「當今武林之中，人人對那楊夢寰敬愛有加，視他有如天人，如是我陶玉能把楊夢寰控制手中，那豈不等於一舉間震驚天下英雄。」

蕭天儀道：「那楊夢寰一席話，能使與會少室峰頂的數百英雄，個個五體投地，驚服不已，武功是何等高強，你口口聲聲要把楊夢寰制服，談何容易？」

陶玉臉色一整，道：「老前輩可是不信麼？」

蕭天儀道：「老夫雖未應邀與那少室峰頂的英雄大會，但卻是親耳聽你那師父述明經過實情，楊夢寰那一篇宏論，確使人人佩服，開闢前所未有的武功途徑。」

陶玉冷冷接道：「老前輩請住口好麼？」

蕭天儀先是一怔，繼而怒聲喝道：「好！你既對老夫這般無禮，那是早已不把老夫放在眼中了……」

陶玉道：「雖未放在眼中，但卻念念難忘。」

蕭天儀冷漠的説道：「那也不必了。」

陶玉道：「那『歸元秘笈』之中，有幾則煉丹秘方，我要借重老前輩的博學醫道爲我煉製秘丹。」

蕭天儀道：「這個恕老夫不能應命。」

陶玉微微一笑，道：「爲什麼？」

蕭天儀道：「老夫不願助你爲惡，荼毒武林。」

陶玉道：「你可知道我要煉製的是什麼丹藥？」

蕭天儀道：「我雖不知你煉製的是什麼丹藥，但想來決不是什麼救人濟世之物。」

陶玉道：「你倒是明白得很……」語音微微一頓，接道：「不過，放眼天下，老前輩的醫術，很少有人能及的，你心中雖然不願，也只有勉爲其難了。」

蕭天儀怒道：「老夫不允，你又豈奈我何？」大步向前行去。

陶玉肩頭微動，疾如飄風一般，攔在蕭天儀的身前，笑道：「踏破鐵鞋無覓處，得來全不費工夫，你既然被我碰上了，還能放你走麼？」

蕭天儀怒聲喝道：「你敢對老夫這般無禮，還不給我閃開。」

陶玉格格一笑，道：「得罪了。」右手一揮，疾向蕭天儀點了過去。

他的手法怪異至極，蕭天儀眼看他一指點來，就是閃避不開，竟眼看著被點中了穴道。

陶玉隨手一指，又點了蕭天儀的啞穴，笑道：「老前輩敬酒不吃吃罰酒，不能怪我陶玉無禮，暫請忍耐一二，助晚輩霸業有成後，自是不會虧待老前輩。」

蕭天儀被點了兩處穴道，身不能動，口不能言，心中雖是激忿難忍，也只有乾瞪眼的份兒。

只見陶玉舉手一招，說道：「白虎過來。」

白虎應聲而出，高聲說道：「師父有何吩咐？」

陶玉笑道：「把這位蕭老前輩帶回我們的居處，吩咐他們要好好的照顧，不得有絲毫失禮舉動。」

白虎應了一聲，背起蕭天儀飛奔而去。

陶玉緩緩把目光轉注到柳遠身上，冷笑一聲，道：「好長命啊！」

柳遠想到那錯骨分筋之苦，不禁打了一個寒顫，道：「一個人生死有命，不足爲惜。」

陶玉道：「死雖不可怕，但那不死不活的活罪，只怕是難受得很……」語音微微一頓，又

道：「眼下有兩條路，可任你選擇，我現在正值用人之際，你武功雖不好，但資質不錯，得我指點一番，不難有所成就，如肯投我門下，不但可免去身受之苦，且將成就一身絕技，日後在武林之中，亦不失獨當一面的雄主身分。」

柳遠輕輕咳了一聲，正待答話，陶玉卻突然欺身而上，右手快如閃電一般擊出去。

柳遠想待讓避，已是不及，又被點中穴道，一跤跌倒在地上。

陶玉順手提起柳遠，直奔入童淑貞的房中，把柳遠塞入床底，笑道：「你不妨冷靜的思考一下，然後再答覆我不遲。」

大步出房而去。

柳遠被點了麻穴、啞穴，心中卻十分清醒，只是身不能動，口不能言。

大概過了一盞熱茶工夫，室中響起了步履之聲，一人大步行入房中。

但來人是誰，柳遠卻無法瞧得。

凝神聽去，久久不聞聲息，似是那人入室之後，就靜靜的站著不動。

柳遠突覺腦際靈光一閃，暗暗忖道：更糟！來人不是陶玉，亦必是他四靈弟子化身之一，靜止不動，分明是準備暗算那道姑，那道姑縱然武功高強，只怕也無法防備來人的暗算。

他眼看陶玉出手點那蕭天儀的穴道，武功確實高強得很，以他的身手，再隱在暗中突然施襲，只怕那道姑也是無法閃避……

忽聽步履之聲傳了過來，一人直向室中走來。

但聞啊喲一聲尖叫，緊接著響起了陶玉的笑聲，道：「童姑娘，咱們數年不見，你倒是越發顯得美艷了。」

童淑貞愕然說道：「你是誰？快放開我。」

陶玉哈哈一笑，道：「怎麼？你竟連我也不認識了？」

童淑貞冷冷說道：「這世上有幾個陶玉？」

陶玉道：「一個，陶玉雖是只有一個，但卻有無數的化身。」

童淑貞道：「哼！就算你有一百個化身，我也要把他們趕盡殺絕。」

陶玉道：「只我一人怕你就無法勝過，不用說狠話了。」

童淑貞道：「你放開我，咱們打上一場試試！」

陶玉笑道：「我聽說你得到天機真人遺留下的拳譜，不知可有此事？」

童淑貞道：「有又怎麼樣？」

陶玉笑道：「那是無怪你有些自負了，這幾年來，你必然苦下工夫，練習那拳譜上記載的武功。」

童淑貞道：「不錯，幾年來我無時無刻不在記著心中的仇恨，苦練武功，亦是爲報仇之用。」

陶玉看了童淑貞一眼，格格一笑，道：「你心中恨的哪個？」

童淑貞厲聲說道：「你！陶玉，我恨不能生啖你的肉，生飲你的血，把你挫骨揚灰……」

陶玉冷笑道：「那麼嚴重麼？」

童淑貞道：「你如是還有一點男子氣概，就放開我，咱們各憑武功，分個生死出來，這般暗施謀算，也不覺得卑下可恥麼？」

陶玉臉色冷漠，毫無表情的道：「你縱然用盡世間最惡毒的話來罵我，我陶玉也不在乎，不過你口口聲聲要和我比試武功，定當要你如願，你如勝得了我，固可啖我之肉，飲我之血，如果敗在我的手中，又該如何？」

童淑貞道：「那我就橫劍自絕，死在你的眼前，我苟且偷生，活在世上，只有一個未完的心願，那就是殺你報仇，如是殺你不了，活在世上，也是沒味的很。」

陶玉微笑道：「想不到你竟恨我如此之深？」

童淑貞切齒地道：「傾盡東海之水，也難洗我心頭之恨？」

陶玉重重咳了一聲，道：「你想不想我給你個報仇的機會？」

童淑貞道：「我忍辱活了數年，苦心習武，就在等待這一個機會。」

陶玉道：「這麼說來，我如此刻把你殺掉，你是心有不甘了？」

童淑貞道：「含恨九泉，死不瞑目。」

陶玉道：「你如是想我給你個施展武功的機會，必得答應我兩個條件。」

童淑貞道：「什麼條件？」

陶玉道：「第一是你不能死，第二是投我門下，為我效力，你為什麼不恨那沈霞琳、朱若蘭呢，如非她們占去了楊夢寰，我陶玉也不能得到你了……」

童淑貞怔了一怔，怒道：「你不用想破壞我那楊師弟，他為人光明正大，胸懷磊落，豈是你能及其萬一……」

陶玉接道：「情愛之事，和正大何關，你們崑崙門下，如若沒有沈霞琳，楊夢寰和你童淑貞，豈不是一對璧人麼？如果你心中當真是充滿著怨毒、悲忿，應該去恨那沈霞琳奪去你心上情郎才是。」

童淑貞沉吟了一陣，抬起頭來，茫然說道：「我很喜歡楊師弟麼？……」

這心念深藏在童淑貞潛意識裏，縱是那童淑貞的本人，平日亦不覺得，此刻被陶玉反覆提出，使心中滿懷怨毒的童淑貞，登時有些茫然錯亂之感。

陶玉悄然移動右手，輕輕一指，彈在童淑貞「百會」穴上，說道：「楊夢寰到處留情，對我那瑤紅師妹，何嘗不是存下了始亂終棄之心，只因李滄瀾武功高強，天龍幫聲勢浩大，形勢迫得那楊夢寰非娶我師妹不可，如是你那授業恩師慧真子肯像那李滄瀾一般的爲你作主，楊夢寰也不敢棄你不顧了。」

童淑貞猝不及防「百會」穴被陶玉一指點傷，理性已然混亂，是非善惡之辨，已有些混亂不清，只覺心中念頭轉動，楊夢寰那瀟洒英俊的形貌，不停在眼前閃轉晃動，茫然地說道：「我那楊師弟也很喜歡我麼？」

陶玉哈哈一笑，道：「自然是喜歡你了，那楊夢寰曾經親口告訴過我……」

童淑貞這些年來，修習玄門正宗內功，定力大增，一陣迷亂之後神智忽然一清，怒聲喝道：「我不信你的鬼話。」

陶玉心中一凜，暗道：短短的數年中，她內功如此精進，我已點傷她百會穴，她竟然仍有

清醒之時，右手連揮，又點了童淑貞「通天」、「承靈」二處穴道。

這幾處要穴，都是人腦神經的要樞，童淑貞內功再深也承受不注，頓覺腦際間一片混亂。

陶玉重重的咳了一聲，道：「那楊夢寰親口對我說過，如不是沈霞琳從中作梗，他定然要娶你爲妻的。」童淑貞腦際中隱隱作疼，意識一片混亂，茫然說道：「這話當真麼？」

陶玉道：「自然不騙你了。」

童淑貞道：「好！我去找那沈霞琳算帳去。」

陶玉默查情形，童淑貞神智已亂，只是她心中的怨恨，還不深入，當下接道：「那楊夢寰因我奪得了你，曾經苦追我數千里，必欲殺我而後快，昔年我擄走那沈霞琳時，他也未曾有過如此的激動。」

說話之間，放開了童淑貞右腕脈脈穴。童淑貞血脈暢通，精神隨著一振，道：「我要去問問楊師弟，這些話是真是假？」

原來那「歸元秘笈」之上，記有一種手法，可傷人大腦神經，使人記憶混淆不清，忘記過去，如若在她神經初受震傷之時，加深她模糊印象中的仇恨，此人就牢牢記著新仇，淡忘舊情，爲人所用，陶玉心狠手辣，不念舊情，竟然拿著童淑貞當作試驗，借她潛意識中對那楊夢寰的一點暗戀之情，把童淑貞心中的仇恨，嫁移到楊夢寰和沈霞琳身上。

忽見童淑貞雙手抱頭，竟然呻吟不止。

陶玉默察反應，果然和那「歸元秘笈」中記載相同，不禁心中大喜，縱聲大笑起來。

大約過有一盞熱茶工夫，童淑貞突然站了起來，臉上一片茫然之色，望著陶玉，呆呆地道：「你笑什麼？」

陶玉道：「我笑你太過懦弱了，那楊夢寰本來十分喜歡你的，你卻把他甘心奉讓給那沈霞琳。」

童淑貞腦中的記憶，逐漸的淡失，陶玉在她腦際中播種新的仇恨，卻是愈來愈覺鮮明。

只聽陶玉輕輕咳了一聲，說道：「那楊夢寰本來對你十分喜愛，只因爲了那沈霞琳，才對你始亂終棄，你如不殺了他們兩人，心中的氣憤，如何能夠平消？」

童淑貞腦中記憶，愈覺模糊，陶玉卻加重語氣，注入了新的仇恨。

她隱隱記得，自己確被人始亂終棄，當下喃喃自語的說道：「當真是楊師弟麼？」

陶玉道：「自然是楊夢寰了，如若不是那沈霞琳從中作梗，楊夢寰也不會對你這般寡情寡義了。」

童淑貞只覺腦中又疼又亂，喃喃自語道：「這要怎麼辦呢？」

陶玉道：「這還不簡單麼？殺了楊夢寰和沈霞琳就是了。」

童淑貞雙目中厲芒一閃，凝注在陶玉臉上，久久不發一言。

陶玉心中暗暗驚道：莫要她神智仍然清醒，記憶未失，我豈不是替那楊夢寰送了一個大好的幫手。

一時間心念不息，不知放她去呢，或是殺之以絕後患。

忽聽童淑貞大聲叫道：「不錯，殺了他們以雪我心中之恨。」縱身一躍，破門而去。

陶玉追了出去，童淑貞已躍上屋面，去如飄風，當下高聲喊道：「那楊夢寰住在『水月山

莊』……」餘音未絕，童淑貞已走得蹤影不見。

柳遠聽得明白，但卻不知陶玉用的什麼手段，竟能在片刻之間，使那童淑貞心念大變，把蘊藏在心中的一腔怨恨，盡皆轉移到楊夢寰的身上。

心念轉動之間，突然腳被人一拖，從床下拉了出來。

柳遠感到幾掌拍在身上，被點穴道悉數解開。

轉頭望去，只見陶玉面上帶著笑容，站在身側，心中一陣跳動，道：「閣下解我穴道，是何用心？」他雖明明知道其人定是陶玉，但見到陶玉之後仍不禁心頭一跳。

陶玉相貌本極俊秀，笑容亦很迷人，但看在柳遠眼中，卻有著一股森冷之氣。

只聽陶玉輕輕咳了一聲，道：「怎麼樣？你想好了沒有？」

柳遠道：「想什麼？」

陶玉冷笑一聲，道：「你大概很想念那不死不活的滋味。」

右手一伸，已抓住了柳遠的左臂。

柳遠想到那分筋錯骨的痛苦，不禁驚出了一身冷汗，一顆顆的汗珠兒，直向下滴。

陶玉格格一笑，道：「你心中很怕麼？」

柳遠道：「不錯，那分筋錯骨的痛苦，確不是一個人所能忍受，但如若讓我投你門下，助你為惡，我寧可再忍受一下那分筋錯骨之苦。」

陶玉冷冷說道：「你倒是很有骨氣，不過我陶玉為人，向來不讓人稱心如願。」

柳遠倒抽了一口冷氣，道：「怎麼？難道你還有比那分筋錯骨更苦的方法麼？」

陶玉道：「你可是很敬慕那楊夢寰麼？」

柳遠道：「在下雖和那楊大俠緣慳一面，但對那楊大俠的風範，卻是心慕已久……」

陶玉怒聲接道：「好，那我就讓楊夢寰親手殺死你，叫你死得稱心如願。」

柳遠心頭一凜，道：「如以楊大俠武功而論，舉手投足之間，自是可把在下置於死地，但那楊大俠仁義可欽，縱然在下確有開罪他的地方，也不至出手傷人。」

他口中雖然說得強硬，但心裏卻是相信陶玉身具此能。

陶玉緩緩放開柳遠的手臂，道：「你可是有些不信麼?那咱們不妨試試，你轉過身去！」

柳遠雖不怕死，但他氣志早為陶玉所奪，竟然不由自主地轉過身去。

陶玉緩緩舉起右手，說道：「我要擊傷你的大腦神經，讓你忘去了過去的事，我要在你記憶失去之後，在你大腦中播種下仇恨，讓你去殺死那楊夢寰，縱然那楊夢寰腹有行舟之量，也不會束手待斃讓你殺死，為求自保，那只有殺死你了。」

柳遠呆了一呆，道：「當真有這等神奇的武功麼？」

陶玉道：「其實說穿了並無神奇之處，只是一般人不知如何找到那穴道而已，而且落手的輕重，要恰到好處，重則傷命，輕則無法破壞腦中神經，無法使人神智錯亂，失去記憶。」

柳遠輕輕嘆息一聲，道：「如是真有此等事情，在下寧可忍受那分筋錯骨之苦。」

陶玉笑道：「我講過要那楊夢寰親手將你殺死，決錯不了。」

舉手一掌，擊在柳遠的「百會」穴上。

柳遠只覺一股熱力，隨著陶玉那擊在頭上的掌指，直透而入，全身似是陡然間被投入火窟一般，一陣奇熱，出了一身大汗。

陶玉格格一笑，道：「怎麼樣？」

這時，柳遠的神志已經有些茫然無主，緩緩回頭說道：「我身上很熱。」

陶玉笑道：「那就不錯。」連點兩指，彈在柳遠頭上要穴，接道：「現在有何感覺？」

柳遠正待答話，突覺腦間一陣劇疼如裂，抱頭蹲了下去。

一陣劇疼過後，柳遠大腦已受到劇烈破壞，腦際空空洞洞，宛如一張白紙，忘記了過去。

陶玉舉手一招，道：「站起來。」

柳遠目光凝呆，隨著陶玉的手勢站了起來。

陶玉微微一笑，道：「你叫什麼名字？」

柳遠茫然地啊了一聲，口齒啓動，道：「我叫……我叫……」竟然連自己的姓名也說不出來。

要知道這柳遠內功修爲和那童淑貞相差很遠，腦中受到的破壞，也較那童淑貞強烈甚多，是以，連自己的姓名也已忘去。

陶玉一皺眉頭，道：「你叫柳遠。」

柳遠先是一怔，繼而點頭說道：「不錯，不錯，我叫柳遠，我叫柳遠。」

陶玉道：「你可知道誰是你的仇人麼？」

柳遠茫然搖頭，道：「不知道。」

陶玉道：「楊夢寰，那楊夢寰殺了你的父母，霸占了你的產業及妻兒，此仇此恨，豈可不報。」

此刻柳遠的腦中一片空白，陶玉一句一字都深入了他腦際之中，口中喃喃自語道：「楊夢寰……殺死了我的父母，霸占了我……的產業妻兒，他是我的仇人，我要找他報仇。」

陶玉想不到這傷腦之術，竟有如此功效，想到日後憑仗此技，可把武林攪成一片混亂之局，不禁得意的哈哈大笑起來。

柳遠仍然誦念著那幾句話，一遍又一遍，生恐忘了一般。

陶玉停下了大笑之聲，道：「你都記熟了麼？」

柳遠道：「記熟了。」

陶玉道：「好，不要忘。」悄然一掌又拍在柳遠後腦的「玉枕」穴上。

柳遠只覺眼前一花，金星亂閃，半晌之後雙眼才可視物。

陶玉滿臉莊嚴的說道：「那楊夢寰現住『水月山莊』，你找他報仇去吧！」

柳遠口中誦吟般地道：「楊夢寰住在『水月山莊』，我要去找他報仇。」

陶玉望著柳遠大步而去的背影，運氣說道：「那楊夢寰陰毒狡詐，不用聽他解說。」運功傳音，字字如箭，射入了柳遠的心房之中。

三　喪智迷魂

那「水月山莊」僻處在東茂嶺，林巒深處，三面青山環抱，村前有一溪清流。

柳遠迷茫的找上了水月山莊。

翠竹佳木環繞著一堵紅牆，兩扇籬門大開，籬內有一座高大的門樓，橫題著「水月山莊」四個大字。柳遠一語不發的大步闖入了籬門。

扶疏花樹中人影一閃，一個青衣少年攔住了柳遠的去路，一抱拳，道：「請教兄台，高名上姓？」

柳遠雙目凝注那少年臉上，說道：「你是誰？」

那少年臉上泛現出不悅之色，但聲音仍很平和，說道：「小的楊興。」

柳遠腦際中深深記著找那楊夢寰，以報殺父奪妻之恨，當下說道：「楊夢寰可是住在這裏？」

楊興臉色一變，道：「你貴姓，找我家少爺，有何貴幹？」

柳遠大聲喝道：「我找他報殺父之仇，奪妻之恨，快叫他出來見我。」

楊興呆了一呆，半晌答不出話來。

這些年來，凡是來「水月山莊」之人，個個對那楊夢寰尊敬異常，不是稱楊大俠，就是稱楊大相公，從來無人這般大膽的直呼楊夢寰。

那楊興一時弄不清柳遠的身分，看他如此狂妄，倒是不敢開罪於他，欠身說道：「我家少爺現在後院書房，大俠可否先行見示姓名，在下也好代爲通報。」

柳遠道：「我叫柳遠。」

楊興道：「原來是柳大俠，請入客廳待茶，小的這就去通報少爺。」

柳遠凝目而立，滿面怒容，好似未曾聽得楊興之言，楊興等了片刻，不見反應，微一欠身，又道：「柳大俠請入客室待茶。」

柳遠啊了一聲，大步直向內廳衝去。

楊興快行兩步，搶在柳遠前面，道：「柳大俠請移駕左面客室。」

柳遠雖然失去了記憶，腦中卻深深記著殺父奪妻之恨，但他神智並非是完全錯亂，當下隨著楊興，轉入左面客室。

這是一座布設古雅的客室，明窗淨几，壁上掛了兩幅字畫。

楊興欠身道：「柳大俠請坐，小的就去通報。」

這柳遠的冷傲和無禮，竟然把楊興給唬住了，也不知他是何身分，來自何處，也不敢開罪於他，急急奔向後院。

柳遠目睹楊興匆匆而去，突然站起身子，滿室走動起來，只覺心中憋著一股莫名的怒火，

順手抓起几上一隻玉瓶，摔在地下，砰然一聲，一隻白如凝脂的玉瓶，摔得片片碎裂。

他似是發了狂性，飛起一腳，踢得桌倒椅翻。

突然間，傳過來一個沉重的聲音，道：「柳大俠。」

柳遠抓起了一張木椅，正待投擲出手，忽聽呼叫之聲直鑽耳中，那聲音雖然不大，但卻如一股無形的暗勁，敲在心上一般。

回頭望去，只見一個氣度從容，神態瀟洒的青衣人，卓立在客室門外。

他臉色十分平靜，看不出怒意，也不見笑容。

柳遠怔了一怔，喝道：「你是誰？」

青衣人道：「在下楊夢寰。」

柳遠喃喃自語，道：「楊夢寰，殺了我的父母，霸占了我的妻兒……」臉上是一片茫然神色，似是在回憶著一件往事。

楊夢寰緩步走入室中，說道：「柳兄，咱們素不相識，此言從何說起？」

柳遠雙目凝注在楊夢寰的臉上，口中喃喃自語，語言含糊不清，楊夢寰也聽不出他說的什麼，但卻發覺此人有些瘋瘋癲癲，心頭泛起的怒意，頓然消失，正待查詢真相，突聽身後傳來一個冷漠清脆的聲音，道：「楊夢寰。」

楊夢寰吃了一驚，忖道：好俊的輕功，我竟然沒有聽出聲息，已被他欺近身後。

回頭望去，只見一個手執拂塵，面貌娟秀的道裝少女，站在五尺開外。

楊夢寰打量了那道姑一眼，喜道：「原來是童師姊，咱們五年不見，師姊可好，小弟不知

師姊駕到，還望多多恕罪。」抱拳一揖。

童淑貞拂塵一擺，冷冷說道：「不用多禮，我有幾句話要問問你。」

她內功強過那柳遠甚多，雖受腦傷，但卻不易看得出來。

楊夢寰聽她的口氣，似是含怒而來，心中大感奇怪，抱拳說道：「師姊有何指教，小弟願洗耳恭聽。」

童淑貞道：「你可是很喜歡我？」

楊夢寰怔了一怔，道：「咱們誼屬同門，小弟對師姊素來敬重。」

童淑貞道：「這麼說來，你是真的喜歡我了？」

楊夢寰道：「這個，這個……」只覺其言確難出口，這個了半天，仍然是這個不出個所以然來。

童淑貞接道：「如不是那沈霞琳從中破壞，你是定然會娶我了！」

楊夢寰臉色微微一變，道：「師姊這番話小弟甚是不解，沈師妹天真純潔，胸無城府，她如何會破壞師姊呢？」

童淑貞腦神經雖然受了傷害，但因她內功精深，不似柳遠那般嚴重，看上去神志仍甚清醒，仰臉望天，呆呆出神。

只聽柳遠大喝一聲，雙手一揮，一張木椅，直向楊夢寰身後擊去。

楊夢寰身子疾轉，右掌疾快伸出，抓住了擊來的木椅。

但見人影一閃，柳遠縱聲撲了過去，口中狂呼大叫，道：「楊夢寰還我妻兒。」

楊夢寰身子一閃，左手一轉，抓住柳遠的脈門，道：「柳兄和在下素昧生平，定是受了別人的欺騙，如若柳兄能據實相告經過之情，兄弟或可略盡棉薄。」

柳遠脈門被楊夢寰扣住，全身的勁力用不出來，但心中的激動、憤怒卻是愈來愈重，雙目盡赤，直似要噴出火來。

楊夢寰緩緩放下手中木椅，接道：「兄弟亦曾聽過長沙府神刀柳遠之名，乃是慷慨俠士，不知柳兄是否就是長沙的神刀柳遠？」

但聞童淑貞高聲說道：「這人瘋瘋癲癲，殺了算啦。」拂塵一抖，疾向柳遠點了過去。

楊夢寰拉著柳遠，疾快的閃向一側，隨手抓起了放在身側的木椅一封拂塵，只聽砰的一聲，木椅被童淑貞手中拂塵擊中碎裂了數塊。

童淑貞擊碎木椅並未停手，左腳向前踏一步，拂塵一抖，筆直的點向柳遠。

楊夢遠大喝道：「師姊手下留情，此人神智混亂，只怕是受人教唆而來，真相未明之前，豈能隨便傷人！」

說話之中，童淑貞手中拂塵已然攻來了三招，而且一招比一招凌厲。

楊夢寰揮動手中殘破木椅，封架童淑貞凌厲的攻勢，那拂塵雖是柔軟之物，但經童淑貞貫注了內力之後，力道十分強勁，楊夢寰手中木椅，每和那拂塵接觸一次，木椅就碎裂很多，眨眼之間，楊夢寰手中的木椅，只餘下一節椅腿。

只聽童淑貞冷笑一聲，道：「好啊，你要維護他，我偏要殺了他不可。」手中拂塵一緊，攻勢更見猛銳，劃空帶起一片尖嘯。

這童淑貞武功的高強，大出了楊夢寰意料之外，被迫得連連後退，心知再這般打下去，不但難以兼顧柳遠的安危，就是自身，也難保不受傷害。

那柳遠被楊夢寰扣住了腕脈要穴，全身的勁道，一點也用不出來，全憑楊夢寰的腕力帶動，讓避那童淑貞的拂塵，更是險象環生。

楊夢寰心知如再這般打下去，難再支撐十個照面，童淑貞手中拂塵更見凌厲兇惡，大有不把柳遠傷在手下，不肯罷休之勢，不禁微生怒意，高聲喝道：「師姊再不肯住手，休怪小弟無禮了！」

童淑貞手中拂塵一變，攻勢更見兇惡。

原來被傷腦穴之人，不但記憶喪失，而且舉動一經開端，就很難再遏止下來，童淑貞雖然聽到楊夢寰警告之言，但卻不肯住手。

楊夢寰劍眉一挑，飛起一腳，踢向童淑貞的右腕，迫得她手中拂塵一緩，借勢劈出了兩掌。

童淑貞本無傷害楊夢寰之心，攻出的拂塵，招招都是指向柳遠，楊夢寰這一還手反擊，童淑貞也迫得反擊楊夢寰，出手兩招，已然無法自制，惡招連出，攻了過來。

楊夢寰厲聲喝道：「師姊下手愈來愈見毒辣，可是存心要把小弟置於死地麼？」

童淑貞只覺腦際間隱隱作疼，對任何事都無法多作思考，隨口說道：「你如不讓我殺他，那就只好先行把你制服了。」

楊夢寰道：「師姊既不念同門之義，楊夢寰只好放肆了。」

雙腳連環踢出，封住了童淑貞的攻勢，騰出右手，點了柳遠的暈穴，隨手一帶，只聽砰然一聲，把柳遠摔在四五尺外。

就這微微分神，童淑貞的拂塵已然乘虛而入，擊向楊夢寰的前胸。

楊夢寰心中一凜，暗道：好毒的手法。右手運勁若鋼，斜裏拍出一掌，身子卻向後一仰避開前胸。

這一招看似平淡無奇，實則是一記救命招術，如若童淑貞不肯收回擊出的拂塵，只要身子微向前欺進，手中拂塵向前揮出，楊夢寰武功再強，也是不易閃避開去，但楊夢寰這橫裏一掌，卻剛好巧妙的封住了童淑貞的右肘關節，如若那童淑貞不肯及時收住拂塵，楊夢寰發出蓄在掌心的暗勁，一舉之下，可以擊斷童淑貞的右臂。

那知童淑貞竟似早已知曉楊夢寰這一招變化，身子突然一轉，讓開楊夢寰的掌勢，拂塵一揮，掃向下盤。

楊夢寰一提真氣，飄退五步，道：「師姊住手。」

童淑貞略一猶豫，右手指塵一招「天女散花」，兜頭劈下。

楊夢寰只覺她眼神之中充滿殺機，心頭大為震動，暗道：看來如不把她制服是不行了。

心念一轉，盡展絕學，反撲過去，這一對同門的師姊、師弟，竟是各出絕技，展開了一場生死惡鬥。惡鬥了三十餘回合，楊夢寰才瞧出一個破綻，左掌「吞雲吐月」直劈過去，逼住童淑貞手中拂塵，右手施出「歸元秘笈」中一記「五龍擺渡」，一把扣住童淑貞的右腕，猛一加力，奪下拂塵，冷冷說道：「師姊下手如此狠毒，是何用心，還望說個明白，如果小弟有什麼對不起師姊之處，不用師姊出手，小弟當會自作了斷。」

童淑貞雙目凝睇楊夢寰，臉上是一股說不出的神情，既不是歡喜，也不是悲苦。

楊夢寰長長嘆息一聲，道：「師姊有什麼話？儘管講在當面，小弟當盡我所知，替師姊解說個明白。」

只覺童淑貞眉宇間，逐漸的泛現出一片茫然之色，似是全力在想一件事，但卻又想不起來一般。

楊夢寰查看了童淑貞的神色，心中突然一動，暗道：數年不見的童師姊，突然找上門來和我拚命，素不相識的柳遠，卻硬指我殺了他的父母，霸占了他的妻兒，此中情勢，定然是大有文章……

忖思之間，突聽一陣急促的步履之聲，奔了過來。

楊夢寰抬頭看去，只見楊興手中執著一個大紅封簡，急奔入室中，說道：「鄂南鄧家堡少堡主鄧開宇來訪大相公，是否接見？」

楊夢寰略一沉吟，道：「好！請他來此相見。」

楊興回顧了一眼，道：「大相公請到室外稍候片刻，小的把室中打掃一下如何？」

楊夢寰道：「不用了，我要你去請那鄧堡主到此相見。」隨手點了童淑貞兩處穴道。

楊興口中連聲答應，轉身而去。

片刻之後，只見楊興帶著一個身軀高大的少年，大步走了進來。

楊夢寰和鄧開宇有過數面之交，彼此早已相識，當即一抱拳，道：「不知鄧少堡主駕到，未曾遠迎，還望多多海涵。」

鄧開宇急急還禮，說道：「在下來得突兀，尚請楊大俠勿罪……」忽然瞧見室中桌倒椅翻的零亂情景，不禁一呆。

楊夢寰淡淡一笑，道：「少堡主入室待茶。」

鄧開宇心中雖是疑竇重重，但口中卻是不便相問，緩步行入室中。目光轉處，只見一個勁衣大漢，和一個美貌道姑，依壁而坐，緊閉著雙目，一眼之下，即可瞧出是被人點了穴道，忍不住低聲問道：「楊兄，這是怎麼回事？」

楊夢寰指著那個大漢答非所問的道：「鄧兄可識得他麼？」

鄧開宇凝目瞧了一陣，道：「面善得很，只是記不起在哪裏見過了？」

楊夢寰道：「提起他的姓名，鄧兄也許就想起來了。」

鄧開宇道：「什麼人？」

楊夢寰道：「神刀柳遠。」

鄧開宇道：「不錯，不錯，正是那神刀柳遠，兩年前在下和家父作客長沙，就住此人府中……」語氣微微一頓，又道：「這柳遠怎生會找上了『水月山莊』來，看樣子是被楊大俠點了穴道。」

楊夢寰道：「不錯，正是被區區點了穴道。」

鄧開宇道：「在兄弟記憶之中，此人仗義疏財，頗有俠名，不知何以竟與楊大俠衝突起

來？」

楊夢寰道：「說來話長，一言難盡，鄧兄來此，不知有何見教？」

鄧開宇道：「還不是為那多情仙子的事，此事有如一股暗流，洶湧澎湃而來，早已震動江湖人心，但卻仍是蒙帶著一層神秘色彩，使人莫測高深，家父為此柬邀了很多武林同道，希望揭穿那多情仙子之秘，特地差遣在下來此，恭請楊大俠主持其事……」

語聲微微一頓，接道：「家父本待親自趕來相請。但因幾位武林前輩提前到了敝堡，以致家父無法脫身，改由在下趕來。」

楊夢寰道：「是那多情仙子鬧出了什麼罪大惡極，大違武林道義之事，驚動了這許多武林高人要制裁於她？」

鄧開宇長長嘆息了一聲、道：「那多情仙子所作所為，並無一件十惡不赦，違背武林道義之事，只是卻大大擾亂了武林人心。」

楊夢寰皺眉道：「不知少堡主可否將其中原委說得詳盡一些，在下實無法了解，這多情仙子做的既非違背武林道義之事，又怎會擾亂人心？」

鄧開宇微一沉吟，似是在思索著如何措詞，只因楊夢寰此時之地位，已是武林中泰山北斗，是以鄧開宇雖是名門子弟，也不敢在他面前稍有失言。

過了半晌，鄧開宇方自緩緩道：「江湖中近日盛傳著兩句殘詩，不知楊大俠可有耳聞，那便是，多情仙子多情宴，名雖多情卻無情。」

楊夢寰目光轉視窗外，呆呆地出了一會兒神，沉聲嘆道：「情到濃時情轉薄……道是無情卻有情，唉……多情無情，只是人們心念一轉間之事，認真說來又有何分別。」

鄧開宇心中一動，暗暗忖道：聞得江湖傳言，這楊大俠昔日本是天下第一多情人，今日看來，這話倒也不假，連我說出這與他毫無相關的兩句話，卻引起了他心中這許多感觸。

心中雖在思忖，但面上卻絲毫不敢現於神色，只是恭聲接口道：「江湖中人雖然明知參與那多情仙子之多情宴後，總是落得一場虛幻，有如做了一夜香夢一般，醒來唯有徒增煩惱……」

他面上忽然泛起一陣淡淡的紅暈，一時之間竟似已神馳物外。

楊夢寰多年以來，早已人情練達，此刻不禁暗暗忖道：看來這位鄧少堡主，必定也是曾經參與過那多情之宴的了。

當下乾咳一聲，鄧開宇方自癡迷中霍然清醒，面頰不禁又是微微一紅，立刻接口又道：「是以武林中人接著那多情帖時，只是心頭惴惴，但若未曾接著那多情之帖，心裏卻又不禁惘然若有所失。」

楊夢寰微微一笑，道：「那多情仙子想來必是人間無雙的絕美之人。」

鄧開宇乾咳了幾聲，吶吶道：「這個……唉，確是美如天仙。」

楊夢寰道：「是以武林之中，人人都不禁動了好奇之心，要想查出這多情仙子究竟是何來歷，她如此作法究竟是爲了什麼原因……在下說的可是麼？」

鄧開宇嘆道：「正是如此，武林中人爲了追蹤那多情仙子的下落，已不知有多少人荒廢了正業，不知生出多少風波，多情仙子所行之事，於武林中人雖然一無傷損，但她影響所及，卻

勢將造成武林中一場混亂，是以才會驚動這許多武林前輩，爲的只是要弄清她此舉究竟是何用心？」

楊夢寰回顧了童淑貞和柳遠一眼，心中突然一動，暗道：這兩人不似服用藥物，但神志卻似十分迷亂，難道也和多情仙子有關不成？心念轉動，緩緩說道：「參與過那多情宴後的人，可有異樣麼？」

鄧開宇道：「這個在下倒未聽人說過，但大都赴過那多情宴的人，事後都有著一份縹緲的懷念，希望能夠再見多情仙子一次，但迄今爲止，尚未聽說過有二度奉召赴宴的人。」

楊夢寰道：「多情仙子一行幾人？」

鄧開宇道：「車馬篷帳，應有盡有，至少也該在二三十人以上。」

楊夢寰道：「如此眾多的浩大的行列，難道就無蹤可尋麼？」

鄧開宇道：「奇怪的也就在此了，江湖上不知有多少人在追蹤查訪那多情仙子的下落，但卻是找不出一點蛛絲馬跡，那數十個艷麗女婢和那些篷帳車馬，來如神龍出雲，突然出現，去似一陣清風，無跡可尋。」

楊夢寰沉吟一陣道：「那多情仙子部署如此周密，行跡這般飄忽，定然是一個才智絕世的人……」

語聲微微一頓，接道：「不過，似這般大隊行列，決不能不留一點痕跡，只要費些心計，妥作部署，定可查得出來。」

鄧開宇道：「據家父和幾位武林前輩探問數十個參與那多情宴的人，研商結果，覺出那多情仙子不但才智絕人，而且武功更非常人能及，因此家父特派兄弟來此，想請楊大俠出面主持其事。」

楊夢寰道：「少堡主人駕親臨，楊夢寰本該應命，只是寒舍之中，近日連出怪事……」目光一掠客室，接道：「此情此景，少堡主親目所見，可証我楊夢寰並非虛言。」

鄧開宇道：「不是楊大俠這般提起，在下也不敢多言，以楊大俠在武林中的聲望，神刀柳遠早有耳聞，諒他不致這般冒昧從事，大鬧水月山莊，此中情事，必然定有內情。」

楊夢寰道：「不錯，神刀柳遠的神智確已有些錯亂，但據在下觀察，又不似服過迷魂藥物，其中內情，只怕很不簡單。」

鄧開宇奇怪地道：「就當今武林而言，大江南北，有誰敢挑你楊大俠的樑子，也許此事也和那多情仙子有關！」

楊夢寰道：「事實真相未明之前，在下也不敢遽作斷語。」忽瞥見楊興急奔了進來，道：「稟告相公，水月山莊外有一僧一道求見相公。」

楊夢寰怔了一怔，道：「請他們到客室中來，」

楊興四顧了一眼，道：「這客室可要打掃一下麼？」

楊夢寰道：「不用了，去請他們進來就是。」

楊興應了一聲，轉身而去。

鄧開宇道：「就兄弟所聞，楊大俠近年之中很少在江湖上走動。」

楊夢寰道：「不錯，兩年以來在下從未離開過水月山莊。」

鄧開宇正待接言，忽見楊興帶著一僧一道，大步行了進來。

室中的凌亂形勢，似乎大出那一僧一道意外，不禁微微一皺眉頭。

鄧開宇借機打量了來人一眼，只見那和尚年約四旬以上，濃眉大眼，身著月白僧袍，眉宇間隱隱現出憤怒之色。

那道士長髯垂胸，背上斜插長劍，神情鎮靜沉著，一望之下，即知是一位甚擅心機人物。

楊夢寰目光如電，緩緩由兩人臉上掠過，道：「兩位有何見教？」

那和尚單掌立胸，欠身一禮，道：「貧僧一德，來自莆田少林寺。」

楊夢寰道：「大師原來是南派少林高僧，在下未能遠迎，尚望恕罪。」

一德大師道：「貧僧雖未見過楊大俠，但卻聞名已久。」

楊夢寰道：「在下和貴派本院中幾位高僧，都有過數面之緣，南派少林，卻是甚少往還。」

一德大師道：「貧僧今日冒昧造訪，想一解心中疑問，不知楊大俠肯否賜教？」

楊夢寰道：「大師只管請講，只要楊某能夠解得，必得盡言所知。」

一德大師目光一掠童淑貞和神刀柳遠，說道：「楊大俠名重一時，武林同道無不仰慕，皆以能得一見爲榮，卻不料楊大俠竟然是欺世盜名之輩……」

鄧開宇霍然站了起來，大聲喝道：「住口，你這野和尚滿口胡言，楊大俠爲人義行有目共睹……」

楊夢寰揮手接道：「少堡主暫請住口。」

鄧開宇對那楊夢寰敬重異常，當下住口不言。

楊夢寰目光一轉，望著一德大師道：「大師之言定有所據，還望指出我楊某有何失檢之處，在下是感激不盡。」

一德大師冷笑一聲，道：「貧僧此次受命北上少林本院，沿途之上連遇了兩樁慘案，件件都與你楊大俠有著關連！」

楊夢寰道：「有這等事，大師可否再說明白些。」

一德大師道：「三日之前，貧僧路過江西盧家洲，遇上了兩位重傷的武林同道，貧僧亦曾盡力施救，但兩人所中掌力都是內家重手法，內腑早爲掌力震碎，貧僧傾盡全力，仍未能救得兩人之命。」

鄧開宇道：「江湖之上到處有仇殺之事，這和楊大俠有何相干？」

一德大師道：「那兩人在臨死之際，同時說出了一句話：『楊夢寰欺世盜名，要貧僧轉告天下英雄，不要再爲其所愚。』」

鄧開宇道：「兩個重傷奄奄之人，死前難免神志有些混亂，就算你說的句句實言，也不能使人相信了。」

一德大師望了鄧開宇一眼，接道：「當時貧僧亦是有些不信，以楊大俠的盛名，豈可爲一二垂死之人的遺言有所沾污，但待貧僧遇上了第三樁慘案，卻是不能不信了！」

楊夢寰心中雖然激動，但表面之上仍然保持著鎮靜的神情，淡淡一笑，道：「大師又遇上了什麼奇異的事？」

一德大師道：「距此大約五十里吧！有一座荒涼的山神廟，貧僧在那座荒廟中遇上這位道兄……」

楊夢寰目光一轉投注那道人身上，道：「敢問道兄的法號如何稱呼？」

那道人道：「貧道養真南岳玄妙觀，道號自清。」

楊夢寰道：「原來是自清道長。」心中卻暗暗琢磨道：南岳玄妙觀，倒是從未聽人說過。

只聽自清道長說道：「南岳玄妙觀，百年來一直閉關自守，不和武林人物往來，楊大俠自然是不知道了。」

楊夢寰嗯了一聲，道：「原來如此，不知道長看到什麼驚奇事物，和我楊某有關？」

白清道長道：「貧道路過那座小廟，無意中遇上一件令人髮指的慘事。」

楊夢寰茫然道：「什麼慘事？」

自清道長道：「楊大俠自己做的事情，難道自己還不知道麼？」

楊夢寰意識到那是一件淒慘卑下之事，心中激動異常，但表面之上，卻強自保持著鎮靜之色，緩緩說道：「在下確然不知，道長儘管請說。」

自清道長道：「出家之人，實在不便出口，但楊大俠一定咄咄追問，貧道只好直說了。」

楊夢寰道：「在下洗耳恭聽。」

自清道長道：「貧道因和一位道友相約，日夜兼程趕路，行近那座小廟之時，突然聽得了一聲婦人的尖叫……」

楊夢寰雙目中神光閃閃，劍眉聳立，追問道：「怎麼樣？」

自清道長冷冷說道：「那尖叫刺耳驚心，一聽之下立時可以辨出，那婦人正在急難之中。」

楊夢寰道：「道長就該趕入廟中瞧瞧才是。」

自清道長道：「貧道趕入廟中時，已是晚了一步，楊大俠已然破窗而去。」

楊夢寰道：「那人穿的什麼衣服？」

白清道長道：「一襲青衫，和楊大俠此刻的裝束，一般模樣。」

楊夢寰長長吸一口氣，按捺下心中的激動，道：「道長應該追上前去才是。」

自清道長道：「那大殿一角，還有著一位奄奄一息，滿身血污的少婦，貧道是否應該先行救人？」

楊夢寰道：「不錯，應該先行救人。」

自清道長道：「可嘆的是那少婦已然無救，最後一句遺言是，姦殺她的乃是『水月山莊的楊夢寰。』」

一德大師激動的說道：「那婦人氣息未絕，貧僧亦剛好趕到，親耳聽聞這句遺言，再和貧僧日前所遇，兩下對照，自然是叫人無法不信。」

鄧開宇搖頭說道：「有這等事！」

楊夢寰道：「道長可曾瞧到了那人的形貌麼？」

自清道長道：「貧僧雖未瞧得那人形貌，但想那婦人在死亡之前的遺言，決不會故入人罪，拖累好人，使自己冤沉海底。」

鄧開宇道：「道長這番話如是確實，倒也是很有道理。」

自清道：「貧道從未捲入過江湖是非之中，為何要傷害楊大俠……」

一德接道：「此事千真萬確，貧僧可以指日發誓。」

自清目光一轉，投注到童淑貞和柳遠的身上，道：「這兩位是何等人物？」

鄧開宇道：「那男的是長沙府神刀柳遠，這位道姑我就不認識了。」

一德大師打量了童淑貞一陣，道：「這道姑雖是三清弟子，但容色如花，美麗絕倫，比起那廟中少婦是尤有過之了。」

自清道：「室中桌翻椅倒，想是剛經過一番惡鬥了，以楊大俠的威名，竟然有人找上門來，豈不是自尋死路麼？如非她存心拚命而來，諒他們也無此膽量。」

鄧開宇似是亦被那一德大師和自清道長說得有些心動，回顧了楊夢寰一眼道：「楊大俠，可否解開這位道姑和柳遠的穴道……」

楊夢寰經過這一陣沉思之後，心中反而鎮靜了下來，接道：「在下相信大師和道長所見所聞都是千真萬確的事，也正好和這兩位登門生事的情勢配合，哈哈，那人心思縝密，部署周詳，把預謀的計劃，安排得有如偶然發生一般，好使人無法不信，一發動就讓我楊夢寰百口莫辯……」

目光轉動，掃掠了三人一眼，又道：「如是我楊某人判斷不錯，今日定然還有無數怪聞怪事，接踵而來。」

自清道長冷冷說道：「貧道冒昧來訪，只想要楊大俠解說一下那荒廟中的事情，貧道雖然

向不和江湖人物往來，但目睹慘事，如芒刺在背，袖手不問，實難心安。」

楊夢寰道：「道長心懷成見而來，只怕非在下三言兩語能夠解說得明白。」

自清道長道：「如是楊大俠以此推諉，貧道更難消心中之疑。」

一德大師接道：「楊大俠如是心中坦然，就請解了那道姑的穴道。」

楊夢寰回顧了童淑貞一眼，道：「在下這位師姊武功高強，但神智不清，我解開她穴道之後，請諸位小心一些。」

他似是已看出了今日之局，已不是言語能夠解說清楚，索性不再多言，反手一掌，拍活了童淑貞的穴道。

這童淑貞已從那天機真人遺留的拳譜之中，學到玄門上乘內功，自行運氣解穴，就算楊夢寰不出手解開她被點的穴道，再過一陣工夫，她亦會自行衝開穴道。

自清道長看那童淑貞同屬三清弟子，立時搶先開口，稽首道：「貧道自清，請教道兄法號？」

童淑貞腦際之中只有兩件事情，一是對沈霞琳的仇恨，一是對楊夢寰的情愛，其他的事再也不放心上，當下冷冷說道：「我不是玄門中人，哪有法號。」

自清呆了一呆，道：「道兄身著道裝……」

童淑貞道：「這個不用你管。」唰的一聲，扯開身上道裝露出來一身淡黃內衫。

這舉動大大的出了室中諸人意外，都不禁爲之一楞。

楊夢寰輕輕嘆息一聲，道：「師姊武功如此高強，怎的亦會中人暗算！」

童淑貞回首望著楊夢寰嫣然一笑，道：「不要叫我師姊，等我殺了那沈霞琳，咱們就是夫妻了。」目光一轉，掃掠了自清和一德大師一眼，笑容盡斂，口氣冰冷的說道：「你們幹什麼來了？」

自清道長一皺眉頭，道：「貧道等來找楊大俠，質問他幾件事情。」

童淑貞探臂撿起地上拂塵，道：「質問什麼？」

自清和一德相互望了一眼，只覺內情複雜萬端，百思不解。

轉眼看去，只見楊夢寰凝目沉思，似是正在想著一件重大事情。

童淑貞不聞兩人答話，立時怒聲喝道：「你們聽到沒有？」

拂塵一揮，唰的一聲掃向自清道長。

自清一閃避開，沉聲答道：「貧道來問楊大俠何以在那荒廟之中，妄傷人命。」

童淑貞道：「這關你什麼事了？」她腦中神經受傷思路狹隘，恨則入骨，愛則狂熱，是是非非早已分辨不清。

自清道長只覺她口氣咄咄逼人，說出之言，句句是強詞奪理，不禁也動了火氣，冷冷說道：「道兄言語逼人，動手就打，貧道雖然少在武林走動，但也不是怕事之人。」

童淑貞道：「誰要你多管閒事了，快些給我滾出去。」

這一句罵得很重，自清和一德大師臉上都不禁變了顏色，齊聲喝道：「你怎可出口傷人。」

童淑貞冷笑一聲，道：「你們再要不走，我就要你們的命。」

一德大師和自清道長，原想這道姑既然找上水月山莊和楊夢寰動手相搏，定然是受了很大屈辱，從她口中或可再聽出楊夢寰一些惡跡，卻不料竟然是一個皂白不分，是非不明的對頭人物……

只聽童淑貞厲聲喝道：「你們走是不走？」

自清道長道：「貧道等未問明事情真相之前，豈可就此而去。」

童淑貞道：「好，你們不走，那是自尋死路，不要怪我出手毒辣了。」

餘音未絕，人已發動，拂塵一揮，擊向自清道長，左掌拍向一德大師。

自清身子一轉，避開拂塵，唰的一聲，抽出背上長劍。

一德大師右手推出，接下了童淑貞一掌，道：「你究竟是楊夢寰什麼人？」

他聽楊夢寰稱他師姊，她卻自稱楊夢寰是他丈夫，只覺亂得一塌糊塗，心中弄不清兩人關係。

童淑貞左手一緊，連攻三掌，一面答道：「我是他未過門的妻子，不過等我殺了沈霞琳，就要過門了。」右手拂塵，配合著攻向一德大師的左手，也攻了三招。

自清道長雖然手中有劍，只是用來封架並未還擊，只待聽完童淑貞的答話，才覺著心頭火起，揮劍還了兩招，怒道：「那沈霞琳是什麼人？」

在那個時代中，男女之間關係十分保守，授受不相親，這童淑貞直言無諱，聽得一德大師和自清道長心頭又驚又怒。

只聽童淑貞道：「那沈霞琳就是現在的楊夫人啊！」

她腦際間只記著楊夢寰和沈霞琳的情仇，除了這兩人之外，再不知其他的人事。

自清道長雖是聽得字字入耳，但心中卻還是不敢相信，重複的問道：「那沈霞琳就是現在的楊夫人麼？」

童淑貞道：「不錯啊！」

自清接道：「你要先殺了那楊夫人，然後再嫁給那楊夢寰？」

童淑貞怒道：「這有什麼不對的，他本來是喜愛我的，卻被那沈霞琳橫刀奪愛把他給搶了過去。」

自清道長劍招連變三招，封住了童淑貞手中的拂塵，喝道：「住了！」

童淑貞這次倒是聽話，收了拂塵，退到一側。

自清道長緩緩把目光移注在楊夢寰身上，道：「她說的可都是實話麼？」

楊夢寰心知此時解說，只不過徒增紛擾，還不如讓它自然發展的好，當下說道：「道長就聽不出真假麼？」

自清道：「我聽來倒像真的。」

楊夢寰心知田園的寧靜生活，已無法再安享下去，數年來他雖然極力避免捲入江湖恩怨是非之中，終是難以避開。

他無法推想出什麼人在和他作對，但他卻推想到那人必然是一位武功高強，智計絕世的人物，發生的種種事故，似都是針對著他而來。

他陷入了沉思中。

自清道長眼看楊夢寰不答自己問話，不知在想的什麼心事，當下高聲喝道：「楊夢寰，事實俱在，難道你還想抵賴麼？」

楊夢寰緩緩抬起頭來，說道：「道長請仔細思量一番，再下斷語不遲。」

自清道長被楊夢寰反問的呆了一呆，道：「貧道聽不出有何破綻？」

楊夢寰輕輕嘆息一聲，道：「道長請看看這位童姑娘的形貌如何？」

自清道長道：「端莊凝重，不似輕薄女子。」

楊夢寰道：「看來道長是頗通星卜之學，試問一個端莊凝重，身著道裝的女子，何以竟毫無羞恥之心，當著諸位之面，撕去她身上道裝，語無倫次，難道就不值得可疑麼？」

鄧開宇心中的重重疑問，以是突然被楊夢寰一語點透，高聲說道：「這話不錯。」

自清道長固執的說道：「貧道耳聞目睹的慘事，豈能被楊大俠這一句話，輕輕化解去？」

一德大師接道：「聽楊大俠的口氣，似是有人故意設計誣陷於你，可是這位童姑娘看來卻絲毫無中毒之徵。」

自清道長接道：「這童姑娘雖只和貧道交手數招，但她武功的高強，實大出了貧道意料之外，盛名如楊大俠者，只怕也難以強得過她許多，此等武功，如何還會受人暗算？」

楊夢寰輕輕嘆息一聲，道：「那主謀者是何許人物，在下不敢斷言，但他的武功、機智定然是冠絕常人……」

一德大師接道：「楊大俠這番解說，很難使貧僧等滿意。」

楊夢寰道：「不知兩位如何才能相信？」

自清道長道：「楊大俠如若能舉出反証，豈不可一舉拆穿真相？」

一德大師肅然說道：「楊大俠既是舉不出反証，也該對武林同道有個交代才好。」

楊夢寰修養雖好，但連番被兩人口氣咄咄的追問，也不禁有些動了怒火，冷冷地說道：「兩位既是信不過在下之言，認爲我楊夢寰是欺世盜名之輩，那也是無可奈何的事。」

自清道長冷冷說道：「楊大俠就憑這幾句話，就想把我等攆走麼？」

楊夢寰道：「兩位還要如何？」

自清道長長劍一擺，道：「咱們想把楊大俠諸般作爲公諸武林。」

楊夢寰輕輕嘆息一聲，道：「好吧！是非總有辨清之日，兩位要如何，悉憑尊便就是。」

自清道長料不到他竟然如此輕鬆的答應了下來，呆了一呆，道：「貧僧還想請楊大俠答覆一句話，立時就走。」

楊夢寰道：「道長請說。」

自清道：「在那荒廟中姦殺村婦，可是楊大俠幹的麼？」

一德大師不待楊夢寰回答，搶先說道：「貧僧遇上的兩位武林同道，可是你楊大俠所傷？」

楊夢寰劍眉聳動，俊目放光，冷冷說道：「不是，兩位如是再無疑問，該請便了。」

自清道：「貧道雖不在武林走動，沒有逐鹿武林之心，但也不甘受人輕藐。」

鄧開宇突然接口說道：「楊大俠在武林之中，享譽之隆，當代高手，無出其右，更難得以淡泊自甘，不存名心，昔年少室峰英雄大會之上，楊大俠亦曾被天下群雄擁戴爲領袖武林的盟

主，但楊大俠堅辭不就，這是何等磊落的胸懷，兩位言詞咄咄，苦苦逼問，那等凌人氣勢，就是在下也忍受不了，但楊大俠卻能坦然處之，保持他一代大俠的風度……」

一德大師接道：「施主怎麼稱呼？」

鄧開宇道：「鄂南鄧家堡，鄧開宇。」

自清道長道：「不知鄧堡主和楊大俠有何關係？」

鄧開宇一皺眉頭，道：「在下只是欽敬楊大俠的爲人，說不上和楊大俠有何關係。」

童淑貞對幾人的對答之言，似乎茫然不解，目光左右轉動，不住在幾人臉上打量。

自清道長道：「以鄧堡主之見，楊夢寰決不會做出姦人傷命的事了？」

鄧開宇道：「以情測度，料那楊大俠也不屑做出此等情事。」

突聽楊興高聲叫道：「夫人回來了！」

轉頭看去，只見一個全身青衣，髮挽宮髻的女子緩步直行過來。

這女子看上去大約有二十三、四的年紀，柳眉鳳目，容光照人，但卻缺了一條左臂，風拂長袖，不停搖擺。

她一雙清澈的目光，緩緩由一德大師和自清道長臉上掠過，微微頷首作禮，人卻直對楊夢寰走了過去，神色凝重的喊了一聲：「官人。」

楊夢寰輕輕嘆息一聲，道：「你可曾查出蛛絲馬跡？」

青衣女點點頭，道：「事態嚴重，恐怕大出官人的意料之外。」

楊夢寰還未來得及答話，童淑貞卻搶先說道：「你是誰？」

青衣女回目望了童淑貞一眼，欠身笑道：「小妹李瑤紅，見過童師姊。」

童淑貞自言自語道：「李瑤紅，李瑤紅……」

李瑤紅道：「正是小妹，童師姊忘懷了麼？」

童淑貞望望楊夢寰等人，又回目望望李瑤紅，眉宇間突然泛現出一片殺機，道：「你是楊夢寰的什麼人？」

李瑤紅想不到她會有此一問，一時間想不出如何措詞，呆在當地。

楊夢寰道：「童師姊不知被何人用何物所傷，神智已經迷亂。」

李瑤紅道：「陶玉。」

楊夢寰全身一震，失聲叫道：「陶玉，他沒有死？」

李瑤紅道：「他不但沒有死，而且學會了歸元……」

突見童淑貞右手一揮，唰的一聲，手中拂塵疾快的拂向李瑤紅。

李瑤紅驟不及防，幾乎被那拂塵掃中，駭然疾退，但那空蕩的左袖卻被拂絲掃上，嗤的一聲中斷兩截。

楊夢寰右手疾探，迅快絕倫的抓向童淑貞的右腕。

童淑貞右腕一沉，避開了楊夢寰的抓勢，手中拂塵仍向李瑤紅攻去。

李瑤紅縱身讓避，不肯還手。

楊夢寰橫身攔住了童淑貞，施展開了擒拿手法，捉她雙腕。

但此刻的童淑貞武功是何等的高強，楊夢寰又不忍傷她，出手之間，顧慮甚多，一時間也無法制得住她。

好在童淑貞亦無和楊夢寰動手之意，手中拂塵著著攻向李瑤紅。

三個人走馬燈般，閃轉在桌倒椅翻的客室中。

自清道長、一德大師和鄧開宇都看得目瞪口呆，只覺那童淑貞拂塵招數，不但毒辣，而且是變化莫測，如果她是向自己下手，只怕連十招也應付不來。

他亦深覺童淑貞太難對付，單用擒拿手法決難制於她。

激鬥之中，突聽楊夢寰高聲喝道：「師姊再不住手，可莫怪小弟失禮了。」

那李瑤紅卻始終不肯還擊一招，而且神色之間也不見憤怒之色。

童淑貞卻如瘋狂一般，手中拂塵一招緊過一招，手法愈見新奇，攻勢愈見凌厲。

楊夢寰忽奮神威，大喝一聲，呼呼劈出兩掌，潛力激盪，逼住了童淑貞手中拂塵，左手「傍花拂柳」拍向童淑貞的右腕，右手卻暗運大罡指力，點了出去。

童淑貞右腕一沉，笑道：「咱們就要成爲夫妻了，我豈能和你動手。」笑語聲中，拂塵陡然翻起，一招「怒龍驚濤」，那一束塵尾突然散作一片蓮絲，疾向李瑤紅點了過去。

這一招惡毒至極，那暴散的塵尾，籠罩了數尺方圓大小。

縱然有著佳妙無比的輕功，也是不易閃避開去。

楊夢寰眼看童淑貞不可理喻，右手一揮，推出了天罡指力。

童淑貞只覺一股疾來的暗勁點在右小臂上。

那暴散開的滿天塵影，突然間收斂不見。

四 波譎雲詭

楊夢寰借勢欺進了兩步，一把抓住童淑貞的腕脈，冷冷說道：「你右臂已爲我天罡指力所傷，不可強行運氣療傷，不聽我良言相勸，必得落下個殘廢之身。」

童淑貞暗中運氣一試，果覺右臂之上，骨疼如裂，再也握不住手中拂塵，五指一鬆，跌落地上。

楊夢寰道：「情非得已，只有委屈師姊一下了。」伸手點了童淑貞兩處穴道。

李瑤紅輕輕嘆息一聲，道：「你既知道童師姊是神智上受了傷害，爲何還要點她穴道？」

楊夢寰道：「她神智已然迷亂，忘去了自我，如不暫時把她制服，如何能使她安靜下來……」語聲微微一頓，又道：「你可是親身遇上了陶玉麼？」

李瑤紅道：「沒有，我遇上了他的化身！」

楊夢寰道：「那陶玉何來的化身？」

李瑤紅道：「他不知從哪裏選了一些和他面貌一般模樣的人，傳授了武功，這些人的衣著、佩帶，完全和他一樣，驟見之下，連我也無法分辨出來。」

楊夢寰道：「他們的武功如何？」

李瑤紅道：「那人和我動手，力搏了二三十招，還未分出勝敗。」

楊夢寰突然想起了沈霞琳來，急急問道：「你見到琳妹妹麼？」

李瑤紅輕輕嘆息一聲，道：「沒有見到，大約那傳話之人，說得不會錯了。」

楊夢寰黯然一嘆，垂首不語。

李瑤紅柔聲說道：「琳妹妹這些年來已然了解了江湖險惡，已知趨吉避兇之法，你也不要因爲她太過憂慮。」

楊夢寰仰天長長吁了一口氣，道：「如真是陶玉出世，他定練成了『歸元秘笈』上的武功，此人心狠手辣，無所不用其極，此後只怕武林中難再有太平之日了，我豈能坐視不管？」

李瑤紅道：「陶玉一向天不怕，地不怕，唯獨對我爹爹，還有幾分敬畏，看來我得回黔北一趟，請我爹爹出山一行……」

楊夢寰接道：「如若那陶玉當真練成了『歸元秘笈』上的武功，只怕岳父也難勸阻於他。」

李瑤紅道：「妾身雖只和他化身動手，但已感覺出他這次發動的形勢不凡，如若不及早設法阻止，江湖上立將掀起一場血雨腥風的浩劫。」

楊夢寰凝目沉思一陣，道：「其人手段卑下、毒辣，咱們不得不早作準備，有勞紅妹一行，先把父母護送到一處安全所在，我才能放手和他一較長短。」

李瑤紅點點頭道：「你的顧慮甚是，但不知幾時動身？」

楊夢寰道：「事不宜遲，你去稟告雙親，即刻收拾起程。」

李瑤紅應了一聲，急急奔向後廳。

一德大師突然合掌，說道：「阿彌佛陀，貧僧爲人所誤，幾乎沾污楊施主的俠名，貧僧這裏謝罪了。」

楊夢寰道：「事出誤會，如何能怪得大師！」

一德道：「楊大俠不予責怪，貧僧更覺慚愧，貧僧這裏告辭了。」

楊夢寰道：「大師留此齋飯……」

一德大師接道：「不用了。」合掌一禮，轉身而去。

楊夢寰抱拳說道：「大師慢走，在下不送了。」

一德道：「不敢有勞。」大步走了出去。

自清道長收了長劍，道：「貧道也告退了。」

楊夢寰道：「道長如無要事，何妨留住幾日。」

自清道長道：「楊大俠氣度非凡，貧道當永遠懷慕，日後得有效勞之處，定當全力以赴。」回身大步而去。

鄧開宇望著那一僧一道的背影消失，才輕輕嘆息一聲，道：「楊大俠不肯責怪這兩個和尙、道士，反而使他們增長了不少愧疚之心。」

楊夢寰緩緩說道：「兄弟原想此後江湖中有三十年太平日子好過，已不作出道之想，料不到風波突起，竟是來得這般快速。」

鄧開宇道：「此情此景，楊大俠總不能袖手不管？」

楊夢寰點頭說道：「陶玉重出江湖，大亂之徵已萌，兄弟豈能不管，此人心狠手辣，陰毒至極，必得早謀對策，家父母離此之後，兄弟即將著手查訪真相，只怕難以兼顧那多情仙子之事，有勞少堡主白跑一趟了。」

鄧開宇略一沉吟，道：「在下有幾句不當之言，不知是該不該說？」

楊夢寰道：「鄧兄有何指教，兄弟洗耳恭聽。」

鄧開宇道：「楊大俠言重了……」微微一頓接道：「兄弟雖是孤陋寡聞，不知內情，但卻聽聞過陶玉之名，楊大俠為我武林同道，放棄了林泉清福，重入江湖，實是我武林同道之幸，以楊大俠的武功成就，固然不需別人臂助，但對方卻是高手甚眾，在下之意，勞請楊大俠同往敝堡一行，家父已邀甚多武林同道，集議追查那多情仙子下落，楊大俠如能親臨，必可使群眾歸心，共謀對付那個陶玉之策。」

楊夢寰凝目沉思了一陣，道：「只怕時間上來不及了，陶玉行事，一向神速，稍有遲延，或將造成恨事。」

鄧開宇道：「既是如此，在下留此奉陪楊大俠，先查明陶玉之事，再回去覆命，不知楊大俠能否見允？」

楊夢寰道：「鄧兄家傳武功，兄弟早已聞名，但那陶玉武功卻是得自『歸元秘笈』，兄弟只怕也難是他敵手，此去兇險重重，生死難卜，少堡主是否同往，悉聽尊便，但兄弟卻必得先把話說明。」

鄧開宇哈哈一笑，道：「生死有命，楊大俠不用爲我擔心。」

楊夢寰道：「好！鄧兄既已決定，兄弟歡迎至極……」瞥見李瑤紅緩步走了過來，道：「車馬已齊，雙親行囊已整，但不知何人護送二老？」

楊夢寰道：「就勞紅妹一行。」

李瑤紅道：「琳妹妹行蹤不明，我如再護送二老遠行，豈不是只餘下你一個人了？」

楊夢寰道：「非紅妹的武功才智，不足以護二老安全……」目光一轉，接道：「鄧兄請稍候片刻，在下去後廳拜別雙親。」

鄧開宇道：「楊大俠儘管請便。」

楊夢寰低聲說道：「紅妹請留這裏照顧童師姊。」

原來那童淑貞已然會自行運氣通穴之法，如她借那楊夢寰離去之時，打開穴道，鄧開宇決難制服於她。

李瑤紅知他心意，點頭一笑，道：「賤妾並未提起陶玉的事……」

楊夢寰道：「這個小兄明白。」轉身而去。

李瑤紅隨手扶了一張椅子，道：「鄧少堡主請坐。」

鄧開宇道：「李姑娘是楊夫……」

李瑤紅道：「不錯，楊夢寰正是賤妾夫君……」微微一頓，又道：「妾夫爲人淡泊名利，外和內剛，這次陶玉出世，旨在奴役天下武林，他昔年曾學藝家父門下，對他爲人，妾身是了解最深。」

鄧開宇道：「令尊可是那海天一叟李滄瀾？」

李瑤紅道：「正是家父。」

鄧開宇道：「李姑娘可是數年前，被武林中稱作無影女的？……」

李瑤紅道：「正是江湖上送的匪號，妾身久已棄之不用了……」微微一笑，接道：「妾身和陶玉有著同門之誼，十數年相處一起，對他爲人了解最深，其人手段之辣心之毒，放眼當今之世，實難有第二人可與比擬，尚望少堡主能夠設法通知武林中各大門派，早日派出高手，合力圍剿，以求先發制人，如等羽翼豐滿，再想除他，就非易事了。」

鄧開宇道：「楊夫人說得是。」

李瑤紅道：「就妾夫性格而論，恐他計難至此，還望少堡主自作主意才好。」

鄧開宇道：「這個在下明白，以楊大俠的身分，決不願向人提出派遣高手相助的事。」

李瑤紅嘆道：「除此之外，妾夫……」瞥見楊夢寰匆匆走了過來，趕忙住口不言。

楊夢寰直行到李瑤紅身前，低聲說道：「爹媽似是已知道陶玉的事了。」

李瑤紅一皺柳眉兒，道：「賤妾確實未在二老面前提過，兩位老人家說些什麼？」

楊夢寰道：「母親直說我近來氣色不好，要我韜光養晦，不可招惹是非，還是爹爹說我相中多苦難，逃避無益，不如讓我自己去吧！唉！如非爹爹插上一句，只怕母親硬要迫我避世養晦去了！」

李瑤紅道：「兩位老人家近年來禪功精進，已具神通，他們的話不能不信。你要小心一些，賤妾把兩位老人家送去之後，立即就趕回……」

楊夢寰淡淡一笑，道：「我這幾年一直住在水月山莊之中，可說是未問武林中事，但事情卻找上門來，我縱然不願再管，但又有何法逃避……」他仰臉望著屋頂，緩緩接道：「大丈夫死而何懼，縱然那陶玉不找到我楊夢寰的頭上，我也不會坐視他猖狂於江湖之上，造成浩劫。」

李瑤紅柔聲說道：「你一生行事，仰俯無愧，吉人自有天相，縱遇兇險，亦會逢兇化吉，妾身就此別過了。」

楊夢寰道：「有勞紅妹。」

李瑤紅嫣然一笑轉身而去。

楊夢寰接道：「沿途之上多另小心。」

李瑤紅回頭說道：「不勞夫君掛心。」

楊夢寰道：「我送你一程如何？」

李瑤紅道：「不用了吧，那陶玉恐已留心到你的行動，你如隨車而行，或將弄巧成拙，引起他的注意。」

楊夢寰道：「好！趁他還未找上水月山莊，你們快動身吧！」

李瑤紅道：「夫君和那陶玉照面時，還望多加小心，唉！對他那等險惡毒辣的人物，也不用存什麼仁厚之心了。」轉身急步而去。

楊夢寰回顧了鄧開宇一眼，道：「天色入夜之後，咱們再走……」目光一轉，望著守候在

門外的楊興接道：「你帶鄧少堡主到東廂房去休息一下。」

鄧開宇看了柳遠和童淑貞一眼，道：「楊大俠要如何處置這兩個人？」

楊夢寰道：「咱們帶他們同行。」

鄧開宇道：「這兩人不是中毒，為何竟這般神智失常？」

楊夢寰嘆道：「他們似是被一種武功所傷，可惜在下卻想不出解救之法。」

鄧開道：「楊大俠也該休息一下才好。」抱拳一禮，退出客室，緊隨楊興身後，穿過兩重庭院，走入了一座清雅的室中。

楊興低聲說道：「這是少爺要待貴賓之處，室中布設齊全，少堡主儘管使用。」

鄧開宇道：「這水月山莊之中，可經常有客來麼？」

楊興道：「據小的所知，很少人來，但第一年節之中，卻是收到很多的禮物。」

鄧開宇道：「那楊大俠武功絕世，你既伺候少爺，定然學得很多絕技。」

楊興道：「少爺只傳一種打坐功夫，告訴我每日坐上兩個時辰，強身補氣，除此之外，再未傳我其他武功。」

鄧開宇道：「你可是很忙麼？」

楊興道：「忙得很，這樣大一個水月山莊，只有三人管理打掃，說起來小的雖是伺候少爺，其實洒掃庭院，每日都得耗上兩個時辰……」

鄧開宇接道：「為什麼不多用上幾個人呢？」

楊興道：「這個小的就不知道了，不過小的們人手雖嫌不夠，但除了打掃庭院之外，也無什麼事情。但老夫人和兩位夫人，只用一個丫頭伺候，比我們又忙得多了。」

鄧開宇輕輕嘆息一聲，道：「以你們少爺在武林中的聲譽，應是僕從如雲，一呼百諾才是，想不到水月山莊竟是這樣的簡樸生活！」

楊興似是動了談興，又接口說道：「說起我們水月山莊，江湖上是無人不知，提起我家少爺的名頭，那更是人人欽敬，但卻無人想到，以我家少爺的身分名望，有時竟然是幫助我們洒掃庭院，兩位夫人更是親下廚房。」

鄧開宇點頭說道：「楊大俠淡泊名利，難得兩位夫人也如此賢淑。」

楊興道：「還有一件事，恐非爲江湖人所知。」

鄧開宇道：「什麼事？」

楊興道：「那就是兩位少夫人，雖然和少爺有了夫妻之名，但卻一直分室而居，兩位少夫人同居一室，除了習練武功時和少爺同聚後園之外，平常從不見面。」

鄧開宇奇道：「這又爲什麼呢？」

楊興似是已警覺到說話太多，尷尬一笑，道：「這個小的就不清楚了……」語聲微微一頓，又道：「少堡主千萬不要把小的之言告訴我家少爺，小的這裏先謝謝少堡主了。」

鄧開宇點頭道：「好！我不說就是。」

楊興道：「少堡主還有什麼吩咐？」

鄧開宇道：「沒有事了，我要坐息一下，你也可以去休息了。」

楊興欠身一禮，道：「少堡主如若有事，儘管招呼小的。」轉身出室而去。

鄧開宇緩緩登上床榻，盤膝調息。

待他醒來時，楊夢寰早已在室中相候。

鄧開宇急急躍下木榻，道：「楊大俠幾時到此，怎不招呼兄弟一聲……」

楊夢寰道：「兄弟剛到不久，鄧兄坐息入定，兄弟怎可驚擾。」

鄧開宇道：「令尊、令堂起程了麼？」

楊夢寰道：「已去多時，兄弟也想動身了，不知鄧兄意下如何？」

鄧開宇道：「悉聽楊大俠作主，在下是敬候令諭。」

楊夢寰道：「鄧兄言重了……」微微一頓，又道：「大俠之稱，兄弟是愧不敢當，咱們年齡相若，應以兄弟相稱才是。」

鄧開宇道：「這個兄弟如何敢當。」

楊夢寰道：「鄧兄不用客套，廳中酒飯已備，咱們食用之後，立刻動身如何？」

鄧開宇道：「悉聽尊便。」

兩人走入廳中，酒飯果然早已擺好，雖是幾樣家常小菜，但卻十分精美可口。一餐飯匆匆用畢，聯袂上道，大門外早已備好一輛黑篷馬車。

楊夢寰道：「爲了在下那位師姊和柳遠同行之便，兄弟想御車而行，不知鄧兄意下如何？」

鄧開宇道：「楊大俠顧慮周詳，在下敬佩得很。」

楊夢寰道：「鄧兄請上車吧。」

鄧開宇四下瞧了一眼，不見他人，說道：「楊大俠先請上車，在下來趕車如何？」

楊夢寰道：「不敢有勞鄧兄，在下自有安排。」

鄧開宇一掀車簾，進入車中，只見童淑貞和柳遠各據一角，倚欄而立，神情之間毫無痛苦之色，心中大感奇怪，暗道：「難道兩人已被解開了穴道不成？」

只見楊夢寰登上車來，順手放下車簾，馬車突然向前行去。

鄧開宇心中大奇，忍不住問道：「何人駕車？」

楊夢寰道：「那駕轅健騾，是一位武林前輩賜送的異種，不但腳程驚人，而且頗具靈性，只要隱身車中，略一牽動韁繩，牠就能識辨路途了。」

鄧開宇道：「原來如此。」

但覺那行駛的馬車突然加快了速度，風馳電掣一般，奔行在崎嶇的山道上，不大工夫，已然馳出了東茂嶺，就在那篷車將要馳出山中，行入官道的當兒，突然由迎面奔馳來一匹快馬。

馬背上伏著一個全身黑衣的大漢，但卻不知收束韁繩，直向篷車下撞了過來。

楊夢寰目光銳利，雖是隔著一層垂簾，仍是看得十分清晰，微微一帶韁繩，馬車陡然停了下來。

但那馬背上黑衣人卻似渾無所知一般，不知控韁勒馬，任快馬向前衝來。

鄧開宇心頭火起，伸手拉開垂簾，正待躍出，突見眼前人影一閃，楊夢寰快如飄風躍出車外，左手一揮，擋住了那狂奔怒馬，鄧開宇暗暗贊道：好快的身法。緊隨著飛出車外，喝道：「朋友的眼睛可是瞎了麼？」

楊夢寰道：「鄧兄不用責備他，這人縱然未死，也必受了重傷。」

鄧開宇心中仍似有些不信，右手一探，抓往了那黑衣人，抬起一看，只見那人口鼻之中，鮮血淋漓而下。

楊夢寰道：「鄧兄小心，此人還沒有氣絕。」

鄧開宇雙手齊出，輕輕把那大漢托了下來，放在地上。

楊夢寰暗中運氣，伸出右掌，按在那人背心之上，真氣源源而出。

那重傷人得楊夢寰真氣催動心脈，略閉的雙目，突然睜開。

楊夢寰低聲說道：「兄弟如若還有能提聚真氣，請和在下湧入體內的真氣相合。」

那人口齒啓動，一縷微弱的聲音自口中湧出來，道：「我傷勢奇重，已經不行了，不勞費心，但在下有幾句話卻要勞請兄台轉告……」突然一陣急喘，打斷了未完之言。

楊夢寰輕輕嘆息聲，道：「你傷勢雖重，但心脈未斷，並非是絕無救藥，尙請保重身體。」

那人張嘴吐出一口血水來，大喘了兩口氣，接道：「有一件事，重過在下生死，但望兄台能夠替在下傳到……」

鄧開宇看他傷勢已然無望，說道：「什麼事？你說吧！」

那人說：「請兩位轉告楊……大……俠……」

鄧開宇道：「這位就是，有話快說。」

那人雙目突然一瞪，望著楊夢寰道：「你是楊大俠……」一口鮮血湧了出來。

楊夢寰道：「區區正是楊夢寰……」

那人道：「楊大俠，閻羅……廟中去……」圓睜雙目突然一閉，氣絕而逝。

楊夢寰緩緩取下按在他背心的手掌，輕輕嘆息一聲，道：「如若他不肯講話，也許還有得救。」

鄧開宇道：「楊大俠無怪能受武林同道尊仰，單是這仁慈之心，就非常人能及。」

楊夢寰道：「他本尙有活命之望，只爲了傳幾句話給我，使他保住心脈的最後一口元氣散去。」

鄧開宇道：「可惜連一句話也未傳到。」

楊夢寰仰臉長長吁了一口氣，道：「咱們把他埋了吧！」轉身由車上抽出主劍，就在道旁挖了土坑，把那人埋了起來，隨手移來一塊山石，默運天罡指力，寫道：無名英雄之墓，六個大字。

鄧開宇道：「好一個無名英雄之墓。」抱拳對墓碑作了一個長揖，心中對那楊夢寰崇敬之意，增加不少。

楊夢寰輕輕嘆息一聲，道：「五年前江湖上一次殺劫，歷歷如在眼前，想不到五年之後，

江湖上又起風波，唉！只怕這一次殺劫，尤重過五年前的一番動亂。」
鄧開宇道：「楊大俠親臨江湖，當能早日消去殺劫。」
楊夢寰道：「如若當真是那陶玉重出江湖，兄弟也難是他之敵。」
鄧開宇道：「楊大俠太過謙虛了。」
楊夢寰道：「在下說的句句真實，都是發自肺腑之言。」
鄧開宇吃了一驚，道：「如此說來，當真就無人能制服那陶玉麼？」
楊夢寰道：「據兄弟所知，當今之世，只有兩人或可是那陶玉之敵，不過，這兩人一個行蹤不明，一個閉關深山，不問江湖中事，只怕是難以請得他們出山。」
鄧開宇道：「不知哪兩位武林前輩？」
楊夢寰道：「說起來大大有名，鄧兄也許聽人說過，這兩位都是巾幗英雄，女中丈夫，她們的成就，當真是愧煞鬚眉。」
鄧開宇道：「楊兄可是說得那朱若蘭麼？」
楊夢寰打開車簾，道：「鄧兄，咱們上車說吧？」
鄧開宇一躍登車，楊夢寰緊隨而上，放下車簾，篷車又向前奔馳而去。
楊夢寰輕輕嘆息一聲，道：「鄧兄聽人說過那朱若蘭麼？」
鄧開宇道：「在下聽得幾位武林前輩談起那朱姑娘的風範，心中敬慕甚深。」
楊夢寰道：「朱若蘭出身金枝玉葉，但卻有著慈悲心腸，才貌、智謀、武功樣樣都非常人能及。」

鄧開宇輕輕咳了一聲，道：「楊大俠，在下有句不當之言，不知是該不該問？」

楊夢寰道：「鄧兄儘管請說。」

鄧開宇道：「聞聽人言，楊大俠和朱姑娘有著一段纏綿動人的戀情，不知是否確實？」

楊夢寰啞然一笑，道：「兄弟和朱姑娘相識倒是不錯，一段戀情卻說不上，那朱姑娘人如當空皓月，不論何人，見她之面，都不敢妄存褻瀆之想。」

鄧開宇道：「原來如此，兄弟只不過聽人言及，隨口問來，尚望楊大俠勿怪才好。」

楊夢寰道：「江湖上的傳說，總難免捕風捉影，鄧兄不必放在心上。」

鄧開宇尷尬一笑，道：「還有一位不知是哪位巾幗英雄？」

楊夢寰道：「趙小蝶，趙姑娘。」

鄧開宇道：「兄弟亦聽家父談過。」

楊夢寰道：「如若單以武功而論，這趙小蝶恐尤在那朱若蘭姑娘之上，但她的氣度、才慧卻是稍遜那朱若蘭姑娘一籌。」

鄧開宇笑道：「如是以貌而論呢？」

楊夢寰笑道：「各有千秋，那朱若蘭有如威風臨世，趙小蝶卻似出谷黃鶯。」

突然想到那多情仙子，回目望著鄧開宇，道：「鄧兄，兄弟也有幾句不當之言，問將出來，鄧兄勿怪才好。」

鄧開宇道：「楊大俠儘管下問，在下知無不言。」

楊夢寰道：「鄧兄可見過那多情仙子？」

鄧開宇實未料到他問到那多情仙子，又呆了一呆，道：「兄弟見過。」只覺臉上一陣熱辣的難過。

楊夢寰道：「不知鄧兄可否將那多情仙子的容貌、體態給兄弟描述一番聽聽？」

鄧開宇輕輕咳了兩聲，道：「這個很難說得明白，那時在下已經有了幾分醉意，就記憶所及，她是美艷絕倫的女子。」

楊夢寰道：「她穿的什麼衣服？」

鄧開宇道：「似乎是藍色的衣裙。」

楊夢寰道：「她的舉動可很放蕩？」

鄧開宇道：「放蕩的是追隨她的女婢，那多情仙子舉動之間，倒是十分端莊。」

楊夢寰沉吟了一陣道：「想這武林之中，見過那多情仙子的人，定然是很多了？」

鄧開宇道：「多情仙子那多情之宴，請的人十分複雜，並非全是武林中人。」

楊夢寰啊了一聲，道：「都是些什麼人物？」

鄧開宇道：「縉紳巨賈，紈褲子弟，王孫公子，名士秀才，一應俱全。」

楊夢寰道：「這麼說來，那多情仙子，當真算得多情人了，慈航普渡，兼及眾生，三教九流，一視同仁。」

鄧開宇道：「據在下所知，凡是與會之人，都是被灌得酩酊大醉，醒來已經日上三竿，那多情仙子，美艷群婢，五色帳幕，早已走得沒了影兒，回首往事，恍如經歷了一場夢境。」

兩人說話間，車已行入了官道。

楊夢寰道：「那車馬帳篷，去時就不留一點痕跡麼？」

鄧開宇道：「奇怪的也就在此了，那樣多的車馬篷帳，數十美婢，說來就來說去就去，一點痕跡也不留。」

楊夢寰道：「這有些不可能吧？不知鄧兄是否親自勘查過了？」

鄧開宇道：「在下亦曾仔細查看過，確實找不到可資追尋的痕跡。」

楊夢寰道：「鄧兄可曾查出原因何在麼？」

鄧開宇道：「兄弟找出了一種原因，就是那多情仙子，每次選擇約會群豪之處，定有一片草地，車馬留在遠處，用人力把篷帳運上車，人由草地經過，事後再由人毀去那留下的痕跡。」

楊夢寰道：「事情只怕不是如此簡單。」

鄧開宇道：「在下亦覺出這推斷有些牽強，只是再也找不出別的原因了。」

楊夢寰道：「這麼說將起來，那多情仙子定有著驚人的武功了？」

鄧開宇道：「這一點武林中已有公論，說那多情仙子定然是一位武功高強的人，其實就在下所見而論，那些女婢只怕都有著常人難及的武功。」

楊夢寰突然微微一收韁繩，奔行的馬車陡然停了下來，楊夢寰掀開車簾，大步行了出來，四下打量了一陣，重又登上馬車，一抖韁繩，馬車又向前奔去。

鄧開宇道：「咱們要到哪裏去？」

楊夢寰道：「鄧兄可曾記得那位兄台臨死之前，說過的一句話麼？」

鄧開宇道：「是了，咱們要到閻羅廟去？」

楊夢寰道：「不錯，距此約二十里外，有一座閻羅廟，因那廟中太過陰森恐怖，平常之日，總是關著廟門，每年一度有著半月的廟會，那時，人潮洶湧，閻羅廟中各處燈火輝煌，但半月會期一過，廟門立時關閉，一年之中也難得有人進入廟中一次，如是選擇那處所在作爲一個發號施令的地方，確然是不錯。」

鄧開宇道：「那人只說出閻羅廟三個字，就不支而逝，實叫人難以測出他用心何在。」

楊夢寰道：「不管他用心如何，都和閻羅廟有著關係，咱們去瞧瞧決錯不了。」

鄧開宇不再多言，心中暗暗忖道，如若那閻羅廟中，果然藏有敵人，今日之局，實是險惡無比，這兩人瘋瘋癲癲，不但難以從中相助，而且還是一大累贅，今日之局，實是個內憂外患的險惡局面，我縱不能助他，亦不能拖累於他，當下閉上雙目，運氣調息起來。

不知過去了多少時間，奔行馬車突然停下來。

楊夢寰掀開車簾望了一陣，說道：「鄧兄，到了閻羅廟啦。」

鄧開宇睜開雙目，望了柳遠和童淑貞二眼，道：「這兩人該當如何？」

楊夢寰道：「解開他們穴道，帶他們一起進入廟中。」

鄧開宇道：「這兩人瘋瘋癲癲，如何能夠幫助咱們？」

楊夢寰道：「他們神智不清，不論對何人都充滿著敵意，可和咱們爲敵，亦可和別人爲敵。」順勢一掌，拍活了童淑貞的穴道。

童淑貞長長吁一口氣，醒轉過來，雙臂展動，伸了一下柳腰，目注鄧開宇道：「你是什麼

人？」

鄧開宇道：「在下鄧開宇。」

童淑貞望著楊夢寰問道：「你認識這個人麼？」

楊夢寰點頭說道：「鄧兄乃是小弟的知己好友。」

童淑貞點頭一笑，不再多問。

楊夢寰又一掌拍活了柳遠的穴道，但他對此人卻是不敢放過，拍活他穴道之後，左手卻緊緊抓住了他的脈穴，躍下馬車。

童淑貞緊隨楊夢寰身後，鄧開宇走在最後。

下了馬車後，只見一座高大的廟宇，屹立在一片荒涼的原野中。

那廟宇建築的十分宏偉，綿連百丈，一道百丈黑色圍牆，增加了不少陰森之氣。

兩扇黑漆大門，緊緊的關閉著，一塊金字方匾，高懸在兩道黑漆大門之上，寫著「閻羅廟」三個大字。

廟後面是一片青翠的林木，但廟前卻是一片廣闊的無物紅色土地，兩側生滿及膝的雜草，一望不見村落行人。

楊夢寰扣著柳遠脈穴，直行到廟門前面，伸手扣動門上銅環。

良久之後，仍無動靜。

鄧開宇道：「這等荒涼恐怖的廟宇，恐怕沒有香火道人。」

楊夢寰道：「雖然沒人，但咱們也該先行參了禮數。」飛起一腳，踢在木門之上。

只聽一聲蓬然大震，木門一陣搖動之後，仍是緊緊的關閉著。

鄧開宇心中暗道，奇怪呀！廟中既是無人，不知這廟宇何以關閉得如此嚴緊，當下說道：「楊大俠暫請住手，待在下越牆而入，由裏面打開廟門。」

楊夢寰道：「如若這廟裏有人潛伏，在下這一腳定已驚動到他們，鄧兄要小心一些。」

鄧開宇道：「我如遇上什麼驚險之事，立即招呼楊大俠就是。」縱身一躍，越牆而入。

圍牆裏面是一個廣大的院落，兩座高大的石像，矗立生滿荒草的院落中。

鄧開宇約掠掃了四周景物一眼，匆匆奔向大門，果然有一道粗重的鐵槓加在門上，鄧開宇取下鐵槓，開了大門。

楊夢寰當先而入，說道：「鄧兄，兄弟久聞這座閻羅廟，建築得十分精奇，裏面神像，猙獰恐怖，數層大殿各具特色。壁間彩畫，亦都是精工繪成的地獄景像，神像本身更具活動的機關，當初修築此廟，足足耗去十年時光。」說話之間，人已行出數丈。

一寬大的屏風，橫攔路中，盡遮了裏面景物。

屏風上的彩色壁畫，久經風吹雨打，已然有些模糊，但仍隱隱可辨，畫的是各層地獄景物，繞過屏風，突然見兩座高大猙獰的神像，矗立在二門前面。

那神像足足有一丈四五尺高，左面一個身著紅袍，左手執筆，右手握著生死簿。右面一個青面獠牙，腰間懸著拘魂牌。

以鄧開宇那等武功的英雄人物，驟然間看到這兩個恐怖猙獰的神像，也不禁爲之一呆，心

底泛起一股寒意。

楊夢寰輕輕咳了一聲道：「鄧兄，咱們進裏面瞧瞧吧。」

鄧開宇應了一聲，道：「兄弟開道。」登上七層石級，進了二門。

二門內，又是一座大院，林木高聳，落葉積徑，一片陰森氣象。四周的廂房連綿，但都緊閉雙門，一座青磚砌成的高台矗立院中，青色欄桿環繞，三個大紅字，寫的是「望鄉台」。

童淑貞和柳遠似是都為這恐怖的景色所惑，不住的流目四顧，臉上是一股茫然和畏懼混合的神色。

楊夢寰卻在仔細查看那落葉形態，希望能找出一點痕跡來。

鄧開宇道：「楊大俠，兄弟到望鄉台去瞧瞧。」拾級而上，直登台頂。

楊夢寰察看了四周景物，不見可疑之處，心中忽然一動暗道：我等明目張膽而來，這閻羅廟中縱然有人，亦必聞聲躲了起來，這座廟宇占地十餘畝，房屋毗連，不下千百間，他們如若藏了起來，如何尋找，總不能逐室、逐屋間間搜查……忽覺一個手掌伸了過來，搭在肩頭之上。

楊夢寰本能的右手一翻，抓住了那搭在肩上的手腕，回頭看去，只見童淑貞面色露著驚怖之色，說道：「這地方太陰森了，咱們走吧！」

楊夢寰心中一動，暗道：看來她的神智並未完全受到破壞，大有復元之望，童淑貞武功高強，如若能將她的傷勢治好，倒是一位很好的幫手。

回目看去，只見柳遠滿臉茫然之色，倒是毫無畏懼之意，看來他的傷比童淑貞重了甚多。

只聽衣袂飄風，鄧開宇由那望鄉台上躍了下來，說道：「這座廟宇十分廣大，但卻瞧不出一點有人的痕跡。」

楊夢寰握著童淑貞的右腕，低聲說道：「童師姊，不用害怕。」大步向前行去。

童淑貞報仇心切，在數年苦修中，用功甚勤，短短五年時光，足抵得別人十年苦練，內功精湛，陶玉點她頭上穴道時，真氣本能的聚於腦間相護，陶玉下手雖然很重，但童淑貞受傷卻是甚輕，故仍有著喜怒驚怕的感覺。

鄧開宇眼看楊夢寰一手牽著一人，心中想道：如若有人陡然之間躍出攻襲，他如何能夠分手拒敵，當下伸手抓住柳遠的脈穴，道：「楊大俠，此人交給兄弟看守吧！」

楊夢寰知他用心，微微一笑，將手放開。

穿行過一片陰森高大古柏，景物又是一變。只見一座高大的殿脊，聳立眼前，一塊金匾橫在大殿門上，寫著「森羅殿」三個大字。

楊夢寰放開童淑貞的手腕，低聲說道：「師姊，可瞧出這是什麼地方麼？」

童淑貞抬起頭來，瞧著那「森羅殿」三個大字，緩緩念道：「森羅殿。」

楊夢寰喜道：「師姊內功精湛，傷勢已在逐漸復元之中。」

也不知童淑貞是否已聽懂楊夢寰在稱贊，茫然一笑，側身向楊夢寰身上偎去。

楊夢寰伸出右手，扶住了童淑貞的嬌軀，回頭望著鄧開宇，道：「她的傷勢已大爲減輕，只要能有一種深刻的印象，喚回她失去的記憶，那就可以完全復元了。」

鄧開宇道：「這是何物所傷，竟然如此厲害？」
楊夢寰道：「兄弟亦難說出原因，但就形態判斷，她似是被一種武功所傷。」
鄧開寰道：「最高的內家手法，亦只能不著皮相，傷及內腑，如何能使一個人對往事喪失了記憶呢？」
楊夢寰道：「人身之內，分工精密，如若能找出那專管記憶的神經，使它受到傷害，而不及其他，豈不可使一個人的神經受到了錯亂，那『歸元秘笈』乃是兩位蓋世奇人畢生經驗，心血所積，想來定有此種武功的記載。」
鄧開宇道：「多承指教，咱們可要進入大殿瞧瞧？」
楊夢寰道：「進去瞧瞧……」
鄧開宇道：「楊大俠請在大殿外接應在下。」牽著柳遠大步向前行去。
「森羅殿」大門緊閉，鄧開宇伸手一推，竟然是紋風未動。楊夢寰快步跟了上來，暗中運集內力，右掌抵在兩扇黑漆大門上，道：「鄧兄，咱們合力來試它一下。」
鄧開宇道：「如是那大殿之中無人，這殿應該由外面加鎖才是，何以會由裏面拴上？」
楊夢寰微微一笑，道：「鄧兄怎知那裏面沒人？」
鄧開宇點頭說道：「多蒙賜教。」伸出左手，頂在大門上同時運力，向前推去。
這兩人內力何等的深厚，合力一推，足足在千斤以上。
但那門仍然紋風未動，匾後積塵，倒被震得簌簌下落。
楊夢寰一皺眉頭，道：「在這木門之後，必有鐵拴扣著。」

鄧開宇道：「這大殿必有側門，咱們到側門處去試試如何？」

楊夢寰道：「好！如是沒有側門，只有毀去這座大門了。」

鄧開宇道：「楊大俠請在此等候片刻，在下去找找看，再來通報。」放開柳遠，疾奔而去。

片刻之後，鄧開宇又匆匆奔了回來，說道：「東側果有一側門。」

兩人繞回殿側，果見一個僅可容一人通過的側門，楊夢寰走了過去，暗運功力，用手一推，木門應手而開。

這側門虛掩，倒是大出楊夢寰的意外，大殿中更是顯然有人，回頭說道：「鄧兄請照顧他們兩位，兄弟開路。」暗運功力，緩步向前行去。

殿中神像羅列，各極恐怖能事，居中是黑臉紫袍的閻君，南側牛頭馬面，各種形態的鬼卒，分站牛頭馬面身後。

鄧開宇緊隨而入，目光一掠那排列的神像鬼卒，突覺心底一涼，頭皮發炸。

只見楊夢寰緩步由神像、鬼卒之間穿行了一周，突然停了下來，側耳聽去。

鄧開宇正待相詢，瞥見楊夢寰身軀疾閃、躍入右側，緊接著砰然一聲大震，似是踢開木門的聲音，鄧開宇兩手齊出，抓住了童淑貞和柳遠，匆匆奔了過去。

只見一扇小門已被踢開，當下一側身子衝了進去。

但見一個全身白衣的少女，衣服破裂，雙手被繩索捆綁，長髮亂披，高吊在一座鐵架上，緊閉著雙目，似是受傷不輕。

楊夢寰呆呆的站在那鐵架前面，全身微微顫抖，顯然他心中正有著無比的激動。

鄧開宇輕輕咳了一聲，道：「楊大俠，這人是誰？」

楊夢寰緩緩回過頭來，道：「是拙荆！鄧兄請好好照顧兩人，兄弟去解開她手上的繩索。」

鄧開宇道：「楊大俠儘管出手，這兩人交由在下照管就是！」

童淑貞突然一躍而起，口中喝道：「沈霞琳！」疾向那白衣少女撲了過去。

楊夢寰揮掌拍出，口中大聲喝道：「童師姊不可傷人！」

童淑貞揮掌一擋，雙掌接實，響起了一聲砰然輕震。

楊夢寰救人心切，這一掌用出八成功力，童淑貞吃了楊夢寰一掌，震得斜向一側落去，楊夢寰卻接勢一躍而起，落在那鐵架之上。

童淑貞腳落實地，立時又躍飛而起，撲向了沈霞琳。

楊夢寰右手疾出，一招「潮泛南海」，暗勁山湧，排空而下。

只見童淑貞銀牙一咬，暗提真氣，斜裏一躍避開了正面，不顧爲楊夢寰掌力所傷，右手五指箕張，猛向沈霞琳抓了過去。

鄧開宇隨手一指，點了柳遠穴道，準備出手幫助楊夢寰，先把童淑貞制服。

且說童淑貞避開了楊夢寰掌力正面，上半身讓了開去，但雙腿卻是無法避開，被楊夢寰掌力擊中，身不由己的橫向一側飛去，五指掠著沈霞琳衣服掃去，嚓的一聲，撕下了沈霞琳一片衣服。

鄧開宇疾躍而起，右手抓向童淑貞的右腕。

那童淑貞雙腿雖爲楊夢寰掌力擊中，但她武功未失，雙足還未落實地，右掌已回手拍出，擊向鄧開宇的肘間。

鄧開宇右臂一縮，左掌一招「飛鼓撞鐘」擊向童淑貞的肩頭。

兩人立時展開了一場惡鬥，鄧開宇家傳武學，頗爲精湛，拳勢變化、佳妙異常，但那童淑貞的武功，學自天機真人遺留的拳譜之上，變化精奇，實非鄧開宇所能抵敵，交手五招，鄧開宇已連遇兩記險招，幸而童淑貞腿上受傷不輕，行動不便，身法大爲緩慢，鄧開宇才能應付過去。

楊夢寰眼看打鬥如此劇烈，沈霞琳仍是閉著雙目，心頭大爲黯然，忖道：她如不是受了重傷，定已被點了穴道，當下暗運功力，正待解開她手上捆綁的繩索，突聽鄧開宇悶哼一聲，連退三步；原來那鄧開宇被童淑貞一掌擊中左肩，當堂被震得往後退去。

鄧開宇雖然受一掌，仍不退避，大喝一聲，反衝了上去。

童淑貞似是亦無害鄧開宇之心，一掌擊了鄧開宇後，回身又向沈霞琳撲了過去。

她剛剛轉過身子，鄧開宇右拳已挾著一股疾風，疾攻而到。

童淑貞右手拍一掌，拍了過來，封開鄧開宇的拳勢，左手一招「手撥五弦」斜裹拍出。

鄧開宇左肩受傷，防守之勢更難周全，眼看童淑貞一掌拍來，只有向後退去。

楊夢寰高居在鐵架上，看得十分清楚，忖道：看來那鄧開宇已難再支撐下去，如若讓他傷在童師姊的手下，豈不終身遺憾。

心念一轉，放下霞琳，一躍而下，直向童淑貞撲了過去。

童淑貞聞得衣袂飄之聲，立時一個大轉身，回過頭去，道：「我不和你動手，我要殺死沈霞琳。」

楊夢寰右手揮出，疾向童淑貞右腕之上抓去，口中喝道：「爲什麼要殺她？」

童淑貞一閃避開，道：「我恨她。」

鄧開宇眼看楊夢寰躍下鐵架出手，不願兩面夾攻，當下向後退去。

童淑貞嬌軀一側，又向沈霞琳衝了過去。

楊夢寰右臂一伸，攔住了童淑貞的去路，冷冷說道：「小弟已盡了忍耐極限，童師姊如若還不停手，可不要怪小弟無禮了。」五指陡然一翻，轉向童淑貞左手腕脈之上扣去。

童淑貞左手一沉，右手橫裏擊出一掌。

楊夢寰不避來勢，掌指一送，反向童淑貞肘間點去。

兩人這一陣近身搏鬥，掌指間極盡變化能事，驚險萬狀，觸目驚心。

楊夢寰著著迫進，逼得童淑貞不得不集中精神對付，兩人這一番惡戰，可算是盡展所能，兇猛、激烈，只看得鄧開宇目瞪口呆，只覺這兩人出手的掌法、招數，竟都是生平未聞未見之學。

轉眼之間，兩人已相搏了十五六招。

楊夢寰技高一籌，逐漸的取得了優勢，童淑貞已被迫落下風，只有招架之功，沒有還手之力。

鄧開宇心中暗道：江湖上人人稱贊那楊夢寰武功高強，今日一見果然非同凡響……

心念還未轉完，楊夢寰已然得手。這時童淑貞正施展出天機真人的絕學，漫天掌勢勁逼而至，楊夢寰左手疾揮，封開了童淑貞綿密的掌勢，右手乘勢而入，點中了童淑貞肩上穴道。

童淑貞未料楊夢寰冒險搶攻，要想閃避，已是不能，手腳一緩，楊夢寰掌指已連續而出，連點了童淑貞四大要穴。

那童淑貞玄門罡氣雖然已初步有成，但也無能抗拒楊夢寰那強硬的指力，身子搖了兩搖向下倒去。

楊夢寰左手疾快伸出，抓住了童淑貞，緩緩放倒在地上，道：「有勞鄧兄看管他們一下。」縱身一躍，飛上鐵架，正待解開沈霞琳身上繩索，突聽一聲冷笑傳了過來，道：「不要動她。」

轉臉望去，只見一個全身玄裝的美麗少女，緩步由壁角處轉了出來。

楊夢寰只覺此女面貌熟悉，似曾見過，只是一時間卻又想不起。

鄧開寰目光一掠那玄衣少女，臉上泛升一片奇異的神色，那神色極是奇異，驚愕中微帶興奮。

楊夢寰吃了她一喝，不敢強行動手，問道：「爲什麼？」

玄裝少女道：「她全身幾處關節都被人輕微錯動，你如一動他，勢必使她幾處關節錯開，縱然是死不了，也將落得殘廢終身。」

楊夢寰道：「什麼人這樣加害於她？」他雖想極力保持著心情的平靜，但卻無法掩住雙目

中憤怒的光芒。

那玄裝少女淡淡一笑，道：「你兇什麼？又不是我加害於她的，我是好意的警告你，哼！狗咬呂洞賓，不識好人心！」

楊夢寰被她罵得呆了一呆，道：「姑娘好意，在下感激不盡……」

那玄裝少女嗤的一笑，道：「前倨後恭，臭男人非罵不可。」

楊夢寰已從她眼神之中，看出她武功不弱，如若解救沈霞琳時，她陡然出手攻擊，那可是難以防備，當下飄身而下，冷冷說道：「姑娘何必出口罵人！」

那玄裝少女道：「天下臭男人，千千萬萬，怎麼能說我罵的是你？」

楊夢寰暗道：好刁蠻的丫頭，好厲害的口齒，解救霞琳的事大，不要和她計較了。

心念一轉，藹然笑道：「既然不是罵的在下，在下也不願追究了……」

玄裝少女接道：「你就是要追究又能怎樣？」

楊夢寰被她頂得有些下不了台，不覺間動了怒意，道：「在下是不願和女子鬥氣，並非是害怕姑娘武功高強。」

那玄裝少女道：「你不怕我，難道我還怕你，」她說得冷冷冰冰，說完卻又嫣然一笑。

楊夢寰被她逗得怒也不是，笑也不是，有著進退兩難之感。

只聽鄧開宇低聲說道：「楊大俠，請這邊來，在下有話奉告。」

楊夢寰暗道：什麼事鬼鬼祟祟，人卻依言走了過去。

鄧開宇低聲說道：「這女子在下見過。」

楊夢寰道：「你認識她？」

鄧開宇道：「不能算認識，但卻見過一面。」

楊夢寰道：「什麼人？」

鄧開宇道：「多情仙子隨身侍婢之一。」

楊夢寰道：「沒有瞧錯麼？」

鄧開宇道：「在下自信不致有誤。」

只聽那玄裝少女說道：「哼！兩個臭男人鬼鬼祟祟的說什麼？」

楊夢寰低聲說道：「如她真的是多情仙子的侍婢，咱們只要把她擒住，那就不難逼使多情仙子露面了……」

忽然長長嘆息一聲，道：「可惜此刻時機不對，萬一和那多情仙子造成衝突，咱們豈不是兩面受敵了。」

鄧開宇暗施傳音之術，道：「楊大俠也不能讓尊夫人永遠吊在那鐵架之上。」

楊夢寰點頭應道：「不錯。」回身對那玄衣少女說道：「姑娘可知那吊在鐵架上的女子，是在下的什麼人麼？」

玄衣少女道：「是你妻子。」

楊夢寰怔了一怔，暗道：適才鄧開宇施用傳音之術和我說話，她自是聽不出來，何以她竟會知道，當下問道：「這個，你怎麼知道？」

玄衣少女微微一笑，道：「那有什麼困難，我一瞧就知道了。」

楊夢寰道：「你的眼光很好，在下佩服至極，但你既知她是我的妻子，我豈能坐視不救？」

玄衣少女道：「你自信能夠救得了麼？」

楊夢寰道：「分筋錯骨之法，在下還能夠解得，但求姑娘不要插手干擾就是。」

玄衣少女道：「這就不一定了，我奉命看守於她，不許別人擅動，如讓你救了她，我豈不是有虧職守。」

楊夢寰道：「姑娘受何人之命？」

玄衣少女道：「這個你管不著。」

楊夢寰道：「在下不是要管，只是想問問罷了。」

玄衣少女道：「如是我不肯告訴你呢？」

楊夢寰劍眉一聳，俊目放光，微慍說道：「姑娘如是要出手干擾在下救人，說不得我只好先對付姑娘了。」

那玄衣少女道：「你要和我動手？」

楊夢寰道：「情非得已，還請姑娘海涵。」

玄衣少女笑道：「未動手前，還不知誰勝誰負，不用客氣了。」

楊夢寰看她氣度沉靜，倒是不敢輕視，一抱拳道：「姑娘先請出手。」

玄裝少女道：「又不是我要打你，爲什麼要我先行出手呢？」

楊夢寰道：「在下堂堂男子漢，自然該讓姑娘先行出手。」

去。

玄裝少女道：「我奉命留此看守沈霞琳，又不是要和你打架，怎能先行出手。」

楊夢寰無可奈何，道：「好！姑娘堅持不先出手，在下這裏有僭了。」呼的一掌拍了過去。

那玄裝少女嬌軀一側，靈巧異常的避過一擊，卻是不肯還手。

但楊夢寰已從她那閃避身法之中看出這位年紀小小的姑娘，實是一位身懷絕技之人，不敢稍存輕敵，右手一翻，施出一招「赤手搏龍」，疾向那少女手腕之上扣去。

這一招是崑崙派天罡掌三十六式中的三大絕招之一，乃擒拿手法的奇學。

那玄衣少女只待楊夢寰五指將要搭上手腕，突然一伸纖指，點向楊夢寰掌心的「合各」穴，如是楊夢寰這一招用實了，那就是自行把掌心穴道，撞在對方的手指之上。

楊夢寰迅快的移開掌勢，換了一個方位，又攻出一掌。

那玄衣少女纖指隨著招動，又指向楊夢寰攻來掌勢的要穴之上。

這等打法聞所未聞，見所未見，只瞧得那鄧開宇暗暗震駭，暗道：想不到這女娃兒竟有著如此的能耐。

楊夢寰連攻了十五六掌，都被那玄衣移動的指尖逼得自行撤回，不禁動了怒意，道：「姑娘武功高強，迫在下全力出手了！」

玄衣少女笑道：「你打我十五六掌，我連一招也未還過，哪裏是迫你出手了。」

她說話神態一直是帶著微笑，毫無敵對之意。

楊夢寰想到沈霞琳吊在鐵架上痛苦之情，心中大為憤急，冷冷說道：「姑娘請接在下一掌。」右掌一揮，拍了過去。

這一掌大爲不同，隨著那拍出的掌勢，湧出了一股暗勁。

玄衣少女覺出暗勁湧來，立時揮掌推出。

兩股潛力一觸，玄衣少女被震得向後退了一步。

楊夢寰一招得手，第二招急急拍出。

這一掌中蓄力更甚上一掌，那玄衣少女接下一擊後，連退了四五步。

鄧開宇心中暗道：「江湖上傳說這楊夢寰武功高強，看來果是不錯，這少女身手非凡，竟是接不下他兩掌。」

楊夢寰第三掌蓄勢不發，說道：「在下並無和姑娘爲敵之心，但望姑娘答允……」

那少女被他兩掌迫得退了三四步，早已泫然欲泣，不待楊夢寰話完，怒聲接道：「哼！誰要聽你的鬼話，你既無意和我爲敵，爲什麼要用劈空掌力傷我？」

楊夢寰道：「姑娘受了傷麼？」

玄衣少女怒道：「就憑你那點功力，也能傷得了我麼？」

楊夢寰回目一瞥霞琳，只見仍是自己進來時那般模樣，不禁心頭黯然，怒聲喝道：「在下爲了救人，無暇和姑娘多費唇舌。」呼的一掌攻了出去。

這一掌力道尤過上次兩掌，那玄衣少女自知難以抵禦，不敢硬接，縱身讓避開去。

楊夢寰幾年苦修，內力已到了收發隨心之境，一吸氣，收回掌力，突然欺進一步，直向那玄衣少女逼了過去。

那玄衣少女嬌軀一側，迎了上來，口中喝道：「你內力渾強我甚多，我偏不和你比拚內力。」雙掌連環拍出，一掄急攻。

此女掌法奇奧，一掄急攻，竟然把楊夢寰逼退了兩步。

楊夢寰口中咦了一聲，收掌而退，道：「你家主人，可是叫趙小蝶麼？」

那玄衣少女道：「不告訴你，怎麼樣？」

楊夢寰道：「果然是她。」

玄衣少女道：「你自言自語，說的什麼？」

楊夢寰道：「你縱然不肯說，我也可以從你武功之上瞧出來……」

只聽身後傳來一個冷冷的聲音，道：「瞧了出來你又怎樣？」

楊夢寰回頭望去，只見一個全身藍衣的少女，當門而立。

此女來得無聲無息，以楊夢寰的武功，竟然不知她何時來到。

鄧開宇只覺心頭大震，說道：「多情仙子……」

楊夢寰一抱拳，道：「趙姑娘別來無恙。」

只見那藍衣少女全身微微抖動，良久才靜了下來，淡淡一笑，道：「你還記得我？」舉步直向室中行來。

鄧開宇只覺她艷光照人，不可輕視，不自覺向後退去。

他心中緊張，自己向後一退，盡忘了手中還扣著柳遠的脈穴，竟是鬆了開去。

柳遠脈穴雖被鬆開，但他仍有著幾處穴道被點，呆呆的站在路中，也不知道閃避。

趙小蝶停下腳步，雙目凝注在柳遠身上瞧了一陣，道：「他受了傷。」舉起瑩如白玉的手掌，一連在柳遠頭上拍了三掌。

柳遠長長吁了一口氣，神智陡然清醒過來，回顧趙小蝶一眼，駭然而退，道：「多情仙子，多情仙子……」

趙小蝶嫣然一笑，道：「嗯！你也參加過多情之宴。」

她的艷光，使柳遠爲之目迷神奪，結結巴巴的說道：「在下有幸，得蒙寵召。」

趙小蝶笑道：「那不稀奇，受過我多情之宴款待之人，不下數千，你不過是數千中之一而已。」

柳遠定神，突然說道：「我要到水月山莊，怎的到了此地？」

回頭向外衝去。

鄧開宇橫身攔住了柳遠的去路，道：「你到水月山莊幹什麼？」

柳遠道：「我要去找楊夢寰大俠。」

楊夢寰道：「在下便是，柳兄有何見教？」

柳遠回頭望了楊夢寰一陣，道：「你是楊大俠？」

楊夢寰道：「兄弟楊夢寰。」

柳遠神色茫然，自言自語的說道：「在此地能遇上楊大俠，在下也可以省去水月山莊之行。」

鄧開宇道：「柳兄乃由水月山莊而來！」

柳遠奇道：「我幾時去過了水月山莊？」

楊夢寰道：「柳兄找上水月山莊，要找在下報仇、拚命。」

柳遠茫然道：「報什麼仇？」

楊夢寰道：「殺父之仇，奪妻之恨。」

柳遠道：「兄弟還未娶妻，哪來的奪妻之恨？」

鄧開宇道：「這個兄弟目睹耳聞，決不會假。」

趙小蝶接著說道：「他腦受傷，記憶消失，所作的事完全受人指示，自然是記不得了。」

柳遠聽那趙小蝶替他辯護，心中大爲高興的說道：「不錯，兄弟受那陶玉所傷……」目光一轉，看到了童淑貞。指道：「當時這位姑娘也在場中……」只見那童淑貞倒臥在地上不動，立時不言，暗道：她不是被人點了穴道，就是身受重傷，說出來也無法証明。

楊夢寰一拱手，道：「經過之情，在下大概了然，柳兄不用放在心上。」說完，突然抱拳一揖。

柳遠吃了一驚，急急還了一禮，道：「楊大俠這是爲何？」

楊夢寰道：「謝謝柳兄送訊盛情，雖然是中有變故，但這番恩義，兄弟還是感激不盡。」

柳遠嘆息一聲，道：「在下如非楊大俠夫人相救，早已死去多時，這傳訊一事，理所當然，如何敢當楊大俠的一禮。」

他似是自知說得無頭無尾，趕忙將沈霞琳相救經過補述了一遍……目光一轉，瞧到了鐵架上的沈霞琳，道：「這位姑娘，好像是救過在下的楊夫人……」

楊夢寰接道：「正是拙荊。」

目光一轉移到趙小蝶身上，道：「在下童師姊大約也是腦間受了震傷，還望姑娘一伸援手。」

趙小蝶淡淡一笑，道：「你自己怎麼不動手呢？」

楊夢寰道：「在下不知如何下手。」

趙小蝶道：「我偏偏不救她。」

楊夢寰一皺眉頭，道：「唉！你這幾年在江湖上胡作非爲……」

趙小蝶冷哼一聲，道：「誰要你來管我，你是我的什麼人？」

楊夢寰呆了一呆，道：「好！我不管。」飛身躍上鐵架，準備解開沈霞琳手上索繩。

趙小蝶急叫道：「不要動她！」

楊夢寰停下手來，道：「爲什麼？」

趙小蝶道：「不要你動，你就不要動，什麼也不爲。」

楊夢寰微惱道：「如若我一定要動呢？」

趙小蝶道：「諒你也沒有能力動她。」

楊夢寰心中暗道：這趙小蝶武功高強，如若我強自出手去解霞琳的索繩，她隨手一招就可把沈霞琳置於死地，當下躍下鐵架，道：「你如不讓我動手救她，只有一個辦法。」

趙小蝶道：「什麼辦法？」

楊夢寰道：「那就是姑娘先把我傷在手下。」

趙小蝶道：「你想和我動手？」

楊夢寰道：「我雖自知不是敵手，但也不甘束手待斃，你出手吧！」

當下一提丹田真氣，腳下不丁不八，暗蓄內力戒備。

趙小蝶緩緩說道：「殺了你也不是什麼難事！」

楊夢寰道：「那就請出手吧！」

趙小蝶緩緩起右掌，道：「我打你右臂『曲池穴』。」

鄧開宇聽得一怔，暗道：動手相搏，那有先說明要打什麼地方。

心念轉動之間，趙小蝶掌勢已然拍出，果然指向楊夢寰右臂的「曲池穴」。

楊夢寰知她武功非同小可，那敢稍存大意之心，右臂陡然向後一挫，左掌斜裏劈了出去。

趙小蝶右手陡然一屈，指向楊夢寰的脈穴，迫得楊夢寰疾快的收回了左掌，趙小蝶右手招術不變，陡然向前一探，右手食指攻向楊夢寰右臂「曲池穴」。

鄧開宇只看得心頭大駭，暗道：這是什麼招數……

念頭初動，場中又有變化，楊夢寰右臂一屈，疾退三步。

但是趙小蝶舉步一跨，如影隨形，右手食指仍是指楊夢寰右臂「曲池穴」。

要知那「曲池穴」在右肘之上，極是不易打中，楊夢寰曲肘讓避，更是難以擊中，但趙小蝶那右手食指卻如磁石吸鐵一般，不論楊夢寰如何讓避，始終不離楊夢寰肘間三寸。

這情勢險惡至極，楊夢寰只覺一身武功，竟然被逼得施不出來，只好極快的向後退避，滿室繞行。

趙小蝶嬌軀移轉，始終跟定著楊夢寰。

但見兩人滿室繞走，愈來愈快，片刻間只見兩條黑影，已然難以分辨兩人。耳際間響起了衣袂飄風之聲，呼呼盈耳。

大約有一刻工夫，那閃轉的人影突然停了下來。

凝神望去，只見楊夢寰一條右臂軟軟垂了下來，果然被點中了「曲池穴」。

趙小蝶冷冷說道：「這一次我要打你一個耳光。」舉起右掌緩緩拍去。

楊夢寰滿臉激憤之容，但卻站著不動。

趙小蝶掌力將要拍上楊夢寰的臉頰，忽的停了下來，說道：「你怎麼不躲了？」

楊夢寰冷冷說道：「姑娘武功高強，在下不是敵手。」

趙小蝶嫣然一笑道：「見機回頭，時猶未晚。」

楊夢寰冷冷說道：「大丈夫可殺不可辱，今日楊夢寰所受之辱，那是足以抵償昔年姑娘對我救命之恩了。」

趙小蝶輕輕嘆息了一聲，道：「我不要你動那沈霞琳，並無惡意，她全身骨節都被人錯了開去，你一動她，不但苦疼難當，恐還將落下殘廢之身。」

楊夢寰道：「那也不能讓她永遠吊在那鐵架之上。」

趙小蝶伸出雪般的玉掌，笑道：「咱們五六年不見了，你還是這樣壞的脾氣，不用生氣了，我剛才只不過想考驗一下你的武功……」手指緩緩向楊夢寰右肘「曲池穴」撞去。

楊夢寰身子一側，避了開去。

趙小蝶道：「怕什麼，我要解開你受制的穴道。」

楊夢寰道：「不勞姑娘費心，在下自會解穴。」

趙小蝶揚了揚柳眉兒，道：「這幾年來，你武功進境很大。」

楊夢寰道：「不敢當姑娘的誇獎。」

趙小蝶連碰了兩個釘子，不禁一呆，回顧了鄧開宇和柳遠一眼，冷冷說道：「你們站在這裏瞧什麼，快些給我出去。」

鄧開宇似想抗辯，但終於忍了下來，大步向室外行去。

趙小蝶緩步走向童淑貞，說道：「我解開你腦間受的禁制。」這兩句話像是自言自語，又似是說給楊夢寰聽。

楊夢寰心中暗道：如若真是那陶玉出世，他又學會傷人腦間神經的手法，此後江湖之上必然要被他攪得天下大亂，不知有多少武林高手要受其害，這手法必得學會不可……

心念一轉，偷眼瞧去。

趙小蝶的動作十分緩慢，先點了童淑貞的「百會穴」，再移向「通天」「承靈」微微一頓之後再移向「天沖」「腦穴」至「玉枕」，一路下來連點了六處穴道。

楊夢寰暗道：如若就點這六處穴道，手法倒是簡單得很，人人都不難學會了。

心念轉動之間，忽見趙小蝶按在那「玉枕穴」的手緩緩提起，單用一個中指，按在「玉枕」穴上，一路劃移，經「風府」「鳳池」「完骨」一路上至「頭維」「神本」而住，連經十餘要穴。

楊夢寰熟悉穴道，那趙小蝶手指移動的又慢，過穴雖然複雜，但楊夢寰都一一記下來。

只聽趙小蝶道：「你記下了沒有？」

楊夢寰聽得一怔道：「原來你早已知道了？」

趙小蝶笑道：「我如傳給你，你決然是不肯去學，只好讓你偷看了……」

語聲微微一頓又道：「最重要的是，手指移動時要發出內力，凡是手指經過處，穴道都被震開，才能使她麻木的神經，恢復功能。」

她回顧了童淑貞一眼，指道：「這等破壞人腦間神經的手法，在那『歸元秘笈』上，有著很詳細的記載，源出於阿爾泰山三音神尼一脈武功中，其間經過了天機真人的修正，成此絕學，據那『歸元秘笈』上的記述，這門武功尚未流傳於武林之中，除了蘭姊姊和我之外，如若還有人知道這門武功，必然是得自那『歸元秘笈』。」

楊夢寰道：「那是陶玉，昔年他在蘭姊姊逼迫之下，帶著『歸元秘笈』跳入懸崖之下，想不到竟然未死。」

趙小蝶點點頭道：「不是我，不是蘭姊姊，自然是陶玉在作祟了……」

她輕輕皺起了柳眉兒，接道：「這幾年來，我在江湖上走動，擱下了練功的事，那陶玉卻潛心於習練武功，要是我們碰上了，鹿死誰手，倒是難以預料了！」

楊夢寰嘆息一聲，道：「你閃開路，我要放開她，縱然危險萬分，我也不能瞧著她永遠吊在鐵架之上！」

趙小蝶道：「先得設法找張軟榻，再放下來。」

但聞童淑貞長長呼一口氣，睜開了星目，茫然四顧了一陣，望著楊夢寰說道：「你不是楊師弟麼？」

楊夢寰一抱拳道：「正是小弟！」

童淑貞回顧了趙小蝶一眼，道：「你可是趙姑娘？」

趙小蝶道：「小妹趙小蝶。」

童淑貞凝目沉思了一陣，道：「陶玉，對了是陶玉，他點了我的穴道，唉！定然是趙姑娘和楊師弟救我的了。」

楊夢寰看她一點也記不起適才之事，也不忍說穿，使她難過，嘆息一聲，道：「你見過陶玉了？」

童淑貞道：「見過了，我苦練了五年武功，找他報仇，但仍然是打他不過，被他點了穴道，以後的事，我就不太清楚了。」

趙小蝶接道：「你被他運用內力，傷了腦子神經，忘記了過去的事，所作所爲，都是受他之命。」

童淑貞道：「有這等事？」

趙小蝶道：「不錯，因爲那時你腦際之中一片空白，他告訴你什麼事，你就念念不忘，一直到完成爲止，在那段時間中，你可能殺了你不願殺的人，做了你不願做的事，等你神志清醒之後，大錯已鑄，可悲的是你卻是毫無記憶！」

童淑貞只聽得心驚膽戰，說道：「這世上當真有如此的武功麼？」

趙小蝶目光移注楊夢寰身上，道：「那陶玉雖知此法，但卻不知此法時效，只能維持六個月。六個月後，那受傷人不是傷重而死，就是完全瘋狂，那時，他連施術之人也不認識，但心目之中卻又留著施術人的影像，行兇撲殺必然以那施術人爲主，不論他在何處出現，只要被那神志瘋狂之人發現，必然如渴驥奔泉，反噬施術之人，不死不休，他多傷一人，就爲他日後多樹立一位死敵。」

這些事，全是江湖上未聞未見的事，只聽得童淑貞目瞪口呆，半晌沒說一句話。

楊夢寰道：「原來如此！」

趙小蝶嘆道：「天道在冥冥之中，似乎早已安排了報應。」

楊夢寰道：「你已把那『歸元秘笈』熟記於胸，想想看，那『歸元秘笈』上載有什麼惡毒的武功沒有？」

趙小蝶沉吟了一陣，道：「那『歸元秘笈』大部份可分爲三個段落，一是阿爾泰山三音神尼的武功，一是天機真人的武功，後半部是兩人合參的奧秘武學……」

她目光轉注到童淑貞的身上，道：「她練的該是天機真人的一脈。」

童淑貞道：「不錯，我無意撿得了天機真人遺下的拳譜。」

趙小蝶道：「就兩人而言，天機真人的武功雖然變化莫測，但卻不失正大二字，那三音神尼的武功，卻近於詭奇、毒辣。」

楊夢寰道：「那陶玉似是偏愛三音神尼一支武學？」

趙小蝶道：「整個『歸無秘笈』上，最爲深奧的內功，那該是大般若玄功，乃是合佛、道

兩家之長的上乘內功，最玄奇的招數，莫過是『遇龍三式』，雖是三招，但卻羅盡了天機真人和三音神尼武功中的變化，至於那『迷魂離真曲』，雖然也刊載在歸元秘笈之上，但卻和天機真人、三音神尼兩家的武功路數有些不對。不知何以會錄載於其上？」

楊夢寰道：「以陶玉爲人的毒辣，如著他完全學會了歸元秘笈上的武功，真不知這一代武林中，要鬧成一個如何局面了！」

趙小蝶道：「水能覆舟，但亦能載舟，如若那陶玉仗憑學得歸元秘笈上的武功，爲害世人，我們爲什麼不可以多替他培養些對頭出來？」

楊夢寰道：「世間只有那一部歸元秘笈，現在陶玉之處……」

趙小蝶笑道：「這有什麼爲難，我可以把它默錄出來，十本、二十本，也非難事。」

楊夢寰心中一動，忖道：不錯啊！如若把那歸元秘笈錄成百數十本，人人都可練成上面武功，那歸元秘笈就沒有什麼新奇之處了，陶玉仗以爲害世人的絕奧武功，大白於天下武林道中，還有什麼絕奧可言……

只聽童淑貞長長嘆息一聲，道：「縱然趙姑娘不惜盡錄武學奧秘，傳諸世人，但時間上已經是來不及了……」

目光緩緩移注到楊夢寰身上，接道：「師弟，你先放下沈師妹，咱們再慢慢研究如何對付那陶玉之策吧。」

楊夢寰劍眉聳動，恨聲說道：「陶玉幾次要傷害於她，都被朱姑娘所救，唉！那時朱姑娘實有很多殺死陶玉的機會，但都被我從中阻撓，早知今日，倒不如當初把他殺了……」伸手去

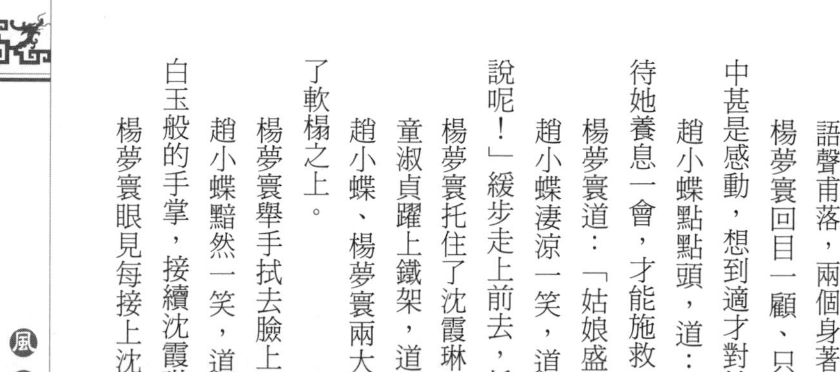

解沈霞琳腕上繩索。

趙小蝶突然舉手輕擊兩掌，道：「不要動她，我已遣人去準備救她的方法了。」

語聲甫落，兩個身著玄裝的少女，先後走了進來。

楊夢寰回目一顧、只見二婢抬著一張軟榻，那軟榻乃是白綾臨時編成，自非草草可就，心中甚是感動，想到適才對她的誤會，大感不安，低聲說道：「你早有準備了？」

趙小蝶點點頭，道：「咱們分別托著她幾處關節要害，把她放在軟榻上，才能解開繩索，待她養息一會，才能施救。」

楊夢寰道：「姑娘盛情，在下是感同身受。」

趙小蝶淒涼一笑，道：「現在還不用感激，她周身關節錯開過久，能否救得了她，還很難說呢！」緩步走上前去，托住沈霞琳左腿右脅。

楊夢寰托住了沈霞琳右腿左脅，緩緩運功，抬起了沈霞琳的嬌軀。

童淑貞躍上鐵架，道：「待我解她身上繩索。」暗運指力，捏斷繩索。

趙小蝶、楊夢寰兩大武林高手，此刻都有著有力難用之感，小心翼翼的把沈霞琳平平放在了軟榻之上。

楊夢寰舉手拭去臉上汗水，長長吁一口氣，道：「沒有傷著她麼？」

趙小蝶黯然一笑，道：「我要救不活沈家姊姊，你定然要恨我一輩子。」跪下雙膝，伸出白玉般的手掌，接續沈霞琳身上錯開的關節。

楊夢寰眼見每接上沈霞琳身上一處關節，沈霞琳頂門上就泛出一片汗珠，想她必在忍受著極大的痛苦，心中大是憐惜，別過臉去，不敢多瞧。

大約過有一頓飯工夫之久，忽聽沈霞琳長長吁了一口氣，道：「疼死我啦！」

楊夢寰轉眼望去，只見沈霞琳瞪著一雙失去神彩的大眼睛，望著趙小蝶出神。

趙小蝶臉上是一片奇異的神色，非喜非怒，令人莫測。

只聽她略帶凄涼聲音說道：「沈姑娘……不……楊夫人，好好閉上眼睛休息一會吧！半個時辰後再運氣試試看，真氣如能暢通無阻，那就沒有事了。」

沈霞琳道：「你可是小蝶妹妹麼？」

趙小蝶道：「小妹正是趙小蝶，難得你還能記得我。」

沈霞琳道：「你來得正好，我心中正有著千言萬語要對你說，不要走，等著我。」言罷，閉上雙目，運氣調息。

趙小蝶緩緩站起身子，低聲對楊夢寰道：「幸未辱命，小妹告別了。」

楊夢寰呆了一呆，嘆道：「你要到哪裏去？」

趙小蝶道：「天涯遼闊，何處不可以容我立足！」

楊夢寰道：「她不是要你等著她麼？」

趙小蝶道：「嗯！爲什麼我要聽她的話！」

楊夢寰尷尬一笑道：「數年以來，她一直未忘了你和朱姑娘。」

趙小蝶道：「未忘懷朱姑娘倒是不錯，只怕早已忘了我趙小蝶。」

楊夢寰道：「在下說的句句實話。」

趙小蝶道：「你呢？可是早把我置諸腦後，忘得一乾二淨了？」

楊夢寰道：「在下亦是日日懷念姑娘的救命之恩。」

趙小蝶長袖一拂，道：「閃開路，我要走了。」一股暗勁，隨著那拋動的長袖湧了過來。

楊夢寰如若不硬擋她長袖上的力道，只有閃避一途，只好縱身讓開。

忽聽沈霞琳柔弱無力的聲音傳了過來，道：「小蝶妹妹，不要走！我有話對你說。」

趙小蝶輕輕嘆息一聲，道：「好！我等著你，快些運氣調息吧。」

餘音未絕，突然室外傳過來兩聲怒叱。

楊夢寰探頭向室外望去，只見鄧開宇和柳遠聯手合戰一個黃衫少年。

那少年大褂及膝，腕套金環，楊夢寰一看之下，已然認出金環二郎陶玉，立時一展蜂腰，躍出室外，喝道：「住手！」

鄧開宇和柳遠聯手合戰對方，仍有著應接不暇之感，聽得楊夢寰呼喝之聲，立時收拳而退。

楊夢寰蜂腰微挫，疾如閃電一般，迎了上去，橫身攔住了那黃衫人，拱手說道：「陶兄別來無恙，還記得昔日舊友楊夢寰麼？」

那柳遠雖然見過了陶玉數面，但陶玉這身外化身，和他生的一般模樣，實叫人無法分辨。此人是否是真的陶玉，柳遠亦有著無法分辨之感，呆呆的望著那黃衫少年出神。

那黃衫少年目光流轉，打量了楊夢寰一陣，冷冷說道：「你就是楊夢寰麼？」

楊夢寰聽他說話口音，神態，無一不似陶玉，心中更無懷疑，當下說道：「正是兄弟，陶兄當真不認識兄弟了麼？」

黃衫少年突然微微一笑，道：「楊兄此刻乃一代大俠身分，還能記得兄弟，當真使兄弟受寵若驚，咱們數年不見，楊兄可好。」緩緩伸出了右手。

楊夢寰心中暗道：此人鬼計多端，不要上了他的當，暗運功力戒備，也緩緩伸出了右手。兩人掌指相觸，楊夢寰立時感覺到對方掌指間壓力大增，慶幸早有戒備，立時運勁抗拒，正待反握對方手指，突覺掌心間微微一疼。

那黃衫少年卻突然鬆了掌指，向後退了三步，縱聲大笑。

楊夢寰掌心微微一疼，立時警覺著受人暗算，當下一運真氣，閉住了腕上穴道。低頭望去，只見掌心處有一個針尖大小的紫點，不禁大怒，冷笑一聲：「陶兄當真是越來越陰毒了！」左手一揮，推出一掌，暗勁大湧，撞了過去。

那黃衫人格格一笑，道：「楊兄已受了兄弟暗算，聽兄弟良言相勸，快運氣止住毒氣……」揮手推出，接下一掌。

雙掌相觸，那黃衫人被震得退後兩步。

楊夢寰冷笑一聲，道：「區區之毒，難道當真能傷得在下麼？」

黃衫人道：「在下手中暗藏的毒針，乃當今第一用毒高手，天山百毒翁的化血神針。」

楊夢寰呆了一呆，道：「化血神針？」

黃衫人道：「不錯，化血神針！」

楊夢寰一挫腰，虎撲而上，道：「在毒性還未發作之前，先和陶兄分個生死出來。」

喝聲中雙掌連環劈出，一招緊過一招。

那黃衫人只覺楊夢寰攻來的掌勁，一招強過一招，接得五招，早已手忙腳亂，應接不暇。

鄧齊宇低聲對柳遠說道：「江湖上傳說楊大俠的武功高強，今日看來果然不虛。」

只聽楊夢寰大聲喝道：「躺下！」呼的一掌劈了過去。

那黃衣少年早已被楊夢寰迫得應接不暇，如何還能接得楊夢寰這全力的一擊，但他後臨神案，左右兩側又都被楊夢寰掌力封閉，形勢迫得他只有硬接掌勢一途，只好舉掌一封。

掌力一觸間，只覺楊夢寰那推來一掌中含蘊了強大無比的潛力，排山倒海般，直撞過來。

正自驚駭之間，突覺一股暗勁斜裏湧了出來，接下了楊夢寰一掌。

楊夢寰陡然收了掌勢，向後退了兩步，冷冷喝道：「什麼人？」

只聽一聲長笑傳來，閻羅神像後面，閃出一個黃衫少年，雙肩微幌，人已躍下神案！

楊夢寰愕然說道：「陶玉！」

黃衫少年緩緩的行了兩步，道：「不錯，兄弟才是陶玉，楊兄弟這幾年享盡了人間艷福，武林盛名，實叫兄弟羨慕得很。」

楊夢寰一指那旁側的黃衫人，道：「此人是誰？」

陶玉道：「兄弟的化身之一。」

楊夢寰道：「果然是和陶兄一般模樣，連兄弟也識不出來了。」

陶玉道：「楊兄誇獎了。」

楊夢寰冷冷說道：「在下早該逼他說話，由他聲音之中分辨真偽才是。」

陶玉道：「如果是短短幾句話，楊兄也是一樣難以分辨出來。」

楊夢寰輕輕嘆息一聲，道：「陶兄這身外化身，倒是都有陶兄的惡毒心機，物以類聚，果然是不錯。」

陶玉冷笑一聲道：「楊兄已中了化血毒針，除非楊兄能犧牲一條手臂，縱有上乘武功，也難封閉穴脈，終是難逃一死………」

他格格大笑了一陣，又道：「我那李師妹斷了一條左臂，楊兄自斷一條右臂，豈不是天造地設的一對麼！」

楊夢寰道：「陶兄忽略了一件事。」

陶玉道：「什麼事？」

楊夢寰道：「在兄弟毒發身死之前，和陶兄還有一場生死存亡的惡戰。」

五　連施毒手

陶玉笑道：「楊兄有興，兄弟自是奉陪，但咱們數年相交，豈可毫無情義，兄弟得事先說明，以楊兄武功，如不和兄弟動手，還可支持上一十二個時辰，在這一夜中，你還有尋得名醫，療救毒傷的機會，如是和兄弟動手，大概是難以撐過兩個時辰了。」

楊夢寰道：「不勞陶兄關注。」左手一揮，劈出一掌。

他功力深厚，這一掌含憤劈出，非同小可，潛力洶湧，劃空生嘯。

陶玉右手一揮，輕描淡寫的接下楊夢寰一掌，笑道：「楊兄不肯聽兄弟良言相勸，毒性提前發作，可別怪兄弟事先未曾說明。」

鄧開宇眼看那等兇猛的掌勢，竟被陶玉輕輕一掌化解開去，心中大爲吃驚。暗道：此人武功當真是高不可測，如是爲害江湖，這一代武林同道，必將慘遭浩劫。

忖思之間，楊夢寰已和陶玉展開了一場觸目驚心的惡戰。

這時，兩人相距甚近，掌指伸縮間，即可遍及對方要害大穴。

只見兩人的攻守之勢，無不各極變化之妙，常常是毫厘之差，就得當場殞命。

鄧開宇雖然是武林世家，見過了無數的高手相搏，但像今日這等驚險之戰，也還是初次見

到，只看得目瞪口呆。惡鬥中，突聞得一聲冷笑、悶哼，兩條惡搏纏鬥在一起的人影，突然各退兩步，霍的分開。

轉目望去，只見兩人相對而立，各自閉著雙目，似都在運氣調息。

鄧開宇低聲說道：「柳兄，楊大俠受了傷。」大邁一步，直向楊夢寰身側欺去。

突聽一聲嬌叱道：「回來！」一股暗勁掠身而過，排蕩潛力，震得衣袂飄動，如是再向前多跨一步，必爲這一股潛力擊中，那就是不死也得重傷了。

轉臉望去，只見趙小蝶面如寒霜，當門而立，不禁一呆，道：「楊大俠受了傷……」

趙小蝶冷冷接道：「就算他受了傷，你能救得了麼？」

鄧開宇道：「這個，這個……」

趙小蝶大邁一步，人已欺到楊夢寰的身邊，冷冷說道：「陶玉，你如想逃得活命，那就說出解藥何在？」

陶玉緩緩睜開微閉的雙目，望了趙小蝶一眼，道：「原來是你？」

趙小蝶怒道：「我問你化血神針的解藥何在，你是聽到沒有？」

陶玉道：「聽到了。」

趙小蝶道：「那就快說出來。」

陶玉道：「天山百毒翁是何等狠毒之人，豈肯輕易把解藥給人！」

趙小蝶冷冷說道：「這幾年，我已大長見識，你如想謊言騙我，那可是自尋死路！」

陶玉長長吸一口氣，笑道：「你當真要幫那楊夢寰麼？」

趙小蝶道：「不論我幫不幫他，但也得先解了他化血之毒才說！」

陶玉格格一笑，道：「解他化血之毒，談何容易！」

趙小蝶神色肅然的說道：「我也刺你一針，如是沒有解藥，你就陪他死去！」

陶玉道：「今昔形勢早已不同，姑娘武功雖高，但也未必能使我陶玉就縛。」

趙小蝶道：「你是不見棺材不掉淚。」長袖一甩，橫向陶玉拂去。

那長袖雖是柔軟之物，但經趙小蝶貫注了內勁之後，力道甚是驚人，長袖未到，暗勁先至。

陶玉右掌疾揮，橫裏拍出一掌，一阻趙小蝶拂來長袖，人卻疾快一閃退去。

趙小蝶只覺他推出一掌的力道，來勢甚強，竟然把拂去的衣袖擋住，心中暗道：他的武功果是大有進境，我倒不可輕敵。

心中念轉，人卻欺身攻上，雙袖連環擊出，一招緊過一招，兩支長袖有如兩件兵刃，揮舞之間，呼呼風生。

陶玉被卷在雙袖之中，左封右擋，拳掌並施，門戶封閉的十分嚴緊，雖然全採守勢，倒也是有驚無險。

這趙小蝶在柳遠和鄧開宇的心目中，一向視作充滿著神秘的美人，但卻未料到絕代紅粉，竟是有著如此高強的武功，眼看她揮舞雙袖的猛惡攻勢，玄奇招術，心中暗叫了兩聲慚愧。

陶玉和楊夢寰力拚的疲累未復，如何還能擋得趙小蝶這全力的猛攻，接下了三十招後，人已覺出不妙。

趙小蝶猛攻三十餘招，仍未能勝得陶玉，心中亦是大爲震駭，忖道：我們武功路數，都是得自「歸元秘笈」上記載之學，如是他逐字逐句，都記得十分純熟，這一戰，不知要打上多久，才能分個勝敗出來。

忖思之間，忽聽陶玉大喝一聲，展開反擊，右手一揮間，點出了「天罡指力」，緊隨著劈出一掌。

趙小蝶想不到他會突然反擊，被迫得向後退開一步。

就這一剎那間，陶玉已閃到一丈開外，躍入了一座高大的神像後面。

趙小蝶回目一顧鄧開宇和柳遠，回手一指點了楊夢寰兩處穴道，道：「快扶他退回室中休息。」

鄧開宇、柳遠應了一聲，一齊奔了過來，抱起楊夢寰退回室中。

就在陶玉隱入神像後面的同時，那化身之一的黃衫少年，也隱入了神像之中。

趙小蝶冷笑一聲，說道：「陶玉，你跑不了，惹得我動了怒火，非把你燒死在大殿之中不可。」

一角神像後傳出陶玉的聲音，道：「你想放火麼？」

趙小蝶道：「怎麼，你可是認爲我不敢麼？」

陶玉道：「姑娘自然是敢，不過葬身在你大火之下的，只怕不是在下，而是那楊夢寰和沈霞琳。」

趙小蝶暗中忖道：這話不錯，楊夢寰所中之毒，已經發作，沈霞琳關節初續，還未完全復

元，行動甚是不便，如真是放起一把火來，自己勢難兼顧，這兩人的危險，實是大過陶玉。

心中念轉，人卻暗中一提真氣，陡向陶玉發話之處撲了過去。

這大殿前後門窗大都是關閉起來，雖是白晝，殿中亦甚黑暗，那猙獰的鬼怪神像，在暗淡的光線之中，更增恐怖。

趙小蝶飛身一躍，直向一座執叉馬面的神像上撞去。

她雖然武功絕世，但終是女孩子家，眼看直向一座猙獰神像上撞去，心中凜駭，右手一揮拍了出去。

一股暗勁直撞過去，只聽轟然一聲，那座馬面神像吃趙小蝶發出的內家真力擊中，打得半身粉碎，塵土木屑漫天橫飛。

瀰漫的塵煙中，突然湧出一股強猛的力道，直向趙小蝶身前撞來。

趙小蝶內功精深，反應靈敏異常，力道尚未近身，已然驚覺，右手一推反擊過去。

兩股激蕩的潛力一接，激旋成風，隆隆大震聲中，撞倒了一座神像。

只聽陶玉格格一笑，道：「難得你一位姑娘家，練成如此雄渾的內力。」

笑聲在瀰漫煙塵中，飛向另一個殿角。

趙小蝶腳尖一點實地，身子又陡然飛了起來，尾隨著陶玉的笑聲追去，口中冷冷說道：「陶玉，今日咱們非得分個勝負出來不可。」說話聲中，又拍出一掌。

那陶玉似是不願和趙小蝶硬拚掌力，竟然沒有回手還擊。

趙小蝶這一掌推出的內力，又擊在一座神像上，轟然大震中，那神像又被擊得粉碎，大殿

煙塵也更見濃烈。

她雖然耳目銳敏，但殿中的黑暗，再加上瀰漫的煙塵，已使她有些視界不清，那神像被毀的隆隆大震聲，掩去陶玉行動時的衣袂風聲。

陶玉和他那化身之一，竟不知隱於何處。

趙小蝶定定心，暗自忖道：我這般一味的蠻發掌力，豈不是正好給他遁身隱避的好機會。

她本是冰雪般聰明之人，略一忖思，立時改變了主意，忖道：這殿中門戶關閉，只有後面一條出路，我在那出路之處等他，如著他啓動門窗，必有光線透入，那就可以看到他了。

只聽殿後傳過來童淑貞的聲音，道：「趙姑娘，那陶玉鬼計多端，心狠手辣，你千萬要小心一些，別上了他的當。」

趙小蝶道：「多謝姊姊指點。」話說完，人卻疾快的閃入一座神像後面。

果然，就在她身軀閃離的同時，一蓬銀芒，夾在那漫飛塵煙中打了過來。

趙小蝶暗中罵道：人人都說陶玉爲人毒辣，今日看來果是不錯，此人武功又如此高強，留在世上，有害無益，他暗算於我，我何不將計就計，騙他現身。當下重又躍回原地，故作中了暗器之狀，落足甚重的向後退了兩步，暗中卻凝聚真氣，蓄勢以待。

哪知狡獪的陶玉，竟然是不肯上當，發出一把毒針之後，竟是再無消息。

趙小蝶凝聚目力，向那毒針擊去搜尋，仍是找不出半點徵象，不禁心頭懊惱，忖道：這座大殿不過數丈方圓，難道就當真找他不著麼。

一股怒火直上心頭，暗中禱告道：這陶玉爲人太壞，今日如不殺他，此後江湖不知要被他

鬧成什麼樣子，縱然毀壞諸位神靈形像，那也是情非得已，事後我自當再塑金身，以贖今日冒犯之罪。

她畢竟是女兒之身，雖然有絕世武功，但眼看這一座座猙獰神像，毀在她的手中，心中不自覺生出了一種不安和畏懼之感。

祝禱已畢，暗中運起大般若玄功。

這是「歸元秘笈」中最深奧的一種內功，乃佛門般若禪功和道家的玄門罡氣，取長截短的合修大成，兼具了佛道兩家之長。

這位容色絕世姑娘，突然發了狠心，要以大般若玄功，毀去這座閻羅殿。

正當她暗運功力之際，突聞咔嚓一聲，一扇木窗，突然裂開，透入了大片日光。

緊跟著一條人影，穿窗而出。

日光下看得清楚，那人黃衫金環，正是陶玉。

趙小蝶已動殺心，來不及多作思索，一提氣，嬌軀疾如閃電，穿出窗外。抬頭看去，只見那黃衫人已到三丈外的屋面上。

趙小蝶怒聲喝道：「陶玉，我不信你能逃出我的手下。」疾追而去。

她輕功卓絕，這一全力施展，日光下有如一縷輕雲淡煙。

那黃衫人身形雖快，如何能和趙小蝶絕世輕功相比，片刻工夫已被趙小蝶追個首尾相接，探手一掌拍了過去，正擊在那人右後肩上，蓬的一聲摔倒地上。

趙小蝶冷笑一聲，道：「哼！我不信你能逃出我的手去！」

揮手抓起那黃衣人，正待逼供，心中突然一動，高聲喝道：「不好，我上了他的當啦！」回頭向大殿中奔去。

原來她抓起那黃衣人時，心中突然警覺道：陶玉武功十分高強，怎麼這樣輕輕易易的就被我一掌擊倒？心念一轉，立時想到了陶玉那隨行的化身，趕忙又返向大殿中奔去。

那破開的窗門，依然如舊，趙小蝶一提真氣，身子又淩空而起，穿窗而入。

就這片刻工夫，大殿之中已然有了大變。趙小蝶抬目一望，只見陶玉背靠在一根木柱上，指手劃腳，指使殿中之人。

楊夢寰和沈霞琳都站在大殿之中，童淑貞扶著沈霞琳，滿臉激怒之色，但卻遲遲不敢出手。

顯然，這些人都已被陶玉制服。

趙小蝶冷笑一聲，道：「你想的方法雖好，可惜怪你那位化身武功太弱，如是稍微再高強一些，也許可把我騙得更遠一點，那就可以暢所欲爲了。」

陶玉雖然明知趙小蝶回來，但卻是未回顧一下，哈哈一笑，道：「時間已經夠了，姑娘如若不怕傷著大殿中人，儘管出手就是。」

趙小蝶星目流動，緩緩由楊夢寰、柳遠等臉上掠過，心中暗道：這些人武功縱然非他之敵，但也不該束手就縛才是，那楊夢寰身受重傷，不去說他，柳遠和鄧開宇怎的這樣沒有骨氣

……

忽聽童淑貞高聲說道：「咱們都中了他的暗算，無能和他動手。」

趙小蝶吃了一驚，道：「什麼暗算？」

童淑貞道：「不知他用了什麼毒物，使咱們不知不覺中都中了毒。」

趙小蝶道：「有這等事？」

陶玉道：「不錯，趙姑娘可是有點不信麼？」

趙小蝶略一沉吟，道：「我明白了，那歸元秘笈中記載有一段用毒之法，想必被他學去了。」

陶玉道：「那不過是約略提到，並無詳細記載，在下這隔物傳毒之法，來自當今第一用毒高手。」

趙小蝶冷冷接道：「你不過是憑仗由那『歸元秘笈』上學來的武功，但那歸元秘笈字字句句都在我記憶之中，我要把它錄記下千本、百本流傳武林，使人人都可學得上面武功，天下武林後起之秀都是你的勁敵，那時你就不用神氣了。」

陶玉呆了一呆，道：「我不信你肯把千百年來累積的武功奧秘，公諸於世人。」

趙小蝶道：「像你這樣的人，武功愈強，作惡愈多，如是江湖上人人都和你的武功不相上下，豈不限制了你的為惡範圍。」

陶玉突然放聲格格大笑起來。

趙小蝶怒道：「你笑什麼？」

陶玉道：「一個天資最好的人，要想練成和我陶玉一般的武功，需要幾年時間？」

趙小蝶道：「如著他有著武功基礎，五年之內，當可練成絕學。」

陶玉笑道：「如若那人天資低愚，給他十年，也是一樣的難有大成，但天資好的人，未必都有武功基礎，如此算來，十年內你也無法造就出十個可以和我爭霸江湖的人，你能錄下百本、千本的歸元秘笈，我可以在片刻間把它焚毀得一字不存，你要十年內才能培養出和我陶玉頡頏的高手，但我可在他們武功未成之前，分別搏殺。」

趙小蝶道：「我可以立刻把你殺死，永絕後患。」

陶玉道：「不錯，你已練成了舉世無傳的大般若玄功，確有置我於死地之能，但可惜你心有牽掛，不能夠放手施為，就以今日之局而論，你雖有殺我的機會，但你卻狠不下殺盡在場之人的心，尤其是楊夢寰……」

趙小蝶暗暗運起大般若玄功，口中卻冷冷說道：「為什麼？」

陶玉道：「你如殺了我，楊夢寰和那沈霞琳等都無法逃得活命，你日後如何對那朱若蘭交代。」

趙小蝶道：「我先殺了你，再設法解他們身中之毒。」

陶玉道：「殺了我，你只有看著他們一個個毒發身死。」

趙小蝶道：「我不信你身上沒帶解藥。」

陶玉哈哈大笑，道：「你很聰明，我確實帶有解藥，只是在姑娘追我那化身時，已被我借機會毀去了。」

趙小蝶怔了一怔，道：「縱然我救不了他們的性命，但可以殺你替他們報仇，」緩緩舉起右掌。

陶玉看她雪白的玉掌泛起了一片茫茫白氣，纖纖玉指，有如隱在雲霧之中，心中駭然一震，暗道：她已運起大般若玄功掌力！趕忙橫移兩步，閃到楊夢寰的身後。

那楊夢寰仍有幾處穴道被點，呆呆的站著不動。

趙小蝶心知這一掌擊出，楊夢寰必難倖免，只好緩緩收回掌力。

陶玉看她果然不敢出手，不禁膽子一壯，格格一笑，道：「據那歸元秘笈之上記述，習成大般若玄功之人，百毒不侵，不知是真是假。」喝聲中右手一揚，一團白粉直打過去。

趙小蝶道：「好，你試試看。」肅立不動，任那飛來白粉擊中身上，蓬然微震中，粉末繞身橫飛。

這白粉末都是厲害異常的毒粉，只要聞得少許，立時將侵入內腑。

陶玉眼看趙小蝶全身盡為那粉末包圍，心中暗自歡喜道：只要你吸入口鼻中一點，今日即將是我陶玉俎上之肉，任我享用宰割了。

只見趙小蝶一直屹立不動，只待繞飛周圍的白色粉末沉落將盡，仍不見有反應。

陶玉一皺眉頭，暗道：看來她不像中毒的樣子，右手一抬，打出一把毒針。

一蓬銀芒，直飛過去，趙小蝶仍然是凝立不動，數十枚毒針大部擊中。

陶玉突然放聲大笑，道：「我那毒針不但淬有劇毒，而且鋒芒尖銳，縱然有金鐘罩、鐵布衫的功夫也是難以擋得，姑娘不畏毒粉，卻該避開毒針才是。」

趙小蝶仍然是肅然的站著，不言不動。

陶玉心中疑慮難決，不知趙小蝶是否已爲毒針所傷。

這時童淑貞卻悄然移動腳步，走到陶玉身後，暗運功力，一掌擊出，就在她一掌擊出之時，突覺內腑一陣劇疼，掌上力道盡消，掌勢雖然擊中了陶玉，但陶玉卻似渾然不覺，頭也未回，右手向後一揮，蓬然一聲，把童淑貞打摔到四五尺外。

突聽趙小蝶冷笑一聲，道：「陶玉，你還有什麼惡毒的暗器，全都施展出來吧！」右袖揮揮，全身一陣波動，陶玉打出的毒針，紛紛跌落地上。

陶玉心中大駭，暗道：這大般若玄功如此威力，實難和她抗拒，此刻不走，還待何時。雙手一探，右手抱起沈霞琳，橫在身前，左手挾起楊夢寰，說道：「拳招、掌法，咱們都同出於歸元秘笈，姑娘也未必就高過我陶玉，但姑娘這大般若玄功，倒非我陶玉能敵……」

趙小蝶接道：「既知非我之敵，就該束手就縛才是。」

陶玉道：「姑娘武功雖比我高強，但如講到鬥智用謀之上，恐又非我陶玉之敵了。」

趙小蝶道：「任憑你舌粲蓮花，我今日也不饒你，殺你一人，可救數千百人的性命，也算是一件大大的功德。」

陶玉舉了舉手中的沈霞琳，笑道：「接你第一掌的當是這位沈姑娘的嬌軀。」緩步向外殿行去。

趙小蝶道：「放下她，留下解藥，我今日饒你一次。」

陶玉笑道：「今夜三更時分，我在這閻羅廟後五里，一片雜木林外相候，屆時人、藥都

在，只怕你無能取去。」

趙小蝶道：「我如何能信得過你？」

陶玉突然一推楊夢寰，直向趙小蝶懷中撞去，雙手抱起沈霞琳，縱身躍起，穿窗而出。

趙小蝶放下楊夢寰，追出廟外，陶玉已挾持著沈霞琳躍上馬背，飛奔而去。

趙小蝶望著陶玉急奔而去的背影，冷笑一聲，道：「我就不信追不上你的快馬。」一提真氣，正待放腿追去，心中突然一動，暗道：這陶玉鬼計多端，別又上了他的當，我先救了人，再設法追尋他的行蹤。

念頭一轉，重回大殿，只見童淑貞等人，一個個席地而坐，運氣調息。

只有楊夢寰倚壁而立。

趙小蝶一顰秀眉，緩步走到楊夢寰身側，玉掌揮動，拍活了楊夢寰的穴道。

原來她用的獨門點穴手法，別人無法代解。

楊夢寰目光轉動，望著趙小蝶道：「你爲什麼不去追趕陶玉？」

趙小蝶道：「我怕那陶玉施用調虎離山之計，我如追他而去，怕你們受到傷害。」

楊夢寰道：「唉！姑娘不用管我們了，眼下緊要的事，是早些追殺陶玉，此人一日不除，江湖上就一日難安。」

趙小蝶嘆道：「難道要我見死不救？」

楊夢寰道：「你今日放過了殺死陶玉的機會，被他逃去，只怕日後難再有此機會了，何況姑娘也無法解得我身中之毒。」

趙小蝶道：「我雖無能解得你們之毒，但卻有能力延長你們毒性發作的時間，陶玉雖然苦習歸元秘笈數年，但他仍未盡得奧秘，唉！只是苦了那沈家姊姊，她被陶玉錯開身上關節，吃盡了苦頭，幸得被我發覺追來此地，想不到竟又被陶玉挾持而去，我保護不周，害她又多吃苦頭。」

楊夢寰嘆道：「霞琳多災多難，半生來受盡諸般痛苦，但眼下情勢，已非一二人的生死，而是武林的劫運，放眼當今江湖，只有姑娘一人可以力挽狂瀾，搏殺陶玉。」

趙小蝶道：「不要緊，他約我今夜三更在五里外一片雜林相見，我知道他定有陰謀安排，但我一點也不害怕，我自信五十招內可以取他性命。」

突聞一陣急促的喘息之聲傳了過來。

轉臉望去，只見童淑貞、鄧開宇等，一個個喘息甚烈，全身顫抖不停。

趙小蝶暗運功力，分點了幾人穴道，竟然止下了幾人的喘息。

直待天色入夜，趙小蝶突然起身帶著楊夢寰離開了閻羅廟，廟外早已停了四輛黑蓬馬車，每輛蓬車有四個玄衣少女相護，趙小蝶仰臉望望天色，和楊夢寰登上了第一輛車馬，直馳向和陶玉約會之處。

果然，行不過五里左右，有一片廣大的雜木林，趙小蝶輕輕嘆息一聲，道：「時間差不多了，不知那陶玉會不會守信約。」

躍下馬車，流目四顧。

淒迷夜色中，只見一個身著白衣的女子，盤膝坐在一片荒涼的草地上。

趙小蝶沉聲喊道：「姑娘可是沈家姊姊麼？」

她一連呼叫數聲，不聞那白衣女子回答之聲。

楊夢寰探首車外，除了自己和趙小蝶乘的一輛蓬車之處，其餘都未隨來，不知馳往何處。

四個隨車玄裝婢女，早已分列馬車四周，拔出背上長劍，嚴作戒備，趙小蝶回顧了楊夢寰一眼，道：「如若那位姑娘是沈家姊姊，只怕她已被陶玉點了穴道，我得去救她出來。」

楊夢寰道：「也許是那陶玉故意布下的餌……」

只聽那雜林中傳出一陣尖銳的笑聲，道：「趙姑娘當真是守信之人。」

趙小蝶怒聲說道：「陶玉，你就算布下了天羅地網，我也不怕。」

雜林中發話人道：「趙姑娘何以敢斷言在下是陶玉呢？」

趙小蝶道：「你不是陶玉是哪一個？」

林中人道：「想那陶玉化身無數，姑娘如何能夠辨識……」

語聲微微一頓，又道：「趙姑娘不用問我是誰，但我可以奉告姑娘，那片草地上，坐的確是那沈霞琳，解毒藥亦在那沈姑娘身上收存。」

趙小蝶道：「我去瞧瞧，如不是沈家姊姊，我再找你算賬。」

舉步向前行去。

楊夢寰強行忍著那化血劇毒發作之苦，一躍下車，伸出左手，扶在車轅之上，長長喘一口氣，說道：「趙姑娘不可造次，那陶玉鬼計多端，別上了他的當。」

趙小蝶道：「如若是沈家姊姊，縱然要冒險也得搶救。」

楊夢寰道：「只怕那不是霞琳，朱姑娘閉關天機石府，不問武林中事，放眼當今武林，那陶玉唯一忌憚的就是你了……」

雜林中傳出大笑之聲，打斷了楊夢寰之言，接道：「趙姑娘如若不信那是沈霞琳，在下可讓你瞧個明白。」語聲甫住，緊接著傳出了一聲長嘯。

夜色中火光一閃，那端坐白衣女身後，突然站起了一個人來，手中舉起了一盞點燃的松油火把。

火光照耀之下，清晰可見那白衣女形貌，正是那沈霞琳。

楊夢寰長嘆一聲，道：「她命途多舛，二十年來，可算是受盡了人間的苦痛、折磨。」

趙小蝶幽幽說道：「你不用擔心，今夜我拚了命，也要把她救出來。」

楊夢寰臉色一整，道：「霞琳雖然身落陶玉之手，受盡折磨，但她一人的苦痛生死，豈可置於整個武林的安危之上，搏殺陶玉，全憑姑娘，你必得珍重行事才是！」

雜林中人聲又起道：「在那沈霞琳的四周，布滿了死亡的陷阱，趙姑娘如是自知無能，那就不用去了，我已提醒姑娘，恕不再奉陪了。」

趙小蝶凝目望去，只見那高舉火把之人，黃衫、金環，背插長劍，看形貌穿著，正是陶玉。

只見那火把繞著沈霞琳劃了一個圓圈，突然熄去。

趙小蝶低聲對楊夢寰道：「那林中說話的才是真正的陶玉，沈家姊姊旁側手執火把的，定

是他的化身。」

楊夢寰暗咬牙關，一提真氣，道：「你全力搏殺陶玉，我去救霞琳出來。」

趙小蝶道：「你身中化血劇毒，如何還能運氣行功……」

輕輕嘆息一聲接道：「你不要生氣，此刻你實已沒有和人動手之力，唉！你必得盡你之能，運功和那化血劇毒對抗，多撐上一個時辰，就多上一分生機，你只管好好的坐著休息，對付陶玉的事，不用你來擔心。」探臂在地上撿起了一根枯枝，突然飛躍而起，直對沈霞琳停身之處飛了過去。

她輕功絕世，施展開「八步登空」之術。六七丈的距離，只借手中枯枝點了一次實地，已到沈霞琳的身側，借枯枝著地之力，支持著身子，不落實地，夜風中衣袂飄飄。

轉眼望去，只見沈霞琳閉目而坐，長髮隨著夜風拂動，有如木刻泥塑一般。

趙小蝶暗暗嘆一口氣，高聲說道：「陶玉，我已到了沈姑娘的身旁，你還有什麼鬼計惡謀，儘管施用出來吧！」一面四下搜望，竟然不見那適才高舉火把之人。

雜林中飄傳長笑之聲，道：「趙姑娘武功果然高強，你雖憑仗著『八步登空』的絕技，飛越過重重陷阱，但仍然白費了一番心機，姑娘美擬天人，在下實不忍眼看著你死無葬身之地……」

趙小蝶怒聲接道：「我是死是活，不用你管，快說那解毒的藥物放在何處？」

雜林中傳過來一聲冷笑，道：「姑娘硬要自尋死路，那也是沒有法子的事，兩種解毒藥，分握沈霞琳兩手之中，可惜姑娘卻不能動她！」

趙小蝶道：「爲什麼？」

那人遙遙應道：「因爲你一動沈霞琳，即將引動四下的埋伏，姑娘武功雖高，只怕也無法逃得過身化劫灰的惡運。」聲音微微一頓，不待趙小蝶開口，又接著說道：「退一萬步講，就算姑娘能夠逃過，但那沈霞琳是決然難以逃得了，我要讓你親手謀殺了那楊夫人。」

趙小蝶心中盤算道：我今日如若不能救出沈霞琳，已難對蘭姊姊和楊夢寰交代，如是再親手引動埋伏，傷害到她，勢必要引起蘭姊姊的誤會不可……

她已爲那傳來的恫嚇惡言鎮住，竟然不敢伸手去觸摸沈霞琳。

只聽楊夢寰的聲音斷斷續續的傳來，道：「趙姑娘，不用爲沈霞琳的生死誤了大局，能救就救她，不能救，也不用爲難，只要你盡了心力，我們一樣是感激不盡……姑娘應該把……搏殺……陶玉的事，列爲首要之務。」

趙小蝶心中暗道：看她木然神情，定是被人點了各處關節穴道，楊夢寰說得不錯，只要我盡了心力，縱然救不了她，亦無愧疚，但又轉念一想，與其任她留在陶玉手中，承受折磨、痛苦，那還不如冒險帶她離開此地……念轉意決，突然伸出右手，環繞在沈霞琳的腰間，說道：「琳姊姊，小妹帶你離開此地如何？」

她雖然明知沈霞琳不會回答，仍然是忍不住問了一聲。

這一場武功和智慧的決鬥，趙小蝶心中很明白，自己是處在極爲險惡的形勢之中，陶玉約她來此之時，想來不過是一場孤軍獨鬥群雄的惡戰，卻未想到陶玉竟然是布下了這樣一個陷阱。

勢成騎虎，趙小蝶已無法丟下沈霞琳，退出險地。

黑夜的原野裏，恢復了原有的幽寂，只有夜風吹著樹葉，發出一種沙沙之聲。

趙小蝶這幾年江湖閱歷大長，右手環繞在沈霞琳的腰間，並未立刻抱起，暗中凝神，留心著四周的變化。

她知道在沈霞琳的四周定然有著埋伏，奇怪的是，趙小蝶憑藉著自己的目力，竟是無法瞧出那些人的藏身之處。

她自信在一丈之內的草叢中，都已被自己銳利的目光瞧到，只要是藏的有人，決然是不會逃得過去的。

趙小蝶瞧不出可疑之微，心中倒有些猶豫起來，緩緩移開繞在沈霞琳腰間的手掌，解開了繫在腰間的白綾帶子，沉聲說道：「琳姊姊，請原諒我，我必須騰出一雙手來迎敵，只好把你綁在背上了。」

她口中說著，右手卻悄然伸了過去，握住了沈霞琳右手。

原來趙小蝶對那林中傳來的警告之言，有些半信半疑，決心冒險試試。

果覺沈霞琳的右手緊緊握著，也不知抓著什麼東西，當下暗中咬牙，一運內力，啓開了沈霞琳緊握的五指。

只見一個黑色的木盒，從沈霞琳那緊握的五指中滾了下來。

趙小蝶右手疾伸，迅快無比接住，正待再打開沈霞琳的左手瞧瞧，瞥見火光一閃，正西方來路上，燃起了一片叢草。

但聞楊夢寰高聲說道：「趙姑娘快些出來。」

就這一句話的工夫，那火線閃轉叢草之中，已然引起南、北兩面大火。

一陣陣暴裂聲，由火中傳了出來，火勢隨著那暴裂聲，更見劇烈。

原來，那草中藥線由埋在地下的桐油桶中穿過，藥爆桶裂，漫天一片火花，聲勢浩大，觸目驚心。

趙小蝶冷冷一笑，高聲喝道：「陶玉，你黔驢之技，如此而已，我還道有什麼驚人的埋伏，就憑這把火，難道能夠困住我麼？」

她雖說得輕鬆，心中卻是暗暗震駭，目光也不停在近身兩三丈內巡望，只怕陶玉在沈霞琳停身之處，埋上些桐油火藥，萬一那藥線燃著，爆炸開來，自己縱然能及時逃走，沈霞琳必將被葬火窟。

她心知在熊熊的火光之中，一切舉動都已在陶玉的監視之下，必得保持著鎮靜神態，才可使陶玉莫測高深，遂藉枯枝撐著身子，雙手揮動手中白綾，在沈霞琳的身上打了個十字結。

這時，火勢已然向兩人停身處延燒過來，奇怪的是正東卻是不見火起。

趙小蝶打量了四周形勢一眼，突然挺身而起，左掌連揮，連拍四掌。

四股潛力，急湧而出，拍在四周草地上，只震得斷草橫飛。

趙小蝶雖然未瞧到有人在草中隱身，但她心中卻知在沈霞琳四周，必有可容隱身的暗穴，怕他們陡施暗算，才搶先下手。

四掌拍出，突然雙手一收白綾，已把沈霞琳帶了起來背在背上，結在前胸。突然一提真氣身子斜向東面飛落，右手在身子飛起的同時，拔下了地上的枯枝。

腳落實地，四面一望，不禁暗暗叫苦。

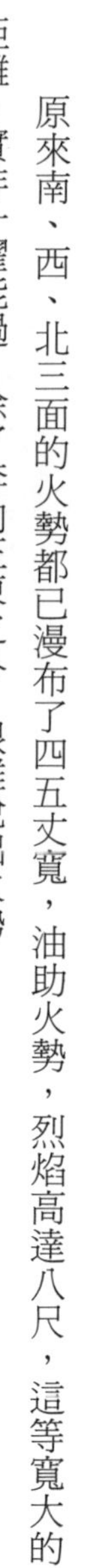

六 勾心鬥角

原來南、西、北三面的火勢都已漫布了四五丈寬，油助火勢，烈焰高達八尺，這等寬大的距離，實非一躍能過，除了奔向正東之外，很難脫出火勢。

三面是火，但卻空出了一面去路，想那東面的埋伏，定較這火勢厲害很多。

趙小蝶略一忖思，決心涉險，越火而過。她低聲說道：「沈家姊姊對不住了，你如被火燒傷，那也是沒有辦法的事了。」

幾聲有節奏的嬌叱，隔著大火傳了過來。

趙小蝶一聞那嬌叱之聲，立時辨出隨來四婢已和人動上了手，而且對方武功高強，逼得四婢使用劍陣阻敵，趙小蝶心中疾快的打了兩轉，忖道：那定是陶玉了。

當下一提真氣，正待越火往援，突聽一陣格格大笑之聲傳了過來。轉臉望去，只見身著黃色及膝大褂，腕帶金環的陶玉，站在那正東方火勢缺口之中。

趙小蝶冷冷說道：「陶玉，你可是感覺到這點火勢，能夠把我困住麼？」

她口中雖然呼出了陶玉之名，但心中卻是無法斷定這人是否是陶玉真身。

陶玉哈哈一笑，道：「趙姑娘，這火勢也許困你不住，但這草地中卻另有極厲害的布置，

我費時一月，在此地布下了火雷陣，原來準備對付那楊夢寰和朱若蘭，想不到今天卻用作對付你趙姑娘……」

他縱聲大笑一陣，接道：「眼下有兩條路，趙姑娘可以選擇其一，一條是由我發動埋伏，使你和沈霞琳一併身死劫灰，第二條路是咱們攜手合作，共圖武林霸業，只要姑娘答允和我攜手合作，依照我計劃施為，我想在兩年之內，即可使九大門派和天下豪雄，盡皆臣服，那時咱們劃分南北，各統一方，或是聯手行令，指揮天下武林，哈哈，古往今來的大英雄、大豪傑，不知有多少人夢寐以求，統率武林，可惜的是千百年來，竟然沒有一個人能夠達成所願！」

趙小蝶看三面火勢延展愈來愈寬，越渡的機會也是愈來愈少，心中忽然一動，暗道：這陶玉最善用詐，我何不以其人之道，還治其人之身，騙他一騙。

她本是冰雪聰明之人，但因一直在人跡罕至的深山大澤之中長大，不解人間險惡，這幾年來，她化名多情仙子，在江湖之上闖蕩，對人與人之間的狡詐、險惡，以及用謀，大有長進，當下故作沉吟，反口問道：「咱們攜手合作，共圖武林霸業容易，但有道是雙雄不兩立，咱們之間如何相處，我不願受你之命，只怕你也不願受我令諭。」

陶玉笑道：「你趙小蝶如是男人，我陶玉也不會找你合作了，但你是女兒之身，情形就大不相同了。」

趙小蝶道：「為什麼呢？」

陶玉笑道：「男女之間，日日相處，久而生情，武林霸業有成之日，不是我陶玉臣服你石榴裙下，就是你趙姑娘為我陶玉征服。」

趙小蝶心中暗罵一聲，口裏卻盈盈一笑，道：「如是以人才貌而論，你陶玉實不在那楊夢寰之下。」輕移蓮步直向陶玉行去。

這時，四周的火勢更見猛烈，已快延燒到趙小蝶停身之處。

火光下，只見她容色如花，美目流波，巧笑倩兮，撩人情懷。

陶玉只瞧得呆了一呆，忖道：如以美媚嬌豔而論，此女實不在朱若蘭、沈霞琳等之下。

就在他念頭一轉之間，趙小蝶已欺近他身側四五尺處。

陶玉陡然驚覺，急聲喝道：「站住！」

趙小蝶美目一轉，笑道：「你不是要和我攜手合作麼？怎的如此兇法。」她這幾年來在江湖之上走動，把心中一腔悵惘愁懷，化作了千種風情，只鬧得大江南北，神鬼不安，不知有多少年少書生，武林豪客為她的巧笑顛狂，為她的容色陶醉，她已學會了如何利用天賦的美貌。

陶玉臉色一整，左手一揚，打出一把金針。

火光中數十縷閃閃金芒，疾飛而至。

趙小蝶長袖一拂，暗勁山湧，擋開了飛來金針，冷冷說道：「陶玉，你這是何用心？」

陶玉道：「姑娘如再往前逼進一步，可別怪我陶玉下手毒辣了……」

語聲微微一頓，接道：「姑娘答應得太快了，倒叫在下生出了懷疑之心。」

趙小蝶暗中運集功力，說道：「要如何你才能相信？」

陶玉道：「姑娘如若真有合作之誠，那就先把沈霞琳劈死掌下。」

趙小蝶心頭一震，暗道：我如劈死沈霞琳，楊夢寰會恨我一輩子，此人當真是毒辣得很，

口中卻微笑說道：「她雖未氣絕，但卻已距死亡不遠了。」

陶玉格格大笑，道：「她還是好好的活著，如若不是爲了想誘姑娘，在下倒也不忍這般折磨於她呢。」

趙小蝶道：「嗯！沈霞琳長得很嬌艷，你既然不忍傷她，爲什麼卻要我出手傷她？」

陶玉道：「沈霞琳雖然很美，但如和你趙姑娘比較起來，那是又遜上一籌了。」

趙小蝶默察情勢，陶玉已悄然向後退出了三丈以上的距離，不論自己發難如何迅速，除非能夠在一擊之下把他震斃當場，實難脫出兇危，但陶玉此刻武功，無論如何也可擋得自己五十招……

心中念轉如輪，雙手卻解開了胸前綾結，托過沈霞琳，說道：「咱們今宵如若殺死沈霞琳和楊夢寰，必將引出朱若蘭重出江湖，給他們報仇。」

陶玉道：「姑娘如肯和在下真心結盟，朱若蘭有何可懼？」

趙小蝶道：「好！咱們就此一言爲定。」左手托著沈霞琳的嬌軀，右手一掌，拍在沈霞琳背心「命門穴」上。

火光下，只見沈霞琳身軀一陣顫動，口鼻間鮮血急湧而出。

陶玉縱聲大笑。道：「打得好，打得好。」

趙小蝶強作歡顏，盈盈一笑，道：「你可要查查看她是否已經死麼？」

陶玉道：「不用看了，你把那屍體拋入火中就是。」

趙小蝶吃了一驚，忖道：這如何能夠行得……

但一時之間又想不出應付陶玉之法，心中大感焦急，狡獪的陶玉雖然眼看沈霞琳口鼻出血，仍是有些不肯相信一般，強迫趙小蝶把沈霞琳投入火窟才肯信她之言。

趙小蝶眼看那三面火勢，已然逼到七八尺外，勢再難多加猶豫，口中大聲說道：「沈姑娘，為了武林霸業，只好讓你葬身火窟了。」雙臂突然一振，將沈霞琳高高拋了起來。

陶玉格格大笑，道：「好！趙姑娘肯這般和在下誠心合作，那是最好不過，此刻火勢已然逼近，咱們得快些離開此地。」

說話之間，大步行了過去。

趙小蝶望著沈霞琳那飛向火中的嬌軀，緩緩伸出手去，說道：「我和那沈霞琳曾有過一段情，今日無緣無故殺了她，心中總是不安，只怕她變了鬼，也不會饒我。」

陶玉道：「世上哪有神鬼之說，趙姑娘不用害怕。」

趙小蝶道：「我全身都在發抖。」口中雖和陶玉說話，但卻始終沒有回頭望過陶玉一眼。火光映照下，只見趙小蝶那瑩白如玉的手掌，纖長的五指，果然在微微顫動。

陶玉情不自禁的伸出手去，握著趙小蝶的左手，說道：「咱們快些離開此地……」突覺趙小蝶五指一翻，突然緊緊扣住了自己脈門，不禁大吃一驚，道：「趙姑娘，快放開我，那火勢只要再向前燒近一尺，這地方就要爆炸……」

趙小蝶陡然回過頭來，冷冷接道：「那你就陪我葬身此地吧！」

陶玉心神逐漸鎮靜了下來，道：「你殺了沈霞琳，又把她屍體投入火窟之中，縱然生擒了我，那楊夢寰也不會原諒你！」

趙小蝶道：「她應該會飛過來。」

語聲甫落，瞥見沈霞琳的嬌軀，懸空打了一個轉，突然又飛了回來。

趙小蝶左臂疾伸，接住了沈霞琳的嬌軀，冷笑一聲，道：「陶玉，你該知道，在那『歸元秘笈』有一種回旋掌的練法。」

陶玉長嘆一聲，默然不語。

趙小蝶牽著陶玉，舉步向外行去，一面低聲說道：「陶玉，我得先告訴你，你如妄打逃走的主意，可別怪我心狠手辣了！」

加快腳步，向外奔去。

陶玉腕脈被趙小蝶緊緊扣著，全身勁道一點也用不出來，只好任那趙小蝶牽著行走。

趙小蝶急急奔向停車之處，只見四個玄衣侍婢，各舞長劍，拒擋住兩個陶玉化身和四個黑衣大漢的猛攻，四婢聯手布成一座方陣，護著楊夢寰。

趙小蝶低聲喝道：「陶玉，快叫他們退下去。」喝聲中，右手五指暗中加力。

陶玉只覺腕脈上一陣劇疼，全身行血，返向內腑之中回集過去。

陶玉爲形勢所迫，只好高聲喝道：「住手！」

兩個化身回頭望了陶玉一眼，急急喝令四個黑衣人停下手來。

趙小蝶附在陶玉耳際，笑道：「要他們快退回去，我給你留著面子，不讓你的屬下看出來。」

陶玉重重咳了一聲，說道：「此地沒有你們的事了，都先回去吧！」兩個化身相互望了一眼，帶著四個黑衣大漢急急離去。

大火燎原，濃煙蔽天，聲勢觸目驚心。

趙小蝶輕輕嘆息一聲，道：「你自己瞧瞧你造的孽，好好的一片蔥綠原野，被你這一把火燒成枯灰，如是這火勢延燒到那雜木林中，只怕要燒上幾日夜之久。」

陶玉冷冷說道：「姑娘這些年來，長了不少的江湖閱歷，在下既被擒住，倒希望早知結果如何？」

趙小蝶轉眼望去，只見楊夢寰閉著雙目，盤膝而坐，頭上汗水滾滾，顯然正在忍受著無比的痛苦，不禁心酸，想起昔年替他療傷之時，赤體相對之事，心頭怦然跳動，自從那日之後，一縷柔情，竟然不知不覺的繫牽在楊夢寰身上。當時，因年紀幼小，還覺不出什麼，但隨著年齡的增長，關愛之情，與日俱增。

她化名多情仙子，遊蕩江湖，希望能藉以排除滿懷情愁，哪知閱人愈多，愈覺楊夢寰的君子風懷，可敬可愛，作繭自縛，越陷越深，此刻見他運氣抗毒，心中又憐又痛，緩緩放下了沈霞琳，冷冷說道：「陶玉，你是想死想活？」

陶玉道：「想死怎樣？想活如何？」

趙小蝶道：「你如想死，我就施展剪脈手法，震斷你全身幾處主要經脈，讓你先承受半年活罪，然後再死。」

陶玉吃了一驚，暗道：這剪脈手法的慘酷，尤甚過分筋錯骨，她如真要用這等手段對我，這個活罪，可是受得大了……

只聽趙小蝶接道：「你若是不想受那剪脈之苦，那就快些拿出化血神針的解藥，和童淑貞等解毒藥物，我就放你歸去。」

陶玉心中原很畏懼，但聽完幾句話後，膽子卻突然一壯，冷笑一聲，道：「捉虎容易放虎難，你如是放了我陶玉，日後我再也不會上你這個當了。」

趙小蝶道：「你雖然鬼計多端，可是我一點也不怕你。」

陶玉道：「我如果給你的是假藥，你又如何知道？」

趙小蝶道：「我看他們服下藥物，傷勢好了之後才放你。」

陶玉暗暗嘆息一聲，想到這番心機又是白費，不禁心頭悃然，但性命要緊，勢又不能不答應，只好說道：「好！咱們就此一言為定，只怕我交出解藥，你又改變心意，不肯放我，我豈不是又上了你一次當？」

趙小蝶道：「我說出之言，向無不算，說過放你，決然不會食言。」

陶玉冷冷說道：「我已經被你騙過一次了，豈肯再被你欺騙？」

趙小蝶顰起了秀眉，道：「你要如何才能相信？」

陶玉望了楊夢寰一眼，道：「我要那楊夢寰講一句話。」

趙小蝶道：「他正在運氣調息，哪裏有工夫和你說話。」

陶玉看出她對楊夢寰關心極切，惜愛之情，溢於言表，哈哈一笑，道：「如是那楊夢寰不肯說話，在下只有拚著忍受剪脈之苦了。」

趙小蝶暗驚道：如是他真的不肯拿出解藥，要和那楊夢寰同歸於盡，這倒使我爲難了。兩個心中都有著畏懼，但是誰也不願先行屈服，彼此沉默相對，都有著措詞爲難之感。

沉默延續了一盞茶工夫之久，趙小蝶突然舉起手來，道：「我先震斷你幾處脈經之後，再設法搜尋解藥。」

陶玉道：「可惜解藥並未藏在我身上。」

突聽楊夢寰長吁一口氣，睜開了雙目，望了趙小蝶和陶玉一眼，臉上泛起了一縷笑容，道：「趙姑娘，你終於擒住了陶玉，快些殺了他吧！」

趙小蝶道：「殺了他輕而易舉，可是你……」

楊夢寰笑道：「不用擔心我的安危。」

趙小蝶嘆道：「你就不替沈姊姊想想麼？」

楊夢寰強振精神說道：「因一二人的生死歡樂，誤了武林千百同道的生命，豈不是罪莫大焉，趙姑娘快請下手。」說完話，似已支撐不住，閉目倚在車輪之上。

趙小蝶冷然對陶玉說道：「你聽到他的話了？」

陶玉道：「聽到了。」

趙小蝶道：「他要我殺了你！」

陶玉道：「姑娘如覺著可行，那就儘管下手。」

趙小蝶搖搖頭道：「我不能看到他們毒發身死。」

陶玉道：「除我之外，世間再無人能找得那解藥存放所在。」

趙小蝶手指揮動，點了陶玉五處大穴，放開了他的手腕說道：「那解藥現在何處，只要你不使手段，我就立刻放你。」

陶玉道：「好，在下再相信姑娘一次。」一抬右腕，竟是無法抬動，接口說道：「你點了我右臂穴道，要我如何取藥？」

趙小蝶道：「你左臂未點，爲什麼不用左手？」

陶玉揮動一下左臂，果然可行動自如，探手入懷，摸出了一個玉瓶，倒出了一粒白色丹丸，道：「如果姑娘先搜在下之身，也不用談什麼條件，這解藥早已被你取去了。」

趙小蝶右手一伸，奪過玉瓶道：「你那化血神針，可曾帶在身上？」

陶玉道：「帶在身上。」

趙小蝶道：「取出來給我瞧瞧。」

陶玉一時間想不出她用心何在，取出了一枚化血神針，道：「這就是了。」

趙小蝶取過化血神針，猛然在陶玉身上刺了一針，道：「如果這藥可解化血奇毒，你就也吃一粒吧！」倒出一粒白色丹丸，遞了過去。

陶玉臉色一變，道：「這些年來，你當真是有了很大的進步。」

趙小蝶道：「你既然知道了，那就該老實一些，如是再想要什麼花槍，那是自找苦吃，可別怪我了。」

陶玉道：「這瓶中之藥，可解童淑貞等身上之毒。」

趙小蝶道：「不論你說什麼，我都得試過才肯相信，這瓶藥我先收著了。」

陶玉雖然被點數處穴道，但他內腑並未受傷，仍可運氣調息，當下閉上雙目，暗中運息。

趙小蝶突然站了起來，喝令四婢，把沈霞琳、楊夢寰和陶玉，移放在車上，疾馳而去，車行不過兩三里路，突然響起了一聲驚天動地的爆炸，只震得大地顫慄，驚馬長嘶。

趙小蝶揭開車簾向外望去，只見那燎原大火處，塵土瀰天，幾乎掩去了那高漲的火勢，不禁暗叫了一聲僥倖，忖道：如若我還在那大火旁側停留，就算不死，亦將被那塵土掩埋。忖思之間，瞥見十數丈外，有幾條人影，閃閃縮縮的隨在車後。

四個玄衣美婢，一個馳車，一個開道，兩個隨在車後相護。

但那車後有人追蹤之事，兩個隨車美婢，顯然未曾發覺。

趙小蝶暗施傳音之術，警告了車後二婢，緩緩放下車簾，道：「陶玉，你的手下鬼鬼祟祟的隨在車後，可是想找個救你的機會麼？」

陶玉睜開雙目淡淡一笑，道：「他們忠心為主，如是救不走我，決然不肯甘心。」言罷又閉上了雙目。

趙小蝶怒道：「你已被我生擒活捉，還擺的什麼架子，惱得我動了怒火，挖出你兩顆眼珠兒，瞧你還閉不閉眼睛。」

陶玉心中暗暗驚道：此女不似朱若蘭那般多謀善慮、頗識大體、也不似沈霞琳那般善良溫和，下不得毒手，她如真的惱起火來，恐怕連楊夢寰和沈霞琳的生死都不管了……

但他為人陰沉，心中雖然害怕，表面上卻是仍能保持鎮靜的神情，冷冷說道：「在下要閉目調息，以抗那化血神針之毒。」

趙小蝶道：「你如肯早些拿出解藥服下，豈不是不用再運氣抗拒那化血劇毒。」

陶玉道：「反正那楊夢寰要死在我陶玉之前，我倒是很想瞧瞧這化血神針之毒，發作時的情景。」

趙小蝶道：「我偏要那楊夢寰死在你的後面，要他瞧瞧你毒發哀號之情。」揮動手中化血神針，在陶玉身上一陣亂刺，足足有二三十針，才停下手來，說道：「你如果不拿出解藥、我就刺你的臉，刺你的眼睛，刺你的經脈，看看你們哪一個毒性先發。」

陶玉暗暗嘆息一聲，忖道：遇上了這個莫可預測的姑娘，當真是難惹得很，她如火了起來，什麼事都能作得出來，當下說道：「好，我如拿出解藥，姑娘可要立刻放了在下。」

趙小蝶道：「等我試過你玉瓶中的解藥不假，再放你不遲。」

陶玉似是自知難再施展狡計，取下套在右腕的金環，用力一扭，金環突然裂開，倒出了四粒解藥，道：「都在這裏了。」

趙小蝶取過金環，仔細查看一遍，道：「我不信你只有四粒解藥。」

陶玉道：「我身上只帶有四粒，你如是還不肯相信，儘管請搜。」

趙小蝶道：「楊夢寰傷勢已經潰爛，中毒甚重，這四粒只怕不夠他一個人用。」

陶玉吃了一驚，暗道：你如給他一人服下，我陶玉豈不要等著毒發身死？當下不由一驚，說道：「這解藥對症施用，一粒即可，多服了也是浪費。」

趙小蝶取過解藥，說道：「你先吃一粒吧！」她心中仍然有些不敢相信陶玉。

陶玉伸手取過一粒，急急吞入腹中。

趙小蝶看陶玉服下，才放下心，捏開楊夢寰的牙關，投入了兩顆丹丸，卻把餘下來的一粒藏入了懷中。

陶玉只瞧得大感心痛，暗自罵道：臭丫頭暴殄天物。

楊夢寰已然用出了全力和那劇毒對抗，但仍是無法抗拒那巨毒內侵，此刻已然是劇毒發作，全身高燒，神志已暈迷了過去。

陶玉輕輕咳了一聲，道：「在下已然拿出了全部解藥，姑娘不知是否還遵守諾言？」

趙小蝶道：「楊夢寰未醒之前，我還不敢相信你。」

篷車急馳，轆轆輪聲，劃破深夜的寂靜。

對症用藥，當真是立竿見影，楊夢寰中毒雖深，但連服了兩粒解藥，不過一盞熱茶工夫，立時高燒盡退，人也清醒過來，緩緩睜開了雙目，望了陶玉一眼，失聲叫道：「你到此地作甚？」

趙小蝶盈盈一笑，道：「是我請他來替你們醫疾的……」

目光一掠沈霞琳，冷冷對陶玉說道：「楊夢寰劇毒已解，該設法救這位沈姑娘了？」

陶玉道：「我只不過點了她的穴道，你卻震斷了她的心脈，要我如何救她？」

趙小蝶道：「蘭姊姊說你為人陰險毒辣，果然是不錯，竟然是不肯放過任何一個挑撥離間的機會。」

陶玉道：「怎麼，在下說的可是謊言？」

趙小蝶美目流盼，望了楊夢寰一眼，道：「陶玉，我知道你的用心，你說我打死了沈霞琳，好讓楊夢寰聽到恨我！」

陶玉冷冷說道：「在下句句說的是真實之言，至於那楊夢寰是否因而恨你，倒非在下計較了。」

趙小蝶道：「智者千慮，必有一失，像你陶玉這般惡毒陰險的人，也會中了我趙小蝶謀算，哼！可笑啊，可笑。」

陶玉道：「好，有什麼好笑的？」

趙小蝶道：「你被我那蘭姊姊打斷了膝間關節，身懷歸元秘笈，跌入那絕壑之中，竟然沒有把你摔死……」

陶玉冷冷接道：「武林中無數在劫之人，如是我陶玉死了，哪一個超渡他們。」

趙小蝶道：「你很自負，可惜你力難從心；重出江湖，造劫未成，就栽倒我的手裏。」

陶玉道：「在下比姑娘只不過少了幾分功候，一旦我大般若玄功有成，那時還不知鹿死誰手。」

趙小蝶道：「除了那大般若玄功之外，只怕你還有甚多不解奧秘。」

陶玉道：「哪裏不解了？」

趙小蝶道：「如果你把那歸元秘笈記得很熟，當知我抛起沈霞琳時，用的是『回旋之力』，那你就不會上當了。」

陶玉道：「在下爲姑娘所誘，一時的疏忽大意，不足爲訓。」

趙小蝶道：「還有一種武功，載在那歸元秘笈之上，你竟然也是不懂。」

陶玉道：「什麼武功？」

趙小蝶道：「震脈開穴手。」

陶玉凝目沉思了一陣道：「震脈開穴手？……」

趙小蝶道：「不錯啊！就是我拍在沈霞琳身上的掌力，你認爲我一掌拍傷了她麼？其實我用內力震她脈，解開了她的穴道，她口中吐出血來，那是因爲你點她穴道過久，留在她胸口的淤血……」話至此處，臉色突然一變，冷冷接道：「如今她穴道已開，人還未醒，是何道理？」

陶玉望了沈霞琳一眼，只見她倚在車欄上睡得似甚香甜，果然是穴道全解，當下冷笑一聲，道：「也許她穴道被點過久，受不了折磨，經脈受了損傷。」

趙小蝶怒道：「如果在五年之前，我定會被你巧言欺騙，可是今非昔比，你如想再用心機，那可是自找苦吃了，我雖然已經答應了放你，但你得醫好所有三人的毒傷，一人不好，你也別想我會放你回去的……」

陶玉道：「你這般反反覆覆，叫我如何能信，楊夢寰此刻已醒，你要他講一句話麼？」

趙小蝶道：「你不信任我，我偏要你信任，沈霞琳就算中了毒，也不會立刻就死，你既然說話不算，我亦可以食言，我不想在江湖上闖名立位，領袖群倫，至多被人罵一句女孩子講話不算，但你將遭受到比死還要難過的悲慘際遇，我要沈霞琳姊姊先看到你受活罪的慘狀，然後再設法療治她的毒傷。」

陶玉只聽得暗暗驚心，忖道：這丫頭倒和我陶玉是鋒芒相對，看樣子她真能做得出來，萬

一她動起火來，真的下了毒手，豈不是死得大大不值……

儘管他心中充滿畏懼，但外形上仍然保持著鎮靜，淡淡一笑道：「那解藥現在姑娘身上存放，但姑娘卻不知應用。」

趙小蝶探手入懷，摸出一個玉瓶，道：「可是這瓶中之藥？」

陶玉道：「不錯。」

趙小蝶倒出了一粒丹丸，道：「你先吃下一粒給我瞧瞧。」

陶玉道：「在下並未中毒，如何要隨便食用？」

趙小蝶突然微微一笑，道：「你這玉瓶中如是毒藥，豈不是又可以振振有詞的說我親手殺死沈霞琳了。」

那陶玉爲人陰惡、狡詐，但今日遇上了趙小蝶這樣不講理的人，竟被懲治得服服貼貼，當下伸手接過解藥，吞了下去。

趙小蝶看陶玉坦然服下，又從瓶中倒了兩粒出來，撬開沈霞琳的牙關，把丹丸送入口中。

楊夢寰一直是冷眼旁觀，未插一言，此刻突然接口說道：「陶玉，我要問你一件事。」

陶玉望了楊夢寰一眼，道：「楊兄儘管請說。」

楊夢寰道：「沈霞琳爲人純潔善良，你是早知道的，爲什麼你總要苦苦折磨她？」

陶玉道：「那要問問你楊夢寰了！」

楊夢寰奇道：「問我？」

陶玉道：「不錯，你貪得無厭，搶去了我的師妹，如今又打這位趙……」

他本來想說，打這位趙姑娘的主意，但話到口邊，竟然不敢出口，硬生生地又嚥了下去。

楊夢寰淡淡一笑，道：「你只是爲了此事，才和我楊夢寰誓不兩立麼？」

趙小蝶忽然接口說道：「陶玉，你剛才要說什麼話，爲什麼說了一半又不說啦？」

陶玉心中暗道：要糟，這丫頭當真難纏得很。

只見趙小蝶臉上笑容如花，毫無慍意的接道：「你說呀，說錯了也不要緊。」

陶玉暗道：看她神情，毫無怒意，這丫頭當真是難測的很，膽子一壯，說道：「我說那楊夢寰性好女色，貪得無厭，有了我師妹李瑤紅，仍想霸占沈霞琳，享那齊人之福。」

趙小蝶盈盈笑道：「還有啊！怎麼不接下去呢？」

陶玉摸不準她的心意，只好滿懷畏懼的接道：「我說楊夢寰既有了李瑤紅和沈霞琳，不應該再打你趙姑娘的主意……」

趙小蝶嗯了一聲，望著楊夢寰道：「他說得對是不對？」

楊夢寰道：「這人素以挑撥是非爲能，姑娘不要聽他胡說八道。」

趙小蝶歡容盡斂，幽幽一嘆，別過臉去。

陶玉觀察入微，已然看透了趙小蝶的心意，暗自罵道：這楊夢寰定然命注桃花，爲什麼這些絕世玉人，一個個對他傾心，大有甘作侍妾之意，我陶玉哪裏比他差了，竟是不爲所喜。

他心中念頭電轉，口裏卻道：「趙姑娘不要信他的話，楊夢寰一向口是心非。」

趙小蝶緩緩轉過頭來，臉上似笑非笑的問道：「你怎麼知道他的心呢？」

陶玉道：「我和楊夢寰相交很久，對他知之甚深。」

趙小蝶展眉笑道：「這話當真麼？」

陶玉道：「字字出自衷誠。」

趙小蝶道：「你一向料事如神，大概是不會錯了。」

陶玉心中暗道：可惜呀！可惜，此刻實是大好挑撥兩人爲仇的機會，只可惜這楊夢寰守在一側，有很多言語不便出口。

楊夢寰本待出口反駁陶玉之言，但見趙小蝶神情歡悅，心中忽然一動，暗道：陶玉胡說八道，卻是甚討她的歡心，這趙小蝶性情莫測，如是出言不慎，只怕要激怒於她，倒是不可不小心一些。

只聽趙小蝶嬌聲笑道：「陶玉，一個人作了武林霸主有什麼好？」

陶玉道：「好處之多，一言難盡。」

趙小蝶道：「你說出幾樁聽聽如何？」

陶玉道：「好！一個人真到了霸主武林之日，那權威之重，只怕是當今皇帝也難及的，一支令牌出府，大江南北震動，世間的奇珍、古玩羅列滿倉……」

趙小蝶道：「哪來的許多奇珍、古玩？」

陶玉道：「這不用自己費一點心，每屆大壽之日，天下武林雄主，各門各幫，都將各盡所能，收集奇珍、古玩送上府去，過上個三五屆壽期，豈不是奇珍、古玩羅列滿倉。」

趙小蝶道：「除了能收集奇珍、古玩之外，不知還有什麼好處？」

陶玉笑道：「受盡武林同道崇敬，行蹤所至，各方武林雄主，恭迎恭送，那份威風，就足

以使人心往神馳。」

趙小蝶道：「有這樣多的好處麼？」

陶玉道：「這不過是略舉一端而已，好處之多，實是說它不盡。」

楊夢寰在一側只聽得連皺眉頭，忖道：這陶玉舌粲金蓮，說得天花亂墜，趙小蝶顯然已爲他巧言花語所惑，如若真的被他說動，江湖上這番浩劫，定將血流成渠，屍骨遍野！

只聽趙小蝶格格一笑，道：「陶玉啊！當今武林之中，有誰具有問鼎霸主之能？」

陶玉笑道：「區區和姑娘，都該是最好的人選，咱們都有榮膺武林霸主的機會。」

趙小蝶道：「我如若有心問鼎，哪裏還有你的份兒。」

陶玉道：「姑娘武功雖然強我一籌，但行略用謀，卻是要遜我陶玉三分，在霸業未成之前，必有一段艱苦的惡戰，九大門派，各方雄主，有誰肯甘心降服，除了以武功降服他們之外，還得有籠絡手段，這其間，運用之妙，就非單憑高強武功可以勝任了。」

趙小蝶道：「如是咱們分庭抗禮，同爭霸主之位，哪一個成功的希望大些？」

陶玉沉吟了一陣，道：「分頭並進，各有三分。」

趙小蝶道：「如是咱們攜手合作呢？」

陶玉道：「合你我兩人之力，那該有七分成望。」

趙小蝶道：「我有一事放心不下。」

陶玉道：「什麼事？」

趙小蝶道：「一旦事成，咱們兩個該由哪個主盟？」

陶玉笑道：「這個我適才已經說過，咱們可以劃地為界，各主一方。」

趙小蝶道：「不行，統率半個江湖，不夠神氣，我要統率整個武林才行。」

陶玉道：「在下讓與姑娘就是。」

趙小蝶嫣然一笑，望著楊夢寰道：「你都聽到了？」

楊夢寰道：「聽得字字入耳。」

趙小蝶道：「他說的是真是假？」

楊夢寰道：「武林盟主，德望居首，但憑武功，豈能服人？」

楊夢寰道：「兄弟自知才德不配，堅辭未受。」

陶玉笑道：「我陶玉出道之後，就聞得楊兄曾被天下武林推舉盟主……」

陶玉道：「楊兄客氣了，以兄弟看來，楊兄堅拒不受，只不過自知難安其位而已，因為兄弟未死，趙姑娘還活在世上，你自知位難久居。」

楊夢寰道：「那時你生死未明，趙姑娘歸隱未出，如我楊夢寰存下其心，早就基業大奠了。」

只聽沈霞琳長吁一口氣，道：「疼死我了……」緩緩睜開雙目。

趙小蝶轉過臉去，笑道：「姊姊受苦了。」

沈霞琳輕輕嘆息一聲，道：「你救了我？」

趙小蝶道：「我和你楊師兄……」語聲微微一頓，接道：「說錯了，他已經是你丈夫了。」

沈霞琳眨動了一下圓圓的大眼睛，正待答話，突然發現了陶玉，頓時臉色一變，喝道：「陶玉，你是世上最壞的人。」

陶玉道：「就算是吧，那也無關緊要啊！」

沈霞琳伸動一下右臂，只覺痠軟無力，抬動不易，心知體能未復，長嘆一聲，道：「日後我如有殺你的機會，決然不再放過。」

陶玉道：「只怕你一生中難遇得這種機會。」

沈霞琳目光轉投到趙小蝶身上，道：「可是妹妹把他活捉來的？」

趙小蝶笑道：「他打我不過，只有束手就縛一途。」

沈霞琳道：「妹妹，這人心如蛇蠍，手段毒辣，快些把他殺了吧。」

陶玉心中暗驚，忖道：楊夢寰、沈霞琳都主張殺我，這趙小蝶喜怒又是那樣難測，莫要被兩人說動了心，今日就非死不可了。

只聽趙小蝶格格一笑，道：「這陶玉雖然壞得要死，但我已答應放他了。」

沈霞琳急急說道：「爲什麼？」

趙小蝶道：「因爲要救你們夫婦的性命，我如不答應放他，他就不肯拿出解藥，除非我背信違約，不然就只好放了他啦！」

沈霞琳望了楊夢寰一眼，道：「寰哥哥一生中最重信諾，你既然答應了他，那就只好放了他。」

趙小蝶微微一笑，道：「你那寰哥哥是男子漢大丈夫，說一句要算一句，咱們婦道人家，

那就不用如此了。」

楊夢寰呆了一呆，道：「趙姑娘，一個人在武林中行走，這信諾二字最是重要，他武功既然非你之敵，你隨時可以殺他，放了他，再設法去追殺他也是一樣，既不自食諾言，亦可爲武林除害。」

趙小蝶心中暗道：你們夫婦倒是夫唱婦隨啊！我就是不讓你們開心，大家都來悶上一肚子氣，也不會只有我一個人傷心了……心念一轉，冷冷說道：「陶玉是很壞的人麼？」

沈霞琳道：「壞極了，陰險惡毒，不仁不義，誰要殺了他，那是做了一件大大的好事。」

楊夢寰道：「雖然對萬惡之人，亦不能失了信諾，因此在下奉勸姑娘，先放了他，再設法殺他。」

趙小蝶突然移動嬌軀，向陶玉身邊靠去，口中笑道：「說過了放他，如何還能殺他。」

陶玉只覺趙小蝶那移來的嬌軀上，帶著一股襲人幽香，如花如麝，中人欲醉，不禁忘其所以的張臂抱去。

只覺左胯之上，一陣劇疼，神智忽然一清，想到她舉手便可結束自己的性命，趕忙一縮手臂，正襟而坐。

身子剛剛坐下，趙小蝶一個嬌軀竟然偎入懷中，不禁心神又是一蕩。

沈霞琳眼看趙小蝶深情款款的偎入陶玉懷中，不禁驚愕萬分，瞪大了一雙圓圓的眼睛，望著兩人出神。

這位純潔的姑娘，雖然是親眼看到，但心中仍似有些不信。

楊夢寰心中暗道：看來趙小蝶已爲陶玉的花言巧語所騙，這兩人如若真的聯起手來，江湖上這番殺劫，只怕是難以避免了，想到悲慘之處，不禁黯然一嘆。

沈霞琳坐正了身子，揉揉眼睛，低聲說道：「趙妹妹。」

趙小蝶道：「嗯！楊夫人有何見教？」

沈霞琳道：「你很喜歡陶玉麼？」

趙小蝶將臉微偏，依在陶玉肩上，笑道：「我不知道。」

沈霞琳道：「趙妹妹，這人壞得很，千萬不能喜歡他！」

趙小蝶道：「你怎麼知道呢？」

沈霞琳道：「我聽紅姊姊說的，這陶玉和紅姊姊在一起長大，紅姊姊就不喜歡他。」

趙小蝶道：「誰是你紅姊姊啊？」

沈霞琳道：「就是李瑤紅，你怎麼記不得了？」

趙小蝶道：「你是說楊夫人哪！咳！你和她都嫁給楊夢寰，不知身分如何確定，誰是妻，誰是妾，誰大誰小？」

楊夢寰已知趙小蝶乃是有意的出言譏諷，當下一閉雙目，裝作不聞，暗中卻運氣調息，打算待霞琳體能稍復，就和她離去。

只聽沈霞琳道：「我們沒大沒小，平日都是以姊妹相稱。」

趙小蝶道：「誰是姊姊，誰是妹妹？」

沈霞琳道：「她的年紀大，自然她是姊姊了。」

趙小蝶道：「嗯！這就是了，作姊姊的總歸是大夫人，你作妹妹的自然是二夫人了。」

沈霞琳笑道：「不要緊，爲妻爲妾，算大算小，都是一樣，但寰哥哥爲人好，只要終身和他廝守在一起，那就行了。」

趙小蝶臉色微微一變，但瞬息之間，又恢復鎮靜，抓起陶玉一隻手，道：「你怎麼不抱住我啊？」

陶玉道：「這個，這個……」

趙小蝶道：「我都不怕羞，你還怕什麼？」

陶玉心中暗道，你對我忽冷忽熱，叫人輕不得，重不得，既是叫我抱了，大概不會錯啦！身子微微一移，摟緊了趙小蝶的柳腰。

這是一幅親密纏綿的畫面。

趙小蝶側目望了楊夢寰一眼，只見他閉目端坐，不聞不見，臉上神情是一片平靜。

沈霞琳卻長嘆一口氣，道：「趙妹妹，你既然很喜歡陶玉，那就勸他別作壞事了，月前我去天機石府，晉見蘭姊姊，在哪裏等了三日夜，才得一個和她談話的機會，但那也是片刻時光，她問我，你在何處……」

趙小蝶急急說道：「你怎麼說呢？」

沈霞琳道：「我說你很好，從未聽到你在江湖上出現的事，想來，定然也是在習練什麼深奧的武功了。」

趙小蝶道：「只談這些麼？」

沈霞琳道：「蘭姊姊還談了一件事，她告訴我，要是聽得你在江湖出現時，就要我去請你到『水月山莊』住些時候。」言罷，倚在車欄上，閉目假寐。

馳行馬車中，突然間一片沉默，只有轆轆輪聲，劃破了夜空。

深夜的寂靜，陶玉目光一轉，只見楊夢寰、沈霞琳全都閉著雙目，有如睡熟一般，趙小蝶雖未睡覺，但卻瞪著一對又圓又大的眼睛，不知想的什麼心事，心中暗暗忖道：我如此刻能夠運氣衝開穴道，不但脫身不難，且可暗中出手，點了楊夢寰和趙小蝶的穴道。

一則趙小蝶點穴手法甚重，陶玉雖然知道運氣衝穴法，但在兩個時辰之內，卻也無法衝破點穴道，二則，那趙小蝶偎在他的懷中，不敢運氣調息，想到可惜之處，不禁失聲嘆道：「可惜啊……」

趙小蝶霍然離開陶玉的懷抱，說道：「可惜什麼？」

陶玉輕輕咳了一聲，借機掩飾了內心的驚慌，說道：「可惜姑娘不肯和咱們合作，聯手爭取那武林盟主之位，如是姑娘肯和在下聯手，那武林霸主之尊，簡直是易如反掌。」

趙小蝶冷冷的白了陶玉一眼，暗施傳音之術，道：「陶玉，我警告你，我對你親熱的舉動，只不過是想氣氣那楊夢寰而已，假如想借機會占我便宜，那可是自找苦吃，別怪我懲治你的手段毒辣了。」

陶玉臉色一變，暗暗怒道：好啊！原來你心中還在暗戀那楊夢寰，拿我來作幌子而已……

但他乃大奸巨惡，心機深沉之人，略一沉吟，立時恢復了原來的平靜，微微一笑，默默不

語。

趙小蝶舉手理理秀髮，正襟而坐。

原來她依偎在陶玉懷中，枕亂了一頭秀髮。

只聽車外傳來一個清脆的女子聲音，道：「啓稟姑娘，車子到了居處。」

趙小蝶道：「停下來。」伸手打開車簾。

陶玉借機望去，只見一座高大的宅院，矗立車前，四個青衣佩劍的少女，手中高挑著宮燈，迎迓門外。

趙小蝶道：「陶玉，你棋差一步，如是咱們打了起來，我要強你很多。」

陶玉道：「何以見得？」

趙小蝶道：「你有四靈化身，我有十二花娥，和三十六個隨行婢女，那十二花婢每人都得我部份真傳，和你那四靈化身比較起來，亦無遜色，但人數卻多了數倍。」

陶玉道：「不是我陶玉誇口，假我半年時光，天下武林大部精英，都將爲我陶玉所用。」

楊夢寰突然睜開雙目，冷冷說道：「昔年天龍幫實力何等龐大，你自信雄才大略，還強過你師父不成？」

陶玉道：「他如肯聽我之言，也不會落得失敗慘局了。」

楊夢寰冷笑一聲，道：「在下今日未死，只怕對陶兄謀取武林霸主一事，有不少妨礙。」

陶玉笑道：「這個很難說了，如是那趙姑娘改變了心意，這其間情勢就大不相同，那時縱然有楊兄夫婦和那朱若蘭從中阻撓，只怕也是無能爲力了。」

沈霞琳道：「趙妹妹是巾幗英雄，豈肯助你爲惡！」

趙小蝶突然長長嘆息一聲，道：「這就很難說了，我究竟是爲惡爲善，我自己也無能把握。」

楊夢寰心中暗道：此刻我體能尙未盡復，如若衝突起來，只不過徒招挫辱，這趙小蝶性格莫測，不知該如何勸她，看來只有請那朱若蘭來對付她了。

沈霞琳卻聽得大張雙目，奇道：「趙妹妹，一個人去作壞事，那是因爲他本性迷失，不辨善惡，才糊糊塗塗的做了出來，你既然十分明白了，爲什麼還難把握呢？」

趙小蝶笑道：「問得好！這中間確有著一種微妙的道理，但說來話長，一言難盡，以後咱們再慢慢的談吧！」輕輕扶著陶玉下了馬車。

沈霞琳望了楊夢寰一眼，道：「趙妹妹怎麼了？」

楊夢寰淡淡一笑，岔開話題，問道：「你身體好些麼？」

沈霞琳道：「全身筋骨痠疼。」

楊夢寰道：「好！咱們先找一處地方，弄好你的傷勢再說。」

說完，扶著沈霞琳下了馬車，這時陶玉和趙小蝶已行至宅院階前。

楊夢寰放開沈霞琳，雙手抱舉，高聲說道：「趙姑娘，愚夫婦承蒙相救，此恩如山，終身感戴，此刻不便再驚擾姑娘，愚夫婦等就此別過了。」

趙小蝶似是想不到他會突然提出告別的事，神色間一片驚愕，呆呆的站著，那驚愕漸漸爲一股羞怒代替，冷笑一聲，道：「兩位好走，恕我不送了。」

楊夢寰看她激憤之情，形諸於神色之間，心中暗暗驚道：這位姑娘喜怒難測，看來是就要發作，不便和她衝突，還是早走爲妙，急急說道：「不敢有勞。」牽著沈霞琳回身而去，轉眼之間，消失於夜色之中。

趙小蝶望著兩人背影消失的方向，呆呆的出神，良久之後，才黯然嘆息，直向門內行去。

陶玉心中暗道：「此刻不走，更待何時？」悄然轉過身去，正待舉步開溜，趙小蝶卻突然回過頭來，厲聲喝道：「站住！」

陶玉兩臂穴道未解，自知難以逃得，應聲回頭，道：「什麼事？」

趙小蝶道：「你要到哪裏去？」

陶玉道：「楊夢寰夫婦已去，姑娘留住在下，已然沒有價值了。」

趙小蝶冷冷說道：「還有三個人，待他們傷勢療好之後，你再走不遲。」

陶玉心知趙小蝶喜怒之間，什麼事都可以做得出來，如是激怒了她，說不定真會毀諾背信，出手殺人，當下不再言語。

這陶玉機詐百出，但遇上了趙小蝶，卻有束手縛腳之感，趙小蝶莫可預測的性格，使他無法估測她的意向。

趙小蝶似是有著很沉重的心事，眉宇間隱隱泛起了怒意，緩步直入大廳。

陶玉悄然相隨，一語不發。

這是一座寬敞的大廳，廳上高吊著兩盞垂蘇宮燈，十幾個佩劍侍婢，肅立廳內，趙小蝶直入廳中一座太師椅上坐了下來，伸手一指廳角，冷漠的說道：「你如想我遵守信約，放你離去，最好別動妄念，免得我改變心意，殺死了你。」

陶玉心神微震，但神色間還維持著鎮靜，淡淡一笑，道：「在下一向是篤守信約的人，既然答應了姑娘，決不再施機詐。」盤膝席地而坐，閉目養息。

趙小蝶回顧了身側侍婢一眼，道：「把那道姑和兩個臭男人給我帶出來。」

那侍女應了一聲，大步而出，片刻之後，帶著鄧開宇、柳遠、童淑貞步入大廳。

趙小蝶緩緩站起身子行近三人，說道：「這是解藥，你們服下看看可否解得身受之毒？」

鄧開宇等接過解藥服下，就地靜坐，運氣調息。

趙小蝶雖然盡量想使自己的聲音柔和，神情平靜，但她內心憤怒難耐，流現於神色之間的是一片怒容、殺機，影響所及，廳中侍婢，一個個面如寒霜，嚇得鄧開宇等人也變得噤若寒蟬。

童淑貞內功精深，當先察覺出劇毒已解，起身說道：「多謝相救。」

趙小蝶道：「你們都好了麼？」

鄧開宇、柳遠雖然遠未查出所受之毒是否全解，但見趙小蝶如此問法，也只好起身應道：「多謝姑娘賜藥。」

趙小蝶道：「不用啦，三位慢走了。」當先向廳外走去。

這無疑下令逐客，三人急急搶在前面，退出廳外，欠身作禮，道：「姑娘留步，在下等就

此辭別過了。」

趙小蝶駐足廳外，淡淡說道：「三位好走！」轉身步回大廳。

柳遠、鄧開宇相互望了一眼，悄然退了出去。

柳遠道：「咱們應該問問那多情仙子，楊大俠現在何處？」

童淑貞道：「我瞧她神色不愉，似是有著很沉重的心事一般，還是不問的好。」

鄧開宇道：「不錯，在下亦有此見。」

柳遠道：「咱們此刻要去何處？」

鄧開宇道：「去找那楊大俠，那金環二郎陶玉，武功高強，非楊大俠恐無人是他敵手。」

童淑貞心中卻暗暗忖道：這陶玉一身武功得自「歸無秘笈」，只怕那楊夢寰也難是他敵手，口中卻接道：「那陶玉為人險惡刁滑，我那位楊師弟，為人雖是英雄，但卻不似陶玉那般機詐，你們如要擁他出來和那陶玉相抗，必得群起助他才是。」

鄧開宇道：「那是自然，咱們必得他出面領導，才能有望號召天下英雄，和陶玉相抗。」

童淑貞道：「好！我也留在這江湖上助他一臂之力。」

柳遠突然開口說道：「童姑娘你身受毒傷，是否已完全好了？」

童淑貞經歷這一次險惡的際遇之後，患難與共，已對兩人生出了甚多好感，當下說道：「我已經餘毒全消，兩位如何了？」

鄧開宇道：「在下仍隱隱感覺到內腑中餘毒未盡除。」

童淑貞心中暗道：我的武功，依照那天機真人手冊所錄，自非你們能夠及得，微微一笑，道：「好！咱們找個地方，兩位再靜坐調息一下，我替兩位護法。」

且說那楊夢寰帶著沈霞琳一口氣奔出了十幾里路，才停下身來，讓那沈霞琳就地坐息一陣，才動身趕路。

沈霞琳舉手理理臉上的亂髮，嘆息一聲；道：「寰哥哥，有一件事，我一直想不明白。」

楊夢寰道：「什麼事？」

沈霞琳道：「就是那趙小蝶，她爲什麼會喜歡陶玉呢？唉！過去我一直不太喜歡殺人，但現在想法不同了，像陶玉那等壞人，殺一個，勝過作上千百件的好事。」

楊夢寰望著連經苦難的嬌妻，心中大感不忍，低聲說道：「咱們先找一處地方，你好好休息一下，至於那趙小蝶的事，只有去找朱姑娘了，請她從中解說。」

只聽一聲格格大笑之聲，傳入耳際道：「兩位走了半天，才到此地啊！」

語聲甫落，道旁一片竹林躍出來金環二郎陶玉，探手向沈霞琳抓了過去。

楊夢寰左手疾揮，拍出一掌，擊向陶玉右腕，身子同時橫裏移動，擋在沈霞琳的身前。

陶玉突然一收掌勢，落著實地，笑道：「好啊！你們夫妻倒是恩愛得很！」

楊夢寰冷冷的說：「趙小蝶放了你？還是你偷跑出來的？」

陶玉笑道：「自然是趙小蝶放了我，索性說給你聽吧。那趙小蝶救了你和沈霞琳後，心中十分悔惱，是以在你們夫婦走後，很快就放了兄弟，並且告訴我你們走的方向，要我兼程趕來……」

語聲微微一頓，道：「兩位定然是在途中休息了，要不然我怎麼會趕過了頭。」

楊夢寰道：「她要你追趕我們做什麼？」

陶玉道：「那趙姑娘指示在下，殺了楊兄，帶走沈姑娘。」

沈霞琳道：「我不信，趙姑娘不是那等人。」

陶玉道：「在下是據實而言，兩位不信，那也是沒有法子的事了。」

楊夢寰長長吸一口氣，納入丹田，說道：「陶兄這些年來，精研歸元秘笈，武功上定然有極高的成就，兄弟倒是願捨命奉陪，就在此決一死戰。」

陶玉哈哈一笑，道：「楊兄的豪氣，實叫兄弟佩服得很，但兄弟想你如戰死此地，實在是太不划算了。」

楊夢寰道：「兄弟倒無此感。」

陶玉笑道：「楊兄如若戰死，留下兩位嬌妻，豈不是要空守閨幃？」

沈霞琳道：「生同羅帳，死同穴，寰哥哥今日如若戰死此地，我也要隨他泉下去做夫妻。」

陶玉冷冷說道：「我偏不讓你們同穴而葬。」

沈霞琳笑道：「不要緊，你分開了我們的屍體，卻是無法分開我們的心。」

陶玉呆了一呆，怒道：「楊夢寰，縱然今夜沈霞琳隨你泉下，可是還有一個李瑤紅活在世上，我也不會放過她……」

沈霞琳接道：「紅姊姊對寰哥哥，情深尤過於我，她如聽得寰哥哥戰死之訊，決然不肯獨生，唉！我們都死了，你就稱心滿意了。」

陶玉縱聲大笑，道：「既然如此，你先死給我陶玉瞧瞧好麼？」

楊夢寰道：「不用說咱們之間的私人恩怨，單是你在江湖上的胡作非爲，我們就誓難兩立，早晚都是免不了一場死戰。今宵能早作了斷也好，」

陶玉暗中一提真氣，道：「咱們比拳腳，還是比兵刃？」

楊夢寰道：「悉憑尊便，在下無不奉陪。」

陶玉笑道：「你可有勝我的信心麼？」

楊夢寰道：「一片俠心，滿腔熱血，勝敗之分，生死之念，豈放在我楊夢寰的心上。」

這幾句話說得大義凜然，只聽得陶玉臉上隱隱泛現出慚愧之色，沈霞琳卻格格大笑的說道：「一個大英雄，大豪傑，不只是要武功高強，還得有仁人俠士的胸懷，你陶玉的武功縱然是強過了寰哥哥，也是當不得英雄之稱。」

陶玉冷冷說道：「一旦我成就武林霸業，天下武林高手，有誰不尊仰敬重於我，那時誰又不視我陶玉爲大英雄、大豪傑呢？」

楊夢寰暗中運氣相試，覺出內腑毒傷已然好了八成，不禁膽氣一壯，當下說道：「陶玉，咱們君子絕交，不出惡言，你一身武功，雖然得自那歸元秘笈，但我楊夢寰自信幾年精進的內功，要強你很多，我以功力補我招數上的不足，或可和你打一個平分秋色，今日之戰，鹿死誰手，目下還是難預料。」

陶玉一聳眉頭道：「你素來不說謊言，這話在下倒也相信。」

楊夢寰道：「相信就好，陶兄請出手吧！」

陶玉道：「未動手前，兄弟也有幾句真心之言，說給楊兄。」

楊夢寰道：「陶兄如是想巧言花語，說動兄弟，那還是免開尊口的好。」

陶玉冷冷說道：「這個兄弟早就想過了，我欲成武林霸業，第一件事，是先殺了你楊夢寰。」

楊夢寰道：「陶兄的料事之能，兄弟一向佩服。」

陶玉道：「可惜兄弟要說的與此無關。」

楊夢寰道：「除此之外，兄弟是洗耳恭聽。」

陶玉道：「今宵楊兄雖有和兄弟拚命之心，但我陶玉卻無和你決一死戰之意，我如能夠殺你，自然是要借機拔去眼中釘，如是不能殺你，也不作寧爲玉碎的打算，來日方長，我陶玉總有迫你就範的一天，何況咱們武功進境，有著懸殊的不同，我陶玉借歸元秘笈，進境自是快你許多，今日殺你不了，年後自有制你死命之法。」

楊夢寰默然不語，心中暗道：這話確實不錯，他今天不能勝我，但亦在伯仲之間，一番惡戰之後，必可找出我武功路數，再從那歸元秘笈的記述……

陶玉格格一笑道：「你信了麼？」

楊夢寰點點頭，道：「大有道理，但兄弟卻希望今日一戰，能把你傷在手下……」回頭望了沈霞琳一眼，接道：「今日我和陶玉之戰，不論誰負，都不准出手相助。」

沈霞琳道：「我知道，你如打他不過，我會先你而死，在九泉路上等你。」

楊夢寰仰天長嘯一聲，英氣奮發的說道：「陶玉，咱們可以動手了吧？」

陶玉突然嘆息一聲，說道：「咱們還未動手之前，氣勢我已輸你一籌。」

左手一揮，拍了過去，口中接道：「楊兄自命英雄人物，那是決然不肯先出手了。」

說話之間，右手連續推出，攻了三掌。

楊夢寰心知今宵之戰，不只關係著自己的生命榮辱，而且是牽連了江湖劫運，是以，打來十分謹慎，全持守勢，默察陶玉武功路數，看他從那歸元秘笈上，學得了幾成功夫，是以，門戶封閉的嚴緊無比。

陶玉雙掌揮飛，全力搶攻，片刻之間，已把楊夢寰圈入了一片掌影之中。

沈霞琳星目圓睜，全神全意的看著這一場惡鬥，但見陶玉掌勢縱橫，搶盡了先機，楊夢寰卻束手縛腳，只有招架的份兒，想到這一戰勝敗，關係之大，不禁默然神傷。

她心知楊夢寰的性格，凡是出口之言，決不反悔，但陶玉卻是大大的占了便宜，勝則可置楊夢寰於死地，敗也可以借機逸走。

只見陶玉的攻勢，愈來愈見凌厲，內力也逐漸增強，攻出的掌勢中，帶起呼呼嘯風之聲。

不大工夫，雙方已搏鬥了五十餘招。

楊夢寰仍然是全操守勢，毫無反擊之征，但他掌上蓄蘊的內力，卻是逐漸的加強，門戶更見嚴密。

陶玉初和楊夢寰動手之時，爲他那大義凜然的氣勢震懼，出掌揮拳之間，心中似是有些顧忌，但經過一陣劇戰之後，心中之結，逐漸舒展，拳掌之間的招數，也愈是毒辣、詭奇，當真瞻之在前，忽焉在後，分襲合擊，莫可預測。

楊夢寰全神凝注，一面封拒陶玉掌力，一面暗中默察他武功路子，初時，對陶玉的招術，都可辨識，而且大都是早已熟記於自己胸中之學，但到了五十招後，陶玉的拳掌攻勢，愈來愈精奇，有許多竟是自己未聞未見之學。

他已感覺到再這般打下，陶玉胸中所記的奇奧手法，必將是愈來愈多，也愈用愈熟，如果被他控制全局，自己再想反擊，只怕大爲不易。

經過一陣激戰之後，楊夢寰已找出了陶玉的缺點，他內力要遜上自己甚多，眼下唯一的制勝之機，只有憑仗自己深厚的內力和他硬拚數招，縱然不能把他震傷掌下，亦可迫使他招式變化，手腳不靈。

念轉心動，突然展開反擊，大喝一聲，一招：「挾山超海」，揮拳直擊過去。

陶玉連攻百招，楊夢寰一直未曾還手，此刻看他一拳擊來，不自覺揮掌一接。

拳掌相觸，如擊敗革，蓬然巨震聲中，陶玉被震得連退了兩步。

原來楊夢寰想到此戰關係太大，不得不用些心機，是以在動手之初，深藏不露，拳勢上蓄勁不發，使陶玉難測高深。

果然陶玉上了大當，硬接楊夢寰一掌，被震得血氣浮動。

沈霞琳一直面色嚴肅，看著場中搏鬥形勢，她心地純潔，不知楊夢寰心中早有妙計，眼看楊夢寰處處敗退，心中暗道：完了，今日我和寰哥哥死在此地，兇訊傳出，紅姊妹決不獨生，我們都死了，不知有誰來奉養公婆……

正自心神暗傷之際，忽見楊夢寰展開反擊，一拳把陶玉打得向後連退兩步，登時笑容展現，嬌聲說道：「陶玉，我知你打不過寰哥哥的。」

她胸無城府，喜怒哀樂，盡皆形諸言笑神色之間，這幾句話並未存心諷譏陶玉，但卻在不知不覺中幫了楊夢寰一個大忙。原來楊夢寰一擊得手，立時借勢搶攻，右掌疾施一招「直搗黃龍」，平推過去。

陶玉已自知內力不及楊夢寰，本想讓避開去，不再和他硬拚掌力，但聞得沈霞琳幾句話後，忍不住胸中之氣，右手推出，竟又硬接一掌。

這一掌硬拚，雙方都用出了七成以上內力，蓬然大震中，楊夢寰被震得不由自主的向後退了三步。

可是陶玉接下這一掌之後，竟被震得連退了七八步遠，當場吐出一口血來。

楊夢寰冷冷說道：「陶玉，拳腳之上，你已非我之敵，咱們比比兵刃吧！」

陶玉突然轉身一躍，飛入了竹林之中，說道：「半年之內，我陶玉定要把你傷在拳掌之下。」最後一句話，已到了數丈之外。

楊夢寰原地未動，只是呆呆的望著陶玉去向出神。

沈霞琳緊步奔了過來，笑道：「寰哥哥你勝了，那陶玉雖有歸元秘笈，但他仍是打你不過。」

楊夢寰突然長長嘆息一聲，伸手扶在沈霞琳的肩上，張嘴吐出一口血來，道：「我也受了很重的內傷。」

沈霞琳見楊夢寰張口吐了一口鮮血，呆了一呆，扶著楊夢寰坐了下去，黯然說道：「你傷得很重麼？」

楊夢寰道：「很重，但陶玉比我更重。」

沈霞琳探手從懷中摸出絹帕，拂拭去楊夢寰嘴角的血跡，道：「你快運氣調息，不要再費神說話了。」

楊夢寰口齒啓動，欲言又止，閉上雙目，運氣調息起來。

沈霞琳眼看楊夢寰已逐漸入定，才放下心中一塊石頭，暗暗忖道：奇怪呀！明明是寰哥哥勝了那陶玉，怎的寰哥哥會受了傷呢？這疑問一直在腦際之間盤旋不息，不知道過去了多少時光。

楊夢寰真氣行轉一周，壓下浮動的氣血，想到陶玉的鬼計多端，不敢在此久停，啓目望去，只見沈霞琳手肘支在膝上，手掌托著香腮，呆呆的望著天上星辰，不知在想的什麼心事？想到她純潔善良的心性，孤苦無依的身世，這些年吃的苦頭，實覺愧對嬌妻，當下伸出手去，握住沈霞琳的手腕，輕聲說道：「你在想什麼？」

沈霞琳回眸一笑，道：「我在想，明明是你勝了，爲什麼你還會受傷呢？」

楊夢寰道：「不錯，如以常情而論，我該是不會受傷才對。」
沈霞琳道：「是啊！你內功強他很多。」
楊夢寰道：「我和他掌力相交，感覺他掌心蓄蘊著一種極強的反震之力，而且反震的內勁和一般的大不相同，似是玄門罡氣之類的武功，但又不是……」
沈霞琳接道：「原來如此，等我見著蘭姊姊時，問問她就明白了。」
楊夢寰緩緩站起身子道：「咱們走吧！」
沈霞琳接道：「你調息這點時間，如何能療治傷勢，再坐息一下，我們又不急著趕路。」
楊夢寰道：「那陶玉鬼計多端，他如得知我已受傷，決不肯錯過這個殺我的機會……」
沈霞琳急急站了起來，接道：「不用說了，咱們快些走吧。」
伸手扶住了楊夢寰。
楊夢寰功力深厚，雖然調息時間不夠，無法使元氣盡復，但走路卻還不用人扶，但見沈霞琳惶急情深之狀，只好任她扶著趕路。
兩人匆匆快走，不大工夫，已行了六七里，沈霞琳扶著楊夢寰走到一座土地廟前，說道：「寰哥哥，你聽我一次話好麼?」
楊夢寰笑道：「你說吧！一百次一千次，我都肯聽。」
沈霞琳嬌媚一笑，道：「我一向想不出好主意，如有紅姊姊在，什麼事都不用我操心，只可惜此刻她不在我們身邊。」

楊夢寰接道：「所以，你要管我了。」

沈霞琳笑道：「我怎敢管你，我是求你聽一次話啊。」

楊夢寰道：「究竟是什麼事？」

沈霞琳道：「我要你在此地好好坐息一陣，不要留下內傷，我坐在身邊陪你。」

楊夢寰微微一笑道：「遵命。」閉上雙目，運氣調息起來。

沈霞琳聽那楊夢寰呼吸漸入均勻，心知真氣已暢，內腑傷勢不重，臉上展現起微笑。

東方天際，泛起一片絢爛的朝霞，天亮了，無際藍天一角，緩緩推出一輪紅日。

楊夢寰調息完畢，睜開眼來，但見沈霞琳眉宇間隱隱現出倦容，想她這半夜擔心守候，心中大是不忍，輕輕嘆息一聲，伸手攬過沈霞琳的嬌軀，說道：「這幾日來苦了你啦！」

沈霞琳偎入楊夢寰的懷中，長長吁一口氣，笑道：「我很好，和你在一起，我一點也不覺得累。」

楊夢寰道：「我無能保護你，害你受了很多痛苦，每念及此，心中就不安得很。」

沈霞琳道：「咱們是夫妻了，還用客氣麼？」

楊夢寰道：「這話不錯……」語聲微微一頓，接道：「這次見過了那朱姑娘……」

但聞喘息均勻，沈霞琳早已睡熟過去了。

她這些日子中，體力，精神都到了所能忍受的極限，但因她一直擔心著楊夢寰的安危、憑一股關愛之情，支撐那將要崩潰的精神，如今眼看楊夢寰傷勢已癒，心中一寬，立感困倦難

支，偎在楊夢寰的懷中，沉沉熟睡過去。

楊夢寰移動了一下身軀，抱起了沈霞琳，就近找一處柔和的草地，放下了沈霞琳的嬌軀，脫下上衣蓋在她身上，傍她身側而坐。

日升了中天，時已過午，但沈霞琳仍然睡意正濃。

楊夢寰腹中有些饑餓之感，但見沈霞琳睡得如此香甜，又不忍叫醒她，只好強自忍著轆轆饑腸。

七　大騙局

突然間，傳來一陣馬蹄之聲，劃破荒野的靜寂。

楊夢寰轉頭望去，只見數十丈外的官道上，兩匹快馬急如電掣的疾馳而過，帶起來一片滾滾塵煙。

兩匹快馬，急奔過後不久，又是四匹快馬急急奔過。

這些人，似都是有著火急的事情，每人放轡疾馳，大有拚著跑死健馬之意。

楊夢寰心中突然一動，暗道：看來江湖上已蕩起了漣漪，殺劫的序幕已然展開，不知是什麼人，竟然這等沉不住氣？

他雖然沒有接受天下武林送他的天下第一俠的榮譽，但他的一舉一動，都對整個江湖道有著很大的影響。

這由天下武林同道奉贈的榮譽，也似是一道無形的枷鎖，鎖住了他，使他在不知不覺中，關心到武林的形勢，他以拒抗陶玉爲己任，又何嘗不是這無形的力量驅使。

突聽身後傳來一聲歡呼，道：「在這裏了！」

楊夢寰回頭望去，只見鄧開宇、柳遠、童淑貞魚貫奔了過來。

那鄧開宇當先而行，一面高聲叫道：「楊大俠，找得我們好苦。」

楊夢寰站起身子，微笑說道：「幾位都服了解藥麼？」

鄧開宇道：「那趙姑娘賜贈了在下等解藥之後，臉色很不愉快，一直迫使在下等離開。」

楊夢寰毫無驚奇之容，淡淡一笑，道：「她已經很客氣了。」

鄧開宇道：「怎麼？此事可已在楊大俠預料之中？」

楊夢寰道：「比我想得好多了。」

童淑貞望了躺在草地上的沈霞琳一眼，道：「沈師妹受傷了？」

楊夢寰道：「沒有，但她很困倦，能這樣好好的睡上一陣，對她應該很有幫助。」

鄧開宇道：「在下等離開那趙姑娘之後，沿途遇上了不少武林中人。」

楊夢寰道：「他們的舉動，可都是很慌急麼？」

鄧開宇道：「怎麼？你已經見過他們了？」

楊夢寰道：「我看過很多快馬馳過。」

鄧開宇道：「楊大俠可知道這些快馬馳往何處去麼？」

楊夢寰道：「不知道。」

鄧開宇道：「兄弟遇上一位相識的人，一問之下，才知道他們也是找楊大俠。」

楊夢寰道：「找我？」

鄧開宇道：「不錯，兄弟雖然只問了一起，但那些人奔行的方向如一，推想起來，大都是找楊大俠了。」

楊夢寰道：「你可曾告訴他們，我已不在水月山莊了？」

鄧開宇道：「這個兄弟未見楊大俠之前，不敢擅自作主。」

柳遠接口說道：「童姑娘說楊大俠和夫人必在左近，不會遠去，因此我等就在附近找尋，總算找到了楊大俠。」

童淑貞道：「師弟可知他們找你爲何麼？」

楊夢寰道：「這個小弟還不大了解，但推想起來，必爲那陶玉的事。」

鄧開宇道：「楊大俠虛懷若谷，不肯以武林盟主自居，但據兄弟所知，天下武林都已把楊大俠當作武主盟首看待，是以江湖上一旦發生了重大事故，大都要派遣快馬捷足，奔赴水月山莊，向你楊大俠請示機宜。」

童淑貞道：「就算如此，那也不該快馬如梭，絡繹不絕，用這樣多人去請他一人？」

鄧開宇微微一笑，道：「這就是江湖中人的私心運用，各懷機算，誰也不肯落人後……」

童淑貞道：「合力御敵，理該彼此同心才是，爲什麼還要各懷心機，爾虞我詐，何況這不過是請我師弟出山而已，捷足先登，又有什麼不同？」

鄧開宇道：「驟聽起來，此事卻是無甚重要，但個中實有重大的不同之處。」

柳遠道：「鄧兄可否說個道理出來，使我等一開茅塞。」

鄧開宇道：「此事簡單得很，因爲楊大俠乃此時武林公認的盟主領袖，雖然他謙辭不就那盟主之位，但整個武林中，卻是人人存有此心，此刻江湖上紛亂已起，楊大俠勢必被擁出主持大局，如若有一門一派把楊大俠敦請出山，天下各方群雄，勢必都將登門就教，這一派，如是

在武林中毫無地位，亦將因而聲名大噪，若是大門大派，也可增些光彩。」

童淑貞道：「原來這其間還有這些道理。」

鄧開宇道：「這就是武林中人，紛紛趕往水月山莊的用心了。」

童淑貞道：「唉！他們想不到趕到水月山莊之後，看到的只是空闊的莊院。」

楊夢寰嘆息一聲，道：「武林同道這般推崇我楊某人，只怕我楊某人要使他們大失所望了。」

鄧開宇道：「獨木難支大廈，楊大俠一個人武功再高，也難於對付那陶玉。」

楊夢寰神情肅穆，目光緩緩由鄧開宇臉上掃過，道：「在下已和那陶玉交過一次手了。」

鄧開宇神色緊張的問道：「楊大俠定然勝過了那陶玉。」

楊夢寰道：「他招數比我精奇，我內力勝他一籌，交手的結果，兩敗俱傷，只不過他傷得比我更重一些。」

鄧開宇道：「在下冒昧趕往水月山莊，原爲那多情仙子的事，那多情仙子的事已然了解，陶玉卻重出江湖，我想那天下群雄奔水月山莊一事，定然是爲了陶玉重出江湖……」

語聲微微一頓，接道：「請恕兄弟用的私心，恭請楊大俠到我們鄧家堡一行，再由家父出面，用你楊大俠的名義，邀請天下群雄，聚會我們鄧家堡中，共商對策，不知楊大俠意下如何？」

楊夢寰輕輕嘆息一聲，道：「目下紛爭已起，就是兄弟不願插手，也是難以逃避了。」

鄧開宇道：「楊大俠答應了？」

楊夢寰道：「鄧兄如此寵邀，兄弟是恭敬不如從命，不過，必待內人醒來之後，才能上路。」

童淑貞心中一驚，急急蹲下身子，無限關心的問道：「沈師妹怎麼了？」

楊夢寰微微一笑，道：「沒有事，她這幾日來，太過疲勞，一直未得片刻休息，此刻倦極熟睡，這一覺不知要睡到幾時才醒。」

童淑貞道：「唉！沈師妹心地純潔，有如天使，但她一生中所受到的折磨痛苦，卻是無計其數，師兄這般疼愛於她，也算是上天有眼了……」

她的話顯然是沒有說完，但倏然住口，緩步行向丈餘外一叢深草旁邊，盤膝坐了下去。

楊夢寰心知她感懷際遇，無限神傷，被陶玉始亂終棄，又被逐出了崑崙門牆，身受之苦，際遇之慘，可算是人間一等苦命人，設身代想，亦不禁黯然。

鄧開宇輕輕一扯柳遠衣袖，兩人悄無聲息的退出一丈開外，靜坐等候。

直待落日將沉，天近黃昏之時，沈霞琳才由熟睡中醒了過來。

她舒了一下雙臂，睜開了惺忪睡眼，哎喲一聲驚叫道：「這樣晚了！」

楊夢寰笑道：「你快睡了一整天，很多人都在等你。」

沈霞琳星目轉動，四下打量一陣，果見鄧開宇，童淑貞等都在望她微笑，心中大感不安，微帶羞意的道：「你怎麼不叫我呢？」

鄧開宇急急道：「我們等待不久，夫人不用放在心上。」

楊夢寰笑道：「那陶玉已得歸元秘笈上乘武功，雖是受傷不輕，但療息也必很快，咱們亦該早些動身才是。」

鄧開宇心中暗道：固所願也，不敢請耳，口中卻說道：「楊大俠和夫人恐已一天未食，咱們先找一處飯莊，吃點酒飯，在下再去買上幾匹好馬，明晨動身不遲。」

楊夢寰道：「買馬倒是不必了。」

鄧開宇打量了四周一眼，道：「西北方十里外，有一處小鎮，鎮雖不大，但飯莊客棧，卻是樣樣都全，咱們走快一些，日落之前或可趕到。」

楊夢寰道：「那就有勞鄧兄帶路了。」

幾人放開腳步，直奔西北而行。

果然，日落之前，幾人趕到了一處小鎮之上。

這處小鎮，只不過四五百戶人家，但卻是商賈必經之路，平日裏行人不多，只不過三五家飯莊、客棧，但此刻家家飯莊、客棧都是擠滿了武林中人。

這些江湖豪客，用起錢來，有如流水一般，毫無吝惜之感，使這座清靜的小鎮，頓然熱鬧起來。

凡是鄰近這些飯莊、客棧的人家，都把自己養的雞鴨，殺了買與這些飯莊。

鄧開宇和楊夢寰等走完了小鎮中四五家飯莊、客棧，才找到一處靠壁角桌位坐了下來。

這時，太陽已落，夜幕低垂，小飯店中四張方桌都滿了人，楊夢寰等走入店中，也未引起

別人注意。

這店中之人大都是武林人物，疾服勁裝，佩帶著兵刃。

只聽一個粗嗓門的大漢說：「我就不信，那歸元秘笈會重現江湖之上。」

只聽另一個桌子上響起了一個細聲細氣的聲音，道：「老兄既是不信，不知趕來這荒涼的小鎮之上，爲的什麼？」

那粗嗓門大漢說道：「混帳，老子高興看熱鬧，你小子管得著。」

鄰桌之上，突然站起了一個全身灰色勁裝，面目姣好之人，仍是細聲細氣的說道：「出口傷人，可是活得不耐煩了？」

那粗嗓門大漢一掌拍在木桌上，桌上的酒壺，菜盤全都給震得飛了起來，唏哩嘩啦，摔了一地，怒聲喝道：「咱們倒要瞧瞧那個龜孫子活得不耐煩。」猛然大跨一步，揮手就向那灰衣人抓了過去。

那灰衣人武功不弱，身子微微一閃，避開了一掌，右手順勢一招「巧打金鈴」反向那粗嗓門大漢右肩擊去。

那大漢料不到對方出手如此快迅，一念輕敵，落於下風，吃那灰衣人一掌擊中右肩，斜裏撞出了兩三步，才拿住了樁。

雙方桌位都坐有五六個人，這兩人一動上手，雙方友好也都紛紛站起身來，有的乾脆拉出兵刃，大有立刻火併之勢。

楊夢寰想到數年之前，那「歸元秘笈」在江湖上引起的風波，想不到數年之後，仍然有這多武林人物為那「歸元秘笈」所惑，千里迢迢趕到這座小鎮上來展開了一場火併，不禁黯然一嘆。

鄧開宇突然站了起來，低聲說道：「楊大俠既然不願看他們火併廝殺，兄弟去勸他們雙方罷手息爭就是。」大步行了過去。

這時，那粗嗓門大漢已然和那灰衣人打了起來，雙方拳來足往打得十分激烈。

雙方友好，都在全神貫注的看著這場惡戰，大概都覺得己方將勝，是以都還沒有出手相助。

鄧開宇舌綻春雷。大喝一聲：「住手！」

兩個惡鬥之人似是被他震耳的吼聲震住，果然停下手來。

全室中數十道目光一齊投注過去，看著鄧開宇。

鄧開宇大步行向那兩人之間，高聲說道：「四海皆兄弟，天涯若比鄰，兩位為了一句閒言，就動手相搏，豈不是有失江湖間的義氣？」

雙方之人，本來是個個餘怒未息，大有把滿腔怒火遷向鄧開宇發作之勢，但卻被鄧開宇幾句話說得個個怒消火息。

楊夢寰暗暗贊道：「氣宇軒昂，生性豪放，實是天生的領袖之才，如著其人武功能躋身為當世中一流高手，成為武林中的領袖人物，或可免去武林中不少無謂紛爭。」

此念一生，不覺間動了傳技授藝之心。

只見鄧開宇雙手抱拳，接道：「縱然有些口舌之爭，也不致動手相搏，咱們武林中人素為

人所垢病，罵咱們江湖草莽，動不動就拔刀拚命，兩位只不過為了一點口舌，難道就不能互相忍讓一些麼？」

那大漢突然一抱拳說道：「兄台貴姓？」

鄧開宇道：「在下鄧開宇。」

那大漢道：「原來是鄧少堡主，在下聞名很久了。」

鄧開宇道：「好說，好說。」

那灰衣人突然長長嘆息一聲，道：「鄧少堡主縱然勸得我等這番衝突，但也無法勸得即將臨頭的一場驚人廝殺，唉！這一場紛亂的殺劫，真不知有多少人要死在這場惡戰之中！」

鄧開宇道：「滿街武林人物，可都是為此而來麼？」

那灰衣人道：「大概是吧！至少應該是大部分人為此而來。」

那大漢突然接口說道：「鄧少堡主千里迢迢奔來，難道不是為這件事麼？」

鄧開宇道：「兄弟和幾個朋友路過此地，遇上兩位兄台動手，像這等荒僻所在，還會有什麼震動武林大事不成？」

那灰衣人道：「鄧少堡主當真不知道麼？」

鄧開宇道：「自然是當真不知。」

那灰衣人嘆道：「兄弟也是聞風而來，沿途之上眼見無數武林同道湧來，心中更是深信不疑了。」

鄧開宇聽得莫名所以，忍不住問道：「究竟是什麼事啊？」

灰衣人道：「江湖上近日內傳出了一句流言，說是『歸元秘笈』重在江湖出現。」

鄧開宇道：「有這等事，怎麼兄弟一點也沒聽到呢？」

灰衣人道：「這就奇怪了，這流言散布很快，而且說明那『歸元秘笈』六年前在江湖一度出現後，就爲數十年前曾經力敗九大門派的天下第一高手天機真人收了回去。」

楊夢寰聽得心中一動，暗道：「那天機真人早已死去多時，哪裏又出來了個天機真人，這陶玉不知在鬧的什麼鬼了。」

但聞那灰衣人接道：「天機真人收回那『歸元秘笈』之後，潛心苦修，悟出大道，已具神通，進日之內要西歸道山，但也不願那『歸元秘笈』就此絕於武林，因此在這小鎮之外，白茅嶺下，一座純陽道觀之中，會見天下英雄，要就與會人中，選出一位資質過人的英雄，把那『歸元秘笈』傳授於他。」

童淑貞只聽得暗暗罵道：一派胡言！但卻忍住，低聲對楊夢寰道：「楊師弟，那天機真人早已羽化登仙，世間哪還有天機真人，定然是陶玉出的花樣了。」

楊夢寰道：「不錯。」

鄧開宇奇道：「江湖上不是早已傳出那天機真人羽化登仙了麼？」

灰衣人道：「是啊！在下心中也是疑信參半，但因此事太過誘人，雖是信了五成，也是不自覺趕來了。」

只聽那店堂一角中傳過來一聲冷笑道：「誰說那天機真人死了？」

鄧開宇轉眼望去，只見一個三旬左右的大漢，勁裝佩刀，雙目神光奕奕，當下接道：「就

是在下說的。」

那佩刀大漢道：「你可見過那天機真人屍體麼？」

鄧開宇呆了一呆，半晌之後才道：「這個在下倒是沒有見過。」

那佩刀大漢冷冷說道：「你既沒有見過，怎敢這樣說他老人家已經去世？」

童淑貞霍然起身，正待接言，卻被楊夢寰搖手阻止，低聲說道：「不用揭穿他們，咱們索性留在這裏一天，看看他們究竟在耍什麼花樣！」

童淑貞低頭一笑，緩緩坐了下去。

鄧開宇道：「眼前之人，何止在下沒有見過那天機真人，只怕未有一人見過。」

那佩刀大漢道：「我見過……」

一句話全場震動，驚嘆聲此落彼起。

鄧開宇冷笑一聲，正待反口相駁，那佩刀大漢已搶先接道：「今夜之中，諸位都可以看到那位前輩仙顏了。」言罷，一轉身大步而去。

群豪數十道目光，一直望著那人的背影逐漸遠去，消失，每個人的臉上流露出無限敬佩之意。鄧開宇大步走回座位，低聲說道：「眼下之策，只有抬出楊大俠的名頭，才能鎮住全場。」

楊夢寰淡淡一笑，道：「不用了，咱們快些用點酒飯，離開這裏，找個僻靜所在，掩去本來面目，瞧瞧是誰在耍這花樣，那陶玉受傷甚重，決難親來主持，主謀此事的想必另有其人。」

鄧開宇道：「好！就依楊大俠之見辦理。」

幾人匆匆用完飯，起身而去，行到一處僻靜所在。

楊夢寰道：「陶玉手下之人，大都見過了咱們這身穿著，如不改扮一下，只怕難以瞞過陶玉屬下的耳目，好在今宵人數眾多，咱們只要稍作掩飾就可以瞞過別人的耳目了……」目光轉注到童淑貞的身上，接道：「師姊這身道裝，最是引人注目，不知可否換身衣服？」

童淑貞微微一笑，道：「我身著道裝，只不過是為了不忘出身崑崙之意，既有需要，自然是可以改裝的。」

楊夢寰道：「那很好，咱們立刻動手如何？」

沈霞琳站起身來，說道：「我和童師姊去那邊林中易容。」

牽起童淑貞的右手，急急奔去。

片刻之後，眾人大都改扮完畢，那鄧開宇扮作一個老態龍鍾的老人，楊夢寰臉上塗了一些泥土，扮作了一個車把式的樣子，柳遠改裝成一個跑江湖的賣卜模樣。

三人剛剛改扮完成，童淑貞和沈霞琳也已改扮妥當聯袂而來。

童淑貞青帕勒頭，很像一個闖蕩江湖的女英雄。

沈霞琳改扮成一個村姑，披肩長髮，梳成兩條辮子。

楊夢寰微微一笑，道：「鄧兄請和霞琳走在一起，柳兄獨自行動，我作童師姊的馬夫，但彼此間不要相距太遠，萬一發生事故，也可相互救應。」

沈霞琳微微一笑道：「鄧少堡主咱們先走吧！」她心胸城府一片潔白，看那鄧開宇扮的老態龍鍾，竟然伸出手去，扶住了鄧開宇。

鄧開宇道：「這叫在下如何敢當。」

楊夢寰笑道：「既是喬裝起來，那也不用計較了。」

童淑貞笑道：「楊師弟，我還要一匹馬。」

柳遠笑道：「在下去買牠一匹。」急急奔去。

片刻之後，柳遠果然牽了一匹馬來。

童淑貞一躍上馬，笑道：「那要委屈楊師弟了。」

楊夢寰道：「縱然是小弟真為師姊牽馬，那也是應該的事。」

柳遠除了牽了一匹馬來，手中又多了一面小鑼。

分配既定，分頭向白茅嶺的純陽道觀中趕去。

沿途之上，只見駿馬華衣的武林人物，絡繹不絕。

童淑貞改著一身勁裝，更顯得柳腰玉面十分嬌美。

突然間一匹疾急的快馬，直撞過來，衝向童淑貞，馬上是三十左右的勁裝大漢，口中朗朗笑道：「好標致的姑娘。」

楊夢寰正待發作，突然想到此行關係重大，如若發作出來，或將誤了大事，裝作不見，閃到一側。

那大漢快馬衝近童淑貞的身上時，童淑貞突然一提韁繩，避向一側。

那大漢縱聲狂笑，飛馳而去。

楊夢寰回目望去，只見童淑貞若有所思的望著夜空出神，臉上似是帶著微微的笑意。

原來童淑貞這些年來苦練武功，終日裹一襲道袍，自忖心中滿是怨恨，人必憔悴易老，始終不敢攬鏡自照，適才聽到那人呼叫之聲，才覺得自己青春仍在，一時間百感交集，不知是苦是樂。

楊夢寰眼看童淑貞並無發作之意，才放下了心中一塊石頭，目光轉動，只見沈霞琳和鄧開宇相攙而行，柳遠背著一面銅鑼，走在前面丈餘左右。

行約半個時辰，已到了白茅嶺下。

那白茅嶺只不過是一個突起土嶺，緊依土嶺旁邊，矗立著一座道觀，一塊橫在觀前的金字匾，寫著「純陽宮」三個大字。

觀門外高吊著兩盞氣死風燈，在夜風中不停搖擺。

兩扇廟門早已大開，但卻寂寞無人。

所有趕來「純陽宮」的觀眾，不下數百人之多，但卻都肅立觀外，無人擅自行入觀中。

楊夢寰心中正自奇怪，這些好奇之心素重的武林人物，何以不肯進入觀中，突聞一個宏亮的聲音，由那道觀中傳了出來，道：「天機仙師的法駕，決定於二更，月過嶺脊時，在觀中和諸位相見，除了講玄門心法之外，還要答覆諸位疑問，只是來人過多，如是每人都有一問，天

機仙師實難盡作解答，諸位請利用此刻時光，寫下自己胸中疑問，在入觀之時，投入大門裏面的木箱之中，由天機仙師在那木箱之中，抽出七個疑問解答，至於抽出何人的問題，那就各憑機緣了……」

語聲微微一停頓後，重又接道：「諸位不要忘記在那書寫疑問之後，寫上自己的居處和姓名。」

楊夢寰暗中嘆息一聲，暗道：「這等小小的鬼計，竟然騙得過數百個與會的武林人物，想來定然是震懾於那天機老前輩的成名，靈智都受了蒙蔽……」

忽聽人群之中響起了一聲大喝，道：「閣下既然可以在觀中傳話，我等爲什麼不可以進入觀中瞧瞧？」

隨著那喝聲，一個灰衣人大步而出。

楊夢寰回目一望，正是適才飯店中遇上的灰衣人，心中暗暗贊道：這人倒不失是一位有見識，有膽氣的江湖好漢。

只見灰衣人大步直向觀門中衝了進去，他身後還追隨著兩個勁裝大漢。

三人進入那大開的觀門，有如投在海中的泥牛，半晌不聞聲息。

守在宮外的群眾，似是受到了這三人的鼓勵，一時群情鼓噪，又有七八個勁裝大漢，向那觀門衝了進去。

只聽那純陽宮的大門內，傳出來一聲沉重的嘆息，道：「這三位武林朋友，不守天機老前輩的法諭，自是罪有應得了。」

衝近宮門的群豪，突然停了下來。

凝目望去，只見衝入宮中的三人，緩步由大門中走了出來。

三人的行速很慢，而且雙腳之上似是拖著千斤重鉛，大有舉步維艱之概。

兩個勁裝大漢勉強走出了觀門，人已不支，蓬的一跤，跌摔在地上。

那灰衣人卻雙目發直，兩腿僵硬，一步一跳的向前行去，但也不過行到宮前石級所在，就一跤跌摔地上。

楊夢寰心中暗罵一聲：好殘忍的手段。

這意外驚人的變化，使那奔近宮門的七八個勁裝大漢一齊停了下來。

站在最前一個勁裝大漢，伸手抓起那灰衣人，按在鼻息之上一摸，登時失聲驚呼道：「死了！」

他說的聲音不大，但卻如驟發春雷，全場中人都起一陣驚慄的騷動。

七八個衝上石級的人，又悄無聲息的退了下去。

這當兒，突見一個頭梳雙辮，身著布衣的村女，急急奔上了石級，扶起那灰衣人。

楊夢寰目光一瞥，已然瞧出是沈霞琳，心中暗道：要糟。

只好悄然移動身軀，行近石級，準備隨時出手救沈霞琳。

只見沈霞琳扶起那倒臥在石級旁側的灰衣人，伸出纖巧的玉指，按在那人前胸之上，附耳聽了一陣，突然揚起右掌，在那灰衣人背後拍了三掌。

她天性善良，眼見這灰衣人身受重傷，氣息已斷，如若再不施救，那是必死無疑，竟然

把自己改扮村女一事忘去，聽那灰衣人心臟仍然微微的跳動，氣湧喉間，知是喉間「氣舍」、「天鼎」兩處要穴被人施展閉穴手法閉住，當下先在那灰衣人背後「命門穴」上拍了一掌，催動了他的氣血、然後默運內力，推開了那灰衣人喉間「氣舍」、「天鼎」二穴。

只聽那灰衣人長長吁了一口氣，吐出了一口帶有紫血的濃痰，緩緩坐了起來。

沈霞琳救了那灰衣人，立時奔向宮門，扶起了倒在宮門左側的勁裝大漢。

那兩個勁裝大漢，內功不及那灰衣人深厚，早已氣絕而死，沈霞琳雖有療傷之能，卻無起死回生之力，發覺兩人死去，只好長嘆一聲，緩緩退回人群。

宮前群豪，都為沈霞琳的舉動震驚，所有的目光都投在她的身上。

只聽人群中傳出了一聲深長的嘆息，道：「人不可貌相，如非親眼所見，有誰知這位布衣村姑，竟然是身負上乘武功的武林高手呢？」

沈霞琳傷感兩人無故慘死，心頭黯然，望了楊夢寰一眼，欲言又止，緩步走向鄧開宇的身側，舉袖拭淚，垂首不言。

那灰衣人得沈霞琳救治之後，立時盤坐調息，大約有一盞熱茶工夫之久，突然挺身站了起來，目光轉動，四下尋望一陣，急急奔向沈霞琳身前，抱拳一揖，說道：「多蒙姑娘相救，在下是感激不盡。」

沈霞琳低聲說道：「你性命雖可保住，但從今之後，不能再練武功，不用留戀此地了，快些離去了吧。」

灰衣人說道：「在下承蒙姑娘救命，大恩不敢言報，但望姑娘能夠賜告姓名，在下亦好……」

沈霞琳搖搖頭，接道：「不用了，你快些去吧！」

那人望了沈霞琳一眼，回頭行去，走了幾步，重又回頭走來，說道：「姑娘雖然不願留名，但望能留個住址也好，在下……在下……」

他似是有著難言的苦衷，在下了半天，仍是說不出個所以然來。

鄧開宇本待發作，但見那人滿臉誠惶誠恐的樣子，不似有意輕薄，代爲接口說道：「日後你到鄂北鄧家堡去，找鄧少堡主，就說找一位沈姑娘就行了。」

那灰衣人望了鄧開宇一眼，轉身急步而去。

經過這一驚人變化之後，果然無人敢再擅往那純陽宮闖去。

無數群豪，都在很耐心的等待著。

天到二更，月過嶺脊，已是群豪入宮的時分。

只聽那純陽宮中，鼓鳴三通，鐘響九聲，兩個青袍道裝童子，緩步走了出來，每人手中高舉一盞紗燈。

但聞左首那童子高聲說道：「天機仙師說法時刻已到，諸位請宮中聽道。」

群豪大概是震驚於適才三個人死亡的恐怖，人群中雖然響起了一陣騷動，但誰也不敢當先而入，擁集在宮門檞處，趑趄不前。

楊夢寰低聲對童淑貞道：「師姊先進吧！」童淑貞點頭一笑，首先踏上石級，楊夢寰施展

傳音之術，接道：「運功戒備，小心暗器。」緊隨在童淑貞身後，向前行去。

兩個道裝童子高舉手中紗燈帶路。

擁集在宮外群豪，眼看一個女流之輩首先帶路，不禁激起了豪壯之氣，齊齊舉步向純陽宮中行去。

進了宮門，是一個遼闊的廣場。

楊夢寰四顧一眼，約略估計，這座廣場至少可容納五六百人，看四周土質，新痕猶存，想是修築不久。

環繞四周的圍牆上，插滿了火把，光輝明亮，耀如白晝。

一個木板搭成的高台中間，盤膝坐著一個銀髯飄飄，面如古月的道裝老人。

木台四角插著四只巨大的火炬，尺許長的火焰，照得木台上一片通明，毫髮可鑑。

這些布置，顯然是費了不少工夫，但除了那木台中間坐的一個道裝老人之外，再無其他之人。

群豪相繼擁入，也不過只占廣場的一半。

大門之後，放置著一個木箱，想是要群豪放置疑問所用。

楊夢寰悄然一扯童淑貞的衣角，示意她走向台前。

借火炬的光亮，楊夢寰仔細的瞧了那扮裝天機真人的道裝老人一眼，心中暗道：此人不知是何許人物，儀表不凡。

這時兩個高舉紗燈的道童，已然繞到木台之上，分站在兩面台角之上。

近兩百武林豪眾，站在台下，但卻一片肅然，鴉雀無聲。

足足等了有半炷香的工夫，盤坐台中的白髯道裝老人，才緩緩啟開雙目，環視了台下一眼，說道：「諸位今夜在此地和貧道會面，都算是和我玄門中有緣之人。」

楊夢寰暗暗罵道：「裝模作樣。」

台下起了一陣輕微的騷動，但卻迅速的靜止了下來。

童淑貞突然施展傳音之術，低聲對楊夢寰道：「楊師弟，這人作威作福，冒瀆那天機真人的仙威，咱們可要出手懲治他一番，拆穿他們的把戲？」

楊夢寰也施展傳音之術答道：「不要慌，先看看他們鬧的什麼把戲再說。」

只見那天機真人一皺眉，喇的一聲抽出背上長劍，右手一抖，投向身後，一道白芒破空而上。

楊夢寰目光微抬，看那投入空中的長劍直飛入台後一棵大樹上，被濃密的枝葉掩去不見，心中暗道：這一段距離大約有三丈左右，此人的腕力不弱。

心念轉動之間，突聽一聲慘叫傳了過來，一陣血雨飛濺中，落下來一顆人頭。

只聽那木台上端坐的天機真人合掌當胸，說道：「無量壽佛！善哉，善哉！」

餘音未絕，一個沒有人頭的屍體緊隨著落了下來，蓬然一聲，摔在地上。

這又是震動人心的大變，群豪大都被這意外驚人的變化，驚得呆在當地，念頭還未轉過，瞥見木台上端坐的天機真人右手一伸，按住了那大樹上落下來的一支長劍，還入了劍鞘之中。

楊夢寰暗中留神查看，那劍勢的來去情形，似是有人隱身在大樹之上，接住了那假冒天機真人投上去的長劍，殺了一個人後，又把長劍投了下來。

可是像楊夢寰這般高手，全場中有得幾個？大都爲那天機真人投劍出手，殺了一個人重又飛回的情勢震驚不已。

靜肅的場中，突然響起了一聲大叫道：「啊！馭劍術！」

這呼聲並不太大，但聽在群豪耳中，有如石破天驚。

全場中響起了一陣耳語，道：「不錯，馭劍術！」

楊夢寰轉頭望去，只見那領先呼叫之人，全身黑衣，背插單刀，年約三旬左右，雙目中神光充沛，分明是一個內外兼修的高手。

耳際間傳過來童淑貞傳音之聲，道：「楊師弟，這不是馭劍術，咱們要不要揭穿它？」

楊夢寰身子微微一側，也施展傳音之術答道：「不要慌，咱們瞧下去，他們究竟在鬧什麼鬼！」

只聽天機真人長長嘆息一聲，道：「貧道素不喜出手殺人，這數十年來潛修，早已戒殺，想不到今天開了殺戒……」

他臉上流現出無限黯然惋惜之情，接道：「但貧道生平最恨的就是隱身在暗中偷聽偷看的人，如不施以懲罰，江湖上只怕要宵小橫行，暗無天日了。」

楊夢寰心中暗暗罵道：「好一片假仁假義的說詞。」

但見那天機真人緩緩站起，回顧了分立木台兩側的道裝童子，道：「把他屍體收起，好好埋葬起來。」

兩個道裝童子答應一聲，下台而去。

那天機真人緩步走到木台旁側，說道：「諸位今天能到這純陽宮來，都是和貧道有緣之人。」

場中群豪大都震驚於那天機真人的威名，看他投劍殺人的手法，更是深信不疑，齊齊躬身作禮。

天機真人目光緩緩移注沈霞琳的身上，舉手一招，道：「這位姑娘請上台來。」

沈霞琳怔了一怔，望了鄧開宇一眼，茫然不知所措。

原來她站的位置，無法見到木台後面情形，看那老道人舉劍一擲，殺了一個人後，重又飛回手中，心中大是驚駭，暗道：這人武功真好，縱是蘭姊姊也難及他……心中念頭轉動之際，那道人突然舉手相招，要她上台，心中怎不驚慌不安。

鄧開宇輕輕咳了一聲，道：「小女年幼無知，又是從小在鄉村之中長大，未曾見過世面，衝撞了仙師，如何是好？」

天機真人道：「不妨事，令嬡仙根深厚，這是貧道遍找不遇的上選資質……」語聲微微一頓，接道：「姑娘請上台吧！貧道決不會傷害到你。」

沈霞琳還在猶豫，耳際中卻聽到了楊夢寰傳音之聲，道：「不用害怕，上去瞧瞧他要什麼花樣。」

沈霞琳聽得了楊夢寰傳音相告，膽子突然一壯，大步直向木台上行去。

她雖著村女裝束，但仍掩不住那天資國色，高燃火炬下，更見得美麗絕倫。

天機真人哈哈一笑，舉手對沈霞琳一招，說道：「過來。」

沈霞琳眨動了一下大眼睛，緩緩說道：「幹什麼？」

天機真人似是未料到她會有此一問，一時間倒不知該如何答覆的好，沉吟一陣，說道：「本仙師要看看你的骨骼如何！」

沈霞琳這些年長了不少見識，看他目中一片貪婪之色，心中暗道：這哪裏像個有道之人。心中忖想，人卻舉步走了過去。

這時場中的群豪有一半都瞧出情形不對，那天機真人是何等有道之人，怎會垂涎欲滴的望著一個村女。

火炬下，只見那嬉皮笑臉的天機真人突然一整臉色，冷冷說道：「轉過身去。」

要知那天機真人大敗武林十餘頂尖高手之事，一直流爲江湖美談，人人由心底對他敬仰有加，因爲心目中敬仰過重，使大部份群豪失去了判事之能。

沈霞琳怔了一怔，緩緩轉過身子，面對群豪而立。

楊夢寰心中大急，忖道：琳妹妹心地純潔，向無防人之心，實不該讓她登台涉險，急施傳音之術，說道：「快些運功戒備，不要中了他的暗算詭計。」

天機真人突然向前欺進一步，高高舉起右手，說道：「姑娘仙緣深厚，和貧道有著師徒之分，貧道要收你爲我門人傳我武功，繼我道統，不知你願是不願？」

他說話的聲音不大，除了沈霞琳外，只有靠在前面幾個人聽得清楚。

沈霞琳一時之間想不出適當措詞回答，只好默然無語。

天機真人不聞她講話之聲，高高舉起的右手，不敢輕易拍下。

原來這冒牌天機真人，已瞧出沈霞琳心中動疑，暗中運氣戒備，生恐自己一擊不中，露了馬腳，是以也不敢輕易出手，希望沈霞琳在答話之時，分了心神，借機拍下掌勢。

這是一個尷尬的局面，天機真人高高舉著右手，不肯放下，只瞧得台下群豪茫然不解。

雙方相持了一盞熱茶工夫，天機真人頂門上已然出了汗水，說道：「姑娘是否願爲貧道門下，還請決定，如是不願，貧道決不強人所難。」

這幾句話，聲音說得很高，全場中人大部都已聽到。原來他瞧出場中群豪，大部動了懷疑之心，希望藉這幾句話平息群豪心中之疑。

楊夢寰唯恐沈霞琳失言答應，又施傳音之術，說道：「不要理他，由左面走下台來，注意他情急施襲，要謹慎戒備，只要覺出有異，就反掌還擊。」

沈霞琳正想開口，聽得楊夢寰囑咐之言，急把欲出口之言，重又嚥了下去，轉向左面，緩緩向前行去。

天機真人眼看沈霞琳將要走下台去，心中大感焦急，忍不住大聲喝道：「站住！」

楊夢寰見那冒牌天機真人已自亂了章法，只要再設法氣他一氣，不用自己揭穿，亦將自露馬腳，當下又施傳音之術，說道：「快步走下台來。」

沈霞琳掌蓄內勁，隨時準備反擊，那知竟然不見天機真人的掌力拍來。

心中在想，人已下了木台。

楊夢寰心中忖思道：查不出原因，也該早些下來了吧！

哪知事情的變化，又出了意外。

只聽天機真人長嘆一聲，高聲說道：「諸位稍安毋躁，不要因爲一個女子，擾亂了向道之心，那女子既不肯拜在貧道門下，那也是天意如此，與貧道無緣。」

群豪聽他語涉正題，果然又靜了下來。

天機真人目光在台下打轉，似是在搜查沈霞琳落足之處，口中卻接道：「天行健，君子自強不息，我玄門中的弟子，雖然不似佛門中弟子有很多限制，但心安求靜，澄清明智，掃淨靈台，實爲先決的要件。」

群豪聽他突然間講起道來，立時凝神靜聽。

楊夢寰心中暗道：這哪裏是在講道，簡直是在背書！大概他們下面早已備好有一篇說詞，看來已是黔驢技窮，下面沒有什麼看得了，不如早些挑了他們場子，也好趕路。

心念一轉，大步直登上木台。

天機真人已爲沈霞琳美色所動，眼看她下了台去，在人群一鑽，消失不見，心中實在不甘，目光一直在人群之中搜望。

眼看一個布衣布褲的男人走了上來，不禁大怒道：「你上來做什麼？」

楊夢寰裝作一付誠恐誠恐的樣子，一抱拳說道：「在下……在下想請教仙師一些疑問。」

天機真人道：「講道期間，不許打擾，快給我滾下台去。」

楊夢寰一整臉色，冷冷說道：「仙師乃得道之人，怎麼出口就要傷人呢？」

這一問，只聽台下群豪哄然一聲，大笑起來。

這時縱然是世間最蠢笨的人，也發覺這天機真人有了問題。

天機真人心中怒火沖起，厲聲喝道：「你冒犯本仙師，那是死有餘辜了。」

楊夢寰道：「在下一介凡夫，生死不足爲惜，仙師數百年道行，死了不覺著太可惜麼？」

木台下又響起一片雜亂的大笑聲。

天機真人似亦警覺不對，臉色一整，道：「你是誰？」

楊夢寰淡淡一笑，道：「在下只不過一個無名小卒，不敢勞仙師動問。」

天機真人眉宇間泛現出一片殺機，似要發作，但他又突然忍了下去，緩緩閉上雙目，合掌說道：「無量壽佛！施主氣度不凡，這身衣著，想是有意改裝的了！」

楊夢寰心中早已盤算好，要用言語激怒這冒牌的天機真人，使他自露馬腳，出盡醜態，使他章法自亂，並無和他動手之心，哪知這位飛揚浮燥的天機真人，竟突然變得沉靜起來。

這意外的變化，使楊夢寰警覺到在這木台附近，暗中還隱藏著一位極厲害的人物，操縱著這冒牌天機真人的舉動，使他深自警惕。

台下群豪眼看天機真人靜了下來，那嘲笑之聲也隨著靜止下來。

楊夢寰冷笑一聲，目光轉動，不停在天機真人身外四周尋望，希望能找出一點蛛絲馬跡，當場揭穿真相，然後離去。

只見天機真人緩緩睜開了微閉的雙目，笑道：「閣下可是姓楊麼？」

楊夢寰吃了一驚，暗道：「奇怪呀！他如何知我姓楊呢？」

天機真人不待楊夢寰回答，接口說道：「你叫楊夢寰？」

楊夢寰三個字出口之後，木台下立時起了一陣劇烈的騷動，喧嘩嘆息交織一片。

只聽天機真人說道：「貧道猜對了麼？」

楊夢寰被他呼出姓名，心下好生爲難，如若承認下來，就得真槍真刀和這冒牌天機真人拚個勝存弱亡，正感爲難之間，突又聽天機真人厲聲質問，靈機一動，不禁哈哈大笑起來。

天機真人怒道：「你究竟是不是楊夢寰？」

楊夢寰心中暗道：那暗中主持之人，只告訴他我可能是楊夢寰，要他使詐逼問於我，但此人生性躁急，問了兩句，就露出了馬腳，也不答話，仍然大笑不止。

他這一笑，不但把那天機真人笑得茫然無措，連台下群豪也被他笑得迷迷糊糊，無所適從。

只聽天機真人怒喝一聲，長劍出鞘，橫裏揮出，向楊夢寰攔腰斬去。

楊夢寰就是想要觸怒於他，使他出手，當下隨著劍勢疾快的打了一個轉身，閃避開去。他借身軀轉動，掩去了佳妙的身法，看上去似是手忙腳亂的險險避開一劍。

那冒牌天機真人，眼看楊夢寰閃避劍勢的身法，手忙腳亂，當下冷笑一聲，道：「天堂有路你不走，地獄無門闖進來，貧道雖無殺人之心，但容不得你這般放肆，我在三劍之內，斬去你一條右臂，略施薄懲。」

楊夢寰雙手一陣亂搖，道：「仙師且慢動手，在下有幾句話說。」

天機真人道：「你還有什麼話說？」

楊夢寰有心使他出醜，讓他自露馬腳，當下裝出一付驚恐之色，說道：「仙師武功高強，威名傳誦數十年，在下自知非敵。」

天機真人道：「你既自知不敵，還敢這般放肆，豈不是自討苦吃？」

楊夢寰道：「只因在下想到仙師有道高人，竟然戲侮一個無識村女，一時間看不過去才衝上台來，如今禍已闖出來了，悔亦無及，仙師三劍之內，斬斷了在下的手臂，那也只怪我自討苦吃，自不能怨天尤人，如是在下僥倖未被斬去手臂，不知仙師要何以自處？」

天機真人怒道：「貧道劍不輕揮，揮必傷人，斬去你一條手臂，豈不是輕而易舉！」

楊夢寰放聲大笑，道：「在下雖是無名小卒，可也是言而有信，仙師斬去我一條手臂，那是我活該倒楣，如是在下僥倖躲過仙師三劍，仙師就不肯賭上一賭麼？」

天機真人雖然感覺有些不對，但因在眾目睽睽之下，有些下不了台，心中又牢牢記著適才讓避劍招的拙笨身法，略一沉吟，道：「你如能避開我三劍，我就自斷一根手指。」

楊夢寰笑道：「一根手指換上一條手臂，未免太便宜了，這樣吧！在下也不用仙師自斷手指，我如能避開三劍，你就面對台下群眾，說出這真實姓名如何？……」

天機真人道：「好……」好字出口，警覺不對，長劍一揮，疾向楊夢寰右臂斬去。

楊夢寰故意身軀搖顫，險險把一劍避開，口中卻笑道：「第一劍。」

天機真人怒喝一聲，長劍揮動，連劈兩劍。

楊夢寰施展上乘輕功，暗含風擺枯荷的身法，搖搖擺擺的避開了兩劍，道：「在下僥倖避

開了三劍了。」

天機真人不再答話，長劍一陣急刺，猛攻過去。

這時，木台下突然響起了一聲大喝，道：「咱們來聽天機真人講道，這小子卻來搗亂，先把他宰了再說。」

喝聲中，直向木台衝去。

童淑貞目光一轉，看那人一身黑衣，仗劍奔行，立時一個側身，攔住去路，道：「站住，你也是一丘之貉。」

那大漢怒喝一聲，揮劍直刺過去。

童淑貞冷笑一聲，長劍推出，推開劍勢，隨著一劍直刺入大漢前胸。劍鋒直透背後，鮮血四下濺飛。

她心中滿懷激憤怨恨，出手毒辣，真是天機真人創遺的劍招。

童淑貞一劍得手，橫劍大聲喝道：「天機仙師是何等崇高之人，豈是那等輕浮無識的模樣，仙師早已在十餘年前坐化，這老道是假天機真人之名，實則別有所圖，諸位千萬不能受他蒙騙。」

群雄回想那天機真人適才的舉動，果是感到其中大有疑問。

柳遠混在人群之中，眼看時機已熟，高聲應道：「那位姑娘說得不錯，咱們都受了欺騙。」

鄧開宇打鐵趁熱，高聲接道：「咱們把這老道揪下來，問問受誰之命而來？」

台下群豪轟然應道：「咱們應該把他抓下來，問個明白才是。」

那冒牌天機真人眼看群起而攻，不禁心中害怕，苦心布置，落得一場空歡喜，顧不得大局後果，逃命要緊，虛幌一劍，轉身就跑。

楊夢寰哪裏容得他走開，身子一側，疾欺而上。

這時，台下已有四五人勁裝帶兵刃的大漢衝了上來。

楊夢寰不願居功，暗運天罡指，遙遙點出。

那冒牌天機真人正奔行間，突覺後腿窩邊一陣疼痛，身子重量頓失，踉蹌一跤，跌摔地上。

群豪經此一來，全都覺醒，紛紛奔上木台，團團把那冒牌天機真人圍了起來。

楊夢寰默查大勢已定，陶玉傷勢極重，縱然有醫傷靈丹，也難在極短時間內復元，宮中布置之人難犯眾怒，決然不敢出面，趁局勢混亂中，帶著沈霞琳、童淑貞、鄧開宇、柳遠等悄然而去，離開了純陽宮。

幾人一起疾走，奔出了四五里，鄧開宇扯下臉上的假鬚，笑道：「楊大俠戲耍那冒牌天機真人一事，真是大快人心，可憐那陶玉一番苦心布置，竟被咱們在不足一個時辰時光鬧得天翻地覆，前功盡棄。」言罷大笑不已。

楊夢寰卻一皺眉頭，道：「陶玉能想出這種方法，足証其手段的惡毒，無所不用其極，如非是咱們趕巧碰上，今宵數百英雄好漢都將為陶玉收羅，似此等伎倆，只怕不只在一時一地演

出。」

童淑貞道：「依我之意，咱們應該趁群豪了然受騙之後，一股激忿之氣，借機搜那隱身在身後之人，師弟卻堅持要走。」

楊夢寰嘆息一聲，道：「那些人都不過是陶玉的徒弟，殺人無補大局。」

童淑貞道：「縱非陶玉親在純陽宮中主持，那幕後主持人，身分決然不低，咱們如能搜出生擒於他，或可逼他說出那陶玉全盤計劃，那時咱們也可早訂對策了。」

楊夢寰道：「那真正幕後主腦，隱身在木台大樹之上，我避開那冒牌天機真人第一劍，他已瞧出不對，早已逸走了。」

童淑貞道：「可惜，可惜，你怎不追趕呢？」

楊夢寰道：「當時我正戲耍那冒牌天機真人，同時也不願亮出真實功夫，只好讓他逃走了。」

鄧開宇笑道：「雖然讓那幕後主腦人物逃走，但這打擊對那陶玉而言，也是夠大的了，當著數百江湖豪客之面，揭穿了陶玉這次陰謀，傳言會極快的轟動江湖，陶玉日後類此的陰謀鬼計，就難以再施展了……」

語聲微微一頓，接道：「但待楊大俠趕到我們鄧家堡後，召集天下仁人俠士，以堂堂正正之師，再和那陶玉一決死戰，清妖氣，扶正義，挽武林於狂瀾之中。」

楊夢寰嘆道：「在下亦只能盡力而爲，目下咱們只不過和陶玉小作接觸，還難看出他真正實力，其人心機深沉，如是毫無把握，決不會輕舉妄動，其實在這初度相接之中，如非那趙小

蝶插手相助，咱們早已爲陶玉所殺了。」

鄧開宇細想經過之情，確實不錯，若不是那多情仙子出手，別說沈霞琳了，在場之人幾乎是無一能夠逃得性命……

但這楊夢寰又是唯一可抗拒陶玉的人物，如若他先無信心，對大局影響至巨，正要想說幾句勸慰之言，卻聽童淑貞搶先說道：「楊師弟不用自責，那陶玉在暗中，你在明處，先已吃了大虧，自然不是他的敵手了。」

沈霞琳道：「陶玉不是寰哥哥的敵手，他們兩人打架時，我一直在旁側觀看……」

童淑貞道：「哼！對付這種萬惡之徒，你爲什麼還要客氣？」

沈霞琳嘆道：「寰哥哥不讓我出手相助，我如出手幫他，他一定會很生氣！……」

她嫣然一笑，道：「不過，最後仍是寰哥哥勝了，那陶玉被寰哥哥一掌震得口吐鮮血。」

童淑貞道：「楊師弟，你既然重傷了那陶玉，爲什麼不乘勝把他擊斃呢？」

楊夢寰苦笑一聲，道：「那時我已有心無力了。」

沈霞琳道：「寰哥哥和陶玉硬拚掌力，陶玉雖然受了重傷，但寰哥哥也受了傷！」

她輕輕嘆息一聲，接道：「不過陶玉傷得很重，如若那時寰哥哥讓我出手，我一定可以把陶玉傷在劍下。」

童淑貞連連嘆道：「可惜，如若那時我也在場，決不會讓陶玉逃去。」

楊夢寰嘆息一聲，道：「童師姊如在場，殺陶玉或有希望，不過那陶玉的武功，確然已得歸元秘笈上的神髓，下次再遇上他，我能否是他的敵手，那就難以預料了……」

鄧開宇道：「在下有一事不解，請教楊大俠。」

楊夢寰道：「鄧兄有何見教？儘管請說。」

鄧開宇道：「武功一道，循序漸進，陶玉此刻既非楊大俠之敵，難道極短促的時光中，就可以勝過楊大俠？」

楊夢寰道：「此乃常理而言。」

鄧開宇道：「難道那陶玉的武功進境大異常情不成麼？」

楊夢寰點點頭道：「他精研歸元秘笈，已然熟記於胸，每經過一次惡戰之後，武功即有一次大進，何況我勝他只是內力上強他一籌，如以武功招術變化而論，我已遠非他的敵手了。」

鄧開宇道：「原來如此。」

楊夢寰仰臉長吁了一口氣，肅然說道：「咱們殺那陶玉的機會，將隨著時間的延長而逐漸減少，一年之內如無法置他死地，咱們恐怕很難再有殺他的機會了。」

童淑貞接口說道：「楊師弟言有所宗，必然是根據陶玉的武功進境計算，但如咱們未雨綢繆，早作準備，情勢自然又大不相同了。」

楊夢寰心知此刻的童淑貞，每日每時都在想著殺死陶玉之策，也許有了良策，當下說道：「請教師姊。」

童淑貞道：「爲對付那等萬惡不赦之人，我也不能隱技自密了，在天機真人那遺留的劍譜之上，有一套合搏劍法，叫做天索劍陣，專門用來對付武功高強之人所用，這劍陣施展開後，有如繞身之索，極是不易擺脫……」

目光轉注到鄧開宇身上，接道：「到得鄧家堡後，還望鄧少堡主勞神選出幾個武功高強，才慧品格較高的人……」

鄧開宇道：「這個不難，不知姑娘要選幾人？」

童淑貞道：「最好能選出九個，如是人才難得，五個也勉強可用。」

鄧開宇道：「兄弟盡力而爲，如是鄧家堡中找不出，在下另行代姑娘物色就是。」

楊夢寰道：「如若陶玉武功精進，師姊這天索劍陣有把握能困得住他麼？」

童淑貞道：「我不知那歸元秘笈上記載的什麼武功，但就天機真人遺下的劍譜而言，不論武功如何高強，也不容易擺脫天索劍陣。」

楊夢寰道：「好！咱們到了鄧家堡，師姊不妨詳細把劍陣給我解說一遍，我雖然不敢斷言勝敗，但大致上總可以看出個結果出來。」

幾人一路行去，再無事故，曉行夜宿，趕往鄂南。

一日中午時分，便到了鄧家堡。

楊夢寰抬頭看去，只見一道三丈高低的磚石砌成的堅固高牆，橫攔去路，一道一丈四五尺寬的護城河積滿了水。

鄧開宇望著高城，仰臉一聲長嘯。

嘯如龍吟，直沖霄漢。

那寂然的高城頂上，突然探出兩顆人頭，向下望了一陣，緩緩放下了一座吊橋。

楊夢寰心中十分奇怪，暗道：平常之日，何用這等如臨大敵的森嚴戒備。

隨著那放下的吊橋，奔過來四個黑衫黑褲，白布裹腿的大漢，每人懷中都抱著一把雁翎刀。

這四人行近鄧開宇七八尺左右時，突然一屈左膝，刀尖觸地，齊聲說道：「恭迎堡主。」

鄧開宇道：「你們起來……」目光盯注在四人臉上，欲言又止。

那四人最左一個垂首說道：「咱們堡中出了事情！」

鄧開宇心頭一震，道：「老堡主安好麼？」

那大漢道：「老堡主和夫人都很好，但堡中有幾位武林同道卻都受了重傷，老堡主爲此氣惱，已然三日沒有見客。」

鄧開宇道：「可有人死亡？」

那大漢道：「幸還無人死亡，只是兩個重傷的武林同道，恐將要落下殘廢之身。」

鄧開宇心中雖然焦急，但卻強自保持著外形的鎮靜，回目對楊夢寰道：「楊大俠，請入堡中吧！」

童淑貞望了那四個大漢一眼，道：「貴堡中不幸，距此有好久了？」

那大漢道：「三日之前。」

童淑貞低聲問鄧開宇道：「咱們就算未因那冒牌天機真人耽誤，也是難以趕得回來。」

鄧開宇長揖說道：「諸位連日跋涉風塵，快請入堡中好好休息一下。」

楊夢寰心知他急欲要見父母，當下舉步登橋。

群豪魚貫行過吊橋，那吊橋立刻收了起來。

楊夢寰登上城堡，向下望去，只見房屋綿連，恐將在千戶人家以上。

鄧開宇氣度恢宏，雖然心中是焦急如焚，但表面上仍然是保持著鎮靜之色，指著那綿連房屋，說道：「此村名雖叫鄧家堡，但村中住戶卻不是全都姓鄧，數十年前，世局紛亂，遍地盜匪，家父曾為本村連退了數次盜匪，故而極受村人愛戴，易名鄧家堡，只不過是意存報答。」

楊夢寰道：「原來如此，鄧兄兩代俠人，兄弟失敬了。」

鄧開宇輕輕嘆息一聲接道：「鄧家堡經家父一番苦心經營，成了今日規模，雖處亂世，盜匪卻也不敢輕犯……」

八　鄧家堡

眾人談話之間，到了一座高大的宅院面前。

鄧開宇道：「這就是寒舍了，諸位請在院外稍待片刻，在下去請家父親自出來迎接。」

楊夢寰道：「如何敢勞動鄧老前輩親自迎接，咱們直走進去就是。」

鄧開宇還想阻攔，但已是無法，楊夢寰等人已直入府中。

鄧宅這廣大的宅院中，似是毫無布置，楊夢寰一口氣直入數丈，仍是不見有人答話，心中暗暗奇怪，忖道：難道這樣大的宅院連個守門人都沒有麼？回頭望去，只見鄧開宇臉上也泛現出奇怪之色，心知此情不妙，陡然停下了腳步。

鄧開宇大步行到前面，高聲說道：「有人在麼？」

他一連呼喝了數聲，才聽得一個蒼老的聲音答道：「回來的可是少堡主麼？」

鄧開宇高聲道：「不錯。」

那蒼老的聲音道：「少堡主不要再向前移動，老朽即刻出現相見。」

沈霞琳突然插口說道：「爲什麼不讓我們向前走了？」

鄧開宇道：「詳細情形我也不知，待那鄧忠來了再說。」

片刻之後，突聞門聲一響，不遠處一座廂房的木門忽的大開。

一個花白鬍子的老人緩步走了過來，欠身一禮，道：「果然是少堡主回來了。」

鄧開宇一皺眉頭，道：「鄧忠，這是怎麼一回事呢？」

鄧忠道：「這是老堡主一位朋友的計劃，但到此刻爲止，老奴還未看到他的作用。」

鄧開宇道：「他可是交代了不許擅自行動麼？」

鄧忠點點頭道：「行走之間都要有一定的路線，不可擅自行動，或擅取什麼應用之物。」

鄧開宇道：「爲什麼？」

鄧忠道：「這個老奴就不知道了。」

童淑貞四顧了一眼，道：「他定是在各種物體上塗上了奇毒。」

鄧忠搖搖頭，道：「這個，見過我家堡主之後，你們再問他不遲……」

目光凝注在鄧開宇的身上，道：「老奴要走前一步，替諸位帶路了。」

楊夢寰心知這鄧忠乃忠於鄧家的老僕，有很多話不便出口，當下也不再多問，隨著鄧忠身後，向前行去。

只聽鄧忠說道：「少堡主，請隨在老奴的腳步後面，最好能依照著老奴的腳印痕跡而行。」

鄧開宇應了一聲，果然隨在鄧忠後面的腳印而行。

楊夢寰、童淑貞、沈霞琳等魚貫隨行在鄧開宇的身後。

穿過了幾重庭院，直入後園中。

楊夢寰一路上暗中留心著各種物品之上，瞧不出絲毫塗有毒物的痕跡，心中暗自奇怪，忖道：在室中各物上塗了奇毒，並非什麼難事，如果要事後除去各種物上之毒，那就大費周折了。

忖思之間，行到了一座假山前面。

只見鄧忠伸出右手，在假山上一塊懸凸的石頭上面一推，一陣輕微的震動，石壁間陡然裂陷出一座門來。

鄧開宇欠身道：「楊大俠請。」

鄧忠回身說道：「少堡主請進吧！老奴還得到前院去守住門戶。」轉過身子，緩步而去。

楊夢寰道：「還是少堡主先請。」

鄧開宇道：「好，兄弟走前一步帶路，」當先向前行去。

石門內，是一條可容兩人並肩而行的石道，直向假山下面行去。

每隔上丈許左右，就有著兩個身佩兵刃大漢，分立在兩側。

這些人見到鄧開宇，個個欠身作禮，神態間十分敬重。

行約六七丈遠，到了一座廣大的地窖中。

那地窖大約有兩三丈方圓大小，幾支高燃的火燭，照得一片通明。

一個青衫白鬚的老人，端坐在正中一座木案後面，在他旁側站個儒衫儒巾的中年文士。

鄧開宇帶著楊夢寰等進入廳中，恭恭敬敬的對那老人低言數語，退到楊夢寰身側，那老人

起身迎了過來，鄧開宇指那青衫老人，對楊夢寰道：「這是家父……」

轉眼望著楊夢寰，接道：「這就是水月山莊的楊大俠。」

楊夢寰一抱拳，道：「鄧老前輩。」

那青衫老人急急還禮說道：「不敢當，楊大俠望重武林，今日能得一見，足慰渴念，大駕肯臨敝堡，真是蓬蓽生輝。」

楊夢寰道：「老前輩誇獎了。」

青衫老人道：「老朽向來是輕不贊人，對你楊大俠卻是由衷的敬佩，老朽不只是敬佩你楊大俠的武功，還有那一份高潔的節操。」

楊夢寰笑道：「那是武林諸位前輩的抬愛，楊某是自覺慚愧的很。」

青衫老人一面肅容入座，一面說道：「老朽草字固疆，唉！人如其名，老朽一生中只知固守於鄧家堡中，從未存有過染指他處之心，是以很少和武林同道往來……」

忽然放聲大笑了一陣，道：「老妻常責我沒有出息，說男兒志在四方，我卻只知固守鄉園，因此她把小兒取名開宇，果然名如其人，和父行大相徑庭，喜愛江湖朋友，鄧家堡也就逐漸和武林朋友有了來往了。」

楊夢寰道：「開宇兄氣概豪邁，正是武林中領袖人才，在下雖和他相交不久，但對開宇兄的英雄氣度，卻是深爲敬服。」

鄧固疆笑道：「楊大俠捧他了……」目光一轉，望著那中年儒士，道：「我要爲楊大俠引見一位朋友，這次老朽一家人能逃過此次大劫，就是仗這位老友相助之力……」

楊夢寰看那中年儒士，雖然臉上帶著笑容，但卻掩飾不了那一股冷傲之色。他為人自謙，名氣愈大，人也愈是謙虛，急急抱拳一禮，道：「在下楊夢寰。」

這一來那中年儒士反覺有些不好意思起來，急急抱拳還了一禮，道：「在下宮天健。」

鄧固疆接道：「說他姓名，楊大俠也許不知，如果提起他的綽號，楊大俠也許聽過。」

楊夢寰一拱手道：「請教！」

宮天健微微一笑，卻不答話。

鄧固疆道：「他是不好自詡，還是老朽代說了吧！楊大俠可曾聽說過造化書生的名字麼？」

楊夢寰略一沉吟，道：「聽到家岳談過……」

宮天健接道：「可是那海天一叟李滄瀾麼？」

楊夢寰道：「不錯，宮老前輩可是和家岳相識？」

宮天健道：「彼此聞名，卻是緣慳一面，不過與昔年天龍幫中黃旗壇主王寒湘，倒是友誼很深。」

楊夢寰對宮天健雖不清楚，但對那王寒湘之能卻是清楚得很，乃昔年天龍幫五旗壇主之冠，此人既是王寒湘好友，自然非泛泛之輩，當下說道：「宮老前輩，還和那王寒湘有往來麼？」

只聽宮天健長嘆一聲，道：「其人心如蛇蠍，和我攀交了三十年，用心卻是在謀我之命……」

鄧固疆哈哈一笑，接道：「似宮老弟這等人才，如非機緣巧合，怎會和老朽交上朋友！」

宮天健道：「大哥對小弟恩同再造，小弟縱然是一生為牛為馬，也是報不盡大哥之恩，此言叫我如何當受得起！」

鄧固疆哈哈一笑，道：「楊大俠可想知聞這一段江湖秘密恩仇的經過麼？」

楊夢寰道：「晚輩洗耳恭聽。」

鄧固疆笑道：「好，宮兄弟，你講吧！如是不便出口之處，老哥哥我代你說就是。」

宮天健回顧了楊夢寰等一眼，道：「此事源遠流長，說起來應該由三十年前開始。」

「那時，我和王寒湘同赴滇南哀牢山中，尋找一種奇蛇，無意相遇，攀談結交，彼此敬服，結為知己，結伴同行在哀牢山中。

「我們在那群峰連綿的大山中，行了一月之久，終於找到了一條我們同尋的奇蛇……」

楊夢寰心中暗自奇道：岳父曾經告訴過我，王寒湘那蛇行八卦掌，由來就是壁面蛇行中研習而得，這兩人合力去尋一條奇蛇，只怕也是和武功有關。正當出口詢問，那鄧開宇卻搶先問道：「宮叔叔尋那奇蛇，可是和武功有關麼？」

宮天健搖搖頭，道：「無關，我和王寒湘要尋的那條奇蛇，是為了配一種藥物。」

鄧開宇道：「什麼藥物？」

宮天健微微一笑，避過話題，接道：「當時我們同心合力的打死了一條奇蛇，以我之意，把那奇蛇斬作兩段，各取其一，但王寒湘卻慷慨相贈，要把那一條極少見到的奇蛇全部送

我。」

「我當時又驚又喜，半晌講不出話，只因那種奇蛇極是難尋，在大山中走上十年、八年也難遇上一條，王寒湘竟然把這一條奇蛇相贈，豈不是太過奇怪了麼？」

他頓了一頓，又道：「正當我心中懷疑之時，那王寒湘突然要告別而去，我心中感激莫名，就和他訂下了後會之約，我們再會之期，訂在次年秋涼之後七八月間，那時我用心自私，估計還有一年的時光，我爐火早熄，靈丹已成，縱然王寒湘找上門來，我也不怕他了……」

鄧開宇道：「那王寒湘可曾如約去找你了麼？」

宮天健道：「自然去了，他不但如約而去，且還早到了兩個時辰，而且很耐心的在那裏等我。」

鄧開宇道：「這麼說起來，那王寒湘是位很守信約的人了？」

宮天健道：「大智若愚，大好似忠，如不是那王寒湘這般的守信，我也不會遭他的暗算了。」

他長長嘆息一聲接了下去道：「我心中原來對他就有一份歉疚，又看他如此守信守約，心中更是感激，當時就邀約他到丹室中去盤桓幾日……」

鄧開宇道：「不錯呀！試試看他是否會動偷覷你靈丹之心。」

宮天健道：「當時我也是這般用心，我故意使丹爐火焰不息，而且把煉成的靈丹取出兩粒，放置於丹爐之中，和他在丹室中相對而坐，促膝暢談那靈丹的妙用……」

鄧開宇道：「他可曾動過心麼？」

宮天健搖搖頭道：「他不但沒有動心，而且連一句話也不多問，只見他面帶微笑的聽我講述那靈丹妙用。」

楊夢寰忍不住插口問道：「你們在丹室談了多久？」

宮天健道：「半日一夜。」

楊夢寰道：「難道那王寒湘一句話也沒有講過麼？」

宮天健道：「講是講過了，但他只是講些不相干的話，從未一句涉及靈丹。」

楊夢寰道：「這就是了，大好巨惡，常常有著人所難及的定力。」

宮天健接道：「我們在丹室中盤桓了一日夜之久，他從未流現過偷覷靈丹之意，於是我減去了戒備之心，而且還把他視為難得的知己。

「王寒湘在我居住之處盤桓了三日之後，突然提出告別，我雖苦苦勸留，但他去意甚堅，竟是留他不住。

「我用奇蛇合了四十九種藥物，共煉九粒丹丸，王寒湘臨去之際，我取出了六粒靈丹相贈。」

鄧開宇又忍不住插口問道：「他可曾受了靈丹？」

宮天健道：「當時他堅持不受，後來我以絕交相逼，他才答應了下來，取了三粒靈丹而去。」

楊夢寰道：「此後你們可曾會過面？」

宮天健道：「大約過了三年，王寒湘又突來相訪，在我居住之處，留居了三個月，三個月

內我們互相切磋武功，研討謀略，彼此相談甚歡，互相引為知己。」

鄧開宇道：「即是如此，他又為什麼要謀害宮叔父呢？」

宮天健道：「此後我們經常來往，但每次都是他找上我的居住之處，那時我因為迷戀於一種武學歧途之上，孜孜求成，很少在江湖上走動，對於江湖上的變遷大事，亦是毫無所知。」

「有一天王寒湘又來走訪，忽然和我談起了天龍幫的事，言語之間，大有引我入幫之意，但卻被我一口回絕……」

鄧開宇接道：「那王寒湘可有不愉之色麼？」

宮天健道：「沒有，王寒湘遭我回絕之後，仍是神色不變，從此絕口不再提天龍幫之事，盤桓三月後，告別而去。」

他頓了一頓，又道：「大約又過了兩三年吧，忽然接到王寒湘遣人送來的一封快信，邀我到峨嵋山去一晤，信中說他又遇到一條奇蛇，他因為要守住那條奇蛇，不便離開，要我兼程趕去，我接信這後，立時兼程趕往，王寒湘果然在一處奇峰之下等候，他替我解說那奇蛇出沒時間，正當我聽得悠然神往之際，他卻乘我不備，一掌擊在我後背『命門』要穴之上，我雖然中了一掌，受創甚劇，但以當時情形而論，尚有反擊之能，但我默察情勢，王寒湘似是已經早在那山谷四周埋伏下了人手，他大概自知武功難以是我之敵，怕我拚死反擊，是以早有戒備……」

他說至此處，嘆息一聲，繼道：「我當時神志未亂，略一分析眼下情勢，就裝作重傷不支，倒摔下去，王寒湘點了我幾處穴道之後，又從我身上搜去了所有的靈丹，唉！他那時本可

置我於死地，但他卻突然動了不忍之情，廢了我武功之後，棄置不顧而去。事情就是這麼簡單，但卻毀了我數十年苦修的武功……」

目光一掠鄧固疆道：「以後的事，就是鄧大哥救我性命了。」

鄧固疆重重咳了一聲，說道：「也有十幾年了，那時天龍幫勢力正盛，老朽也曾數度接到天龍幫的函束，要我加盟，爲了逃避煩惱，不得不離家躲躲風頭，有天午時過後光景，天上正飄著大雪，我騎馬行經一處山坡下面，突然聽到呻吟之聲，一轉頭就瞧到一個人倒臥在雪地中，全身卻爲大雪覆蓋，只露出一個頭來……」

他望了鄧開宇一眼，接道：「這人就是你的宮叔叔了。」

宮天健道：「王寒湘打我一掌，雖然沒有什麼要緊，他廢了我全身武功，我還隱隱記得傷後經過，王寒湘去後很久，我也掙扎而起，那時我武功已失，傷疼難耐，掙扎著行了一夜，老天突降大雪，那時我體力衰弱，舉步維艱，雪地光滑，行走不易，跌倒地上，爲雪所埋，如非鄧大哥道經相救，我宮某不被凍死雪地，必爲猛獸吞噬。」

鄧固疆道：「說來實在是慚愧得很，我雖然由雪地將他救起，對他虛弱的身體卻是無能力助，還是宮兄弟神志清醒時，口述幾種藥物，才補了他虛弱的身軀。」

宮天健嘆道：「如非大哥仗義相助，我早已凍死雪地之中，哪裏還有今日……」

目光一掠楊夢寰等接道：「我得鄧大哥親侍湯藥，療治好身體之後，就隨同鄧大哥一起回到鄧家堡來，這些年來一直在療養傷勢。」

楊夢寰道：「老前輩胸羅萬有，想必有使神功盡復之能。」

宮天健哈哈大笑，道：「也許有此可能，但這只是未經証實的幻想，唉！這是武學上少有罕見的奇蹟……」

楊夢寰道：「晚輩雖未見到過此等之事，但卻是有個耳聞，武林中並不乏恢復神功的先例。」

宮天健沉吟了一陣，道：「也許是習練的武功路數不同，也許是借重了世間罕有的奇藥，也許是那下手人估計有誤，留給他恢復神功的機會，也許是那下手人手下留情。」

他一連幾個也許之後，嘴角揚起了一縷苦笑道：「十年的努力雖然無成，但我宮天健卻未灰心，我要永遠的繼續，直到恢復武功爲止。」

楊夢寰突然站起身來，抱拳一揖，道：「老前輩堅毅過人，使晚輩敬服投地。」

宮天健淡淡一笑，欠身還了一禮，道：「楊大俠後起之秀，光芒萬丈，輝耀武林，宮某人雖然是僻居此間，但卻常聽鄧大哥談起你楊大俠。」

楊夢寰嘆息一聲，道：「如今江湖上道消魔長，一波未平，一波又起，老前輩才高八斗，學富五車，長此深藏此間，於世何補，尙望能宏願大發，重入江湖，造福蒼生，豈不是流芳百代，永爲武林後世欽慕敬仰。」

宮天健微微一笑，道：「眼下我功力未復，手無縛雞之力，縱有雪恥復仇之心，也無能爲力。」

楊夢寰道：「當今武林之中，雖然魔道縱橫，但仍有著無數的豪客英雄，起而衛道，老前輩只要坐鎮中軍，運籌帷幄，決勝於千里之外，就是造福武林了。」

宮天健輕輕嘆息一聲，道：「江山代有才人出，老朽這點判事之能，如何能出主江湖大局呢……」

楊夢寰道：「這些日子晚輩念念難忘的就是要找一個像老前輩這般的人才，才可支持大局，率武林群豪抗魔衛道，楊夢寰代天下武林同道請命，還要老前輩勉爲其難，出主大局才是。」

宮天健搖頭微笑，道：「別說我沒有楊大俠謬贊之能，縱然是有一點雕蟲小技，只怕也難應楊大俠的邀請，出主江湖大事。」

楊夢寰道：「老前輩可是仍要爲恢復神功，竭盡心力麼？」

宮天健道：「不錯，這些年來王寒湘一直認爲我已身膏狼吻，早已屍骨無存，我偏要讓他驚奇一下，武功未失的出現江湖之上。」

楊夢寰道：「老前輩既如此說，晚輩也不敢勉強了。」

宮天健沉吟一陣，道：「在下雖不能應君之命，但心中卻是極感盛情，日後如有用我宮某之處，赴湯蹈火，萬死不辭……」伸手從懷中摸出一個玉盒，托在掌心，笑道：「王寒湘千慮一失，竟然未把我這玉盒收去，願以相贈，聊表微意。」

楊夢寰呆了一呆，道：「那玉盒中存放的什麼？」

宮天健道：「斷魂香！」

楊夢寰心中暗道：想來斷魂香定和那雞鳴五更還魂香差不多了，這個下五門綠林人物應用

之物，爲何要送我楊夢寰呢？

只聽宮天健繼續說道：「楊大俠不必心生懷疑，我這『斷魂香』和一般香不同。」

楊夢寰道：「有何不同之處？」

宮天健道：「這『斷魂香』乃是數十種奇藥合成，不論夜間、白天均可使用。」

楊夢寰道：「在下實是想不出運用之法。」

宮天健道：「在下就憑這一盒中一節斷魂香，退了今夜來犯之敵。」

楊夢寰道：「領教，領教。」

宮天健道：「不用領教，說穿了簡單得很，那就是燃起一節『斷魂香』。此香無色無味，而且中人後亦不覺得，直到藥性將要發作，才始覺出，但那時卻爲時已晚了……」

他輕輕嘆了一嘆，道：「不知何人留下了這一盒奇藥，但卻爲我無意取得，一直帶在身上，前幾日鄧家堡得到警兆，我就取出兩節『斷魂香』燃了起來，才使這座鄧家堡毫無損傷。」

楊夢寰心中暗道：那有這等事情，點了兩節香，就可以保下鄧家堡，豈不是匪夷所思麼？但他既然說得這樣寶貴，那也不用反駁了，收藏起來就是。遂接過玉盒，藏入懷中。

宮天健目光是何等銳利，察顏觀色，已知楊夢寰不信自己之言，淡然一笑，接道：「那玉盒之中還有七枝『斷魂香』，楊大俠施用之時，還望惜愛一些。」

楊夢寰道：「多謝指教。」

宮天健原想這般一提，楊夢寰定將追問施用之法，那知楊夢寰對此事毫無信心，竟是不再

追問，宮天健沒有法子，只好接著說道：「楊大俠可知施用之法麼？」

楊夢寰霍然警覺，暗道：不論這斷魂香是否有用，人家一片至誠好意，我豈能不放在心上。

急急改顏說道：「晚輩不知，還得老前輩指點，指點。」

宮天健道：「在那玉盒之中，有一顆黃色的珠球，在燃起那斷魂香之前，要把那黃色的珠球含在口中，方可自由出入那煙陣之中，一支斷魂香升起毒煙，可籠罩四丈方圓大小，如果選擇的地勢不錯，煙毒可持續六個時辰以上。」

這一次楊夢寰卻是正襟而坐，畢恭畢敬的聽著，字字記入心頭。

宮天健說完那斷魂香施用之法，立時站起身子，接道：「在下晚課時間已到，不能奉陪諸位了。」緩步轉入暗角中一座木門之內，回手關上木門。

原來鄧家這地窖之下，十分廣大，說它是地窖，倒不如說它是一座地下宅院來得恰當，門戶羅列，暗室重重。

鄧固疆望著宮天健的背影，黯然嘆息一聲，道：「可惜呀，可惜，滿腹經論，絕代才華，如若出而爭霸武林，必有一席之地，只因交友不慎，受此暗算，只落得明珠暗藏，抱恨終生。」

楊夢寰長長嘆息一聲，道：「武林之中，有很多事，並非是全靠武功，運籌帷幄，行略用謀，有時更是重於武功，宮老前輩雖然武功已失，但他才智猶在，如肯重出江湖，必可造福天下。」

鄧固疆道：「他念念不忘恢復武功的事，十餘年來一直苦修不息。」

楊夢寰道：「可已有些成就麼？」

鄧固疆搖搖頭，道：「十幾年來毫無進展。」

楊夢寰沉吟了一陣，道：「明天晚輩當和他研究一下恢復武功的事……」

鄧固疆喜道：「楊大俠被武林尊為後起一代中第一高手，受天下武林同道敬仰，看來不但武功高強，這氣度也非常人所及，以那宮天健的才慧，再有楊大俠這般人物相助，想來打開恢復神功之門，不是什麼難事了。」

楊夢寰道：「盡我心力就是。」

鄧固疆道：「在下聞聽楊大俠一身武功得自那歸元秘笈，此事不知是真是假？」

楊夢寰笑道：「歸元秘笈上記載的武功，浩瀚如海，博大精深，在下只不過得人指點，學得一點皮毛而已。」

鄧固疆嘆道：「天機真人和三音神尼為了怕絕技失傳，才合把一身武功錄了一本歸元秘笈傳給後世，兩位老前輩的用心可謂良苦，但卻因此造成江湖上一場無休止的紛爭，只怕亦非兩位前輩始料之所及了。」

楊夢寰點點頭，嘆道：「五年前天龍幫攪的江湖大亂，想不到五年後慘事重演，陶玉憑仗那歸元秘笈，又在江湖上掀起了一場殺劫風波。」

鄧固疆道：「老朽為人素極保守，數十年來從未捲入江湖是非，且這次竟也被捲入風波，欲罷不能，唉……這匆匆數十年來，每當深夜夢迴，扣心自問，無一事可慰老懷，就算鄧家堡

還能置於武林是非之外，老朽也要挺身而出，爲武林正氣盡上一份心力……」

突然一陣急促的鑼聲傳了進來，打斷了鄧固疆未完之言。

鄧開宇霍然起身，疾奔而出。

楊夢寰一皺眉，道：「這可是貴堡中傳警訊號麼？」

鄧固疆道：「不錯。」

楊夢寰道：「咱們出去瞧瞧。」

童淑貞道：「不勞師弟。」一躍而起，奔向室外。

她發動雖然慢了鄧開宇一步，但搶在鄧開宇前面出室。

楊夢寰知她武功高強，是她趕了出去，也就坐著未動。

那知等了一盞熱茶工夫之久，仍不見童淑貞返回，楊夢寰心中急了起來，忍不住起身說道：「老前輩咱們去看看吧。」

當先向外奔去。

鄧固疆早已有些不安，但見楊夢寰坐著不動，也只好忍著性子奉陪。

楊夢寰奔出地窖室門，已聽到金刃劈風之聲，抬頭看去，只見屋面上刀光劍影，閃閃耀目，童淑貞長劍飛舞，和兩個用刀黑衣大漢打得十分激烈。

鄧開宇卻早已走得蹤影不見。

楊夢寰細查那個黑衣大漢的刀法路數，不禁心頭一震，暗道：無怪童淑貞和兩人纏鬥的如

此之久，原來這兩人刀法，竟是歸元秘笈上記載之學。

他雖未睹歸元秘笈全貌，但卻已從趙小蝶口中傳出，知道甚多，一看黑衣大漢刀招變化，有不少正是趙小蝶講述過的刀中招術。

兩個黑衣大漢刀招雖然凌厲奇奧，但童淑貞仍能控制戰局，占盡優勢。

鄧固疆低聲說道：「楊大俠請留在此地觀戰，老朽到前面瞧瞧去。」

沈霞琳突然接口說道：「我和你一起去，此地有寰哥哥一個人就行了。」

她胸無城府，想到就說，從來不想出口之言，是否會得罪人。

好在那楊夢寰名滿天下，鄧固疆雖然聽得很清楚，亦不覺有刺耳之感，回頭笑道：「夫人還請留在此地陪著楊大俠，老朽如遇強敵，自會示警請援。」

沈霞琳道：「不要緊，寰哥哥足可應付強敵，我還是跟著老前輩吧！」隨著鄧固疆向前走去。

楊夢寰細看童淑貞和那兩個大漢動手情形，雖然仍能控制全局，但這等纏鬥之勢，一時間卻無法分出勝敗。

原來每當那童淑貞取勝之時，兩個黑衣大漢必有一招奇奧難測的救命刀招施展出來，穩住敗勢。

楊夢寰這些年來，不但孜孜於自身進境，而且兼對各大門派，以及江湖上的獨門武功都極留心，以那兩個黑衣大漢的刀法路數而論，是早該落敗才是，只是他們各有幾招救命招式，微妙的保持了平衡。

這是一場無法立刻分出勝敗的纏鬥，表面上看去，童淑貞控制大漢，具有著壓倒性的優勢，但卻是無法傷得兩人。

楊夢寰忖度了一下眼前的形勢，暗道：童淑貞的劍法似已深得天機真人的神髓，我如能助她傷了其中一人，當可打破這微妙均衡，心中一轉，暗中提聚真力，右手微揚，遙遙點出，發出了天罡指力。

一股暗勁，破空而去，點中了一個執刀大漢。

那大漢正自揮刀攻向童淑貞的右肩，楊夢寰的天罡指力卻適時而至，正點中「肩井穴」，悶哼一聲，手中單刀脫手，人也從房上摔了下來。

另一個大漢眼看同伴摔了下去，不禁大慌，兩人那幾招救命的刀法中，原有著配合御敵之妙，如今陡然間傷了一人，立時失去了平衡的微妙，欲待逃走，卻又被童淑貞劍光圍住，勉強支持兩招，被童淑貞劍勢逼開刀勢，一腳踢中左胯，一個跟頭，從房上栽了下來。

童淑貞含辱偷生，心中對陶玉懷恨極深，積怨所及，對陶玉手下，都有著無比憎恨，飛身下屋，長劍一起，疾斬而下。

楊夢寰急聲說道：「師姊劍下留人。」

童淑貞收了長劍，道：「這等人留下無益，何不殺了算啦。」

楊夢寰笑道：「咱們對陶玉的陰謀計劃茫然不解，何不留下活口，問出詳情。」

童淑貞道：「師弟說得是。」伸手又點了兩人幾處穴道，提了起來，直奔入地窖之中。

楊夢寰有心在鄧家這廣大的宅院之中巡行一周，但想到這地窖中還住著失去武功的宮天健，和鄧家老弱婦孺，鄧固疆和鄧開宇聞警而出，四下搜尋敵蹤，毫無後顧之憂，無非是對自己放心而已，我如離開此地，被人乘虛而入，傷了宮天健或是鄧家的人，那可是終身一大憾事。

心念一轉，守在地窖門口，不敢輕離一步。

且說沈霞琳緊隨鄧固疆身後，搜尋敵蹤，鄧固疆在這宅院之中，住了數十年之久，對這廣大宅院的一草一木，瞭若指掌，熟悉已極，片刻間巡行了兩重庭院，但卻未再見過敵蹤，不禁一皺眉頭，自言自語的說道：「難道只有兩個人……」

一句話還未說完，突然冷笑傳來，暗影中人聲接道：「你可是這鄧家堡主麼？」

鄧固疆吃了一驚，道：「正是老夫，朋友是何方人物？」

口中答話，人卻凝目向發話之處望去。

只見七八尺開外，昂然一個身著黃色及膝大褂，腰中束著一條三寸寬的白絲腰帶，淡黃綢褲，粉底快靴，高卷袖管，手腕上套著四雙耀眼的金環，手執金環劍的少年。沈霞琳驚呼了一聲：「陶玉。」嬌軀一側，搶到了鄧固疆的前面，唰的一聲，拔出長劍，平橫胸前，秋波凝神，望著那黃衣少年，蓄勢戒備。

那黃衣少年冷冷的望了兩人一眼，道：「鄧堡主不肯交出解藥，今宵我要血洗你鄧家堡，雞犬不留。」

沈霞琳聽他說話聲音不似陶玉，心中突然一動，暗道：想那陶玉為寰哥哥掌力震傷內腑，當場吐血，傷勢是何等沉重，縱然有靈丹妙藥，也不是一時片刻間可以養好，這人定然是陶玉的化身了。

她確定了對方不是陶玉之後，不禁膽氣一壯，一揮長劍道：「鄧堡主年高望重，你這人說話怎麼一點禮貌也沒有。」

那黃衣少年冷冷喝道：「你是什麼人？」

沈霞琳正想說出姓名身分，心中突然一動，暗道：陶玉手下沒有好人，那也不用和他通名報姓了，當下說道：「不告訴你。」

那黃衣少年怒道：「臭丫頭，我先宰了你，再逼那匹夫交出解藥。」一振手中金環劍，唰的一聲，刺了過來。

沈霞琳長劍一起，一招「金絲纏腕」，反向敵人脈門削了過去。

那黃衣少年疾退一步，手腕一挫，金環劍同時疾旋而回，想用金環去鎖拿沈霞琳手中長劍。

沈霞琳哪容他鎖住長劍，手腕一振，長劍微偏，避開腕上金環，揮劍快攻，眨眼之間已然連續攻出五劍。

這五劍不但迅快無匹，而且無一招不是攻敵要害，只瞧得鄧固疆暗暗點頭道：只見楊夫人的劍路，就不難推想到那楊大俠的武功了。

沈霞琳和人動手，原本很少施下辣手，但她心中對陶玉記恨甚深，此人衣著相貌無不和陶玉酷肖，是以勾起她心中怨恨，下手劍招極是毒辣。

這黃衣少年正是陶玉的四靈化身之一，武功非同小可，但在輕敵大意之下，被沈霞琳五劍快攻，迫得連退數步，才知遇上勁敵，趕忙凝神運劍，守住門戶，先把劣勢穩住。

他武功原是陶玉傳授，劍招大都是歸元秘笈上記載之學，連出兩劍奇招，不但平反劣勢，且有反擊之能。

但見兩柄長劍展開了一場搶攻，剎那間冷芒電旋，劍氣瀰空。

鄧固疆看兩人劍招各具奇異，甚多是從未見聞的怪招，心中暗叫了一聲：慚愧，如非沈霞琳隨同自己而來，遇上這樣一個強敵，只怕是早已傷在那黃衣人的劍下了。

雙方各以快劍搶攻，急取先機，不大工夫又已各自攻出了四五十招。

沈霞琳的劍勢雖奇快，脈絡分明，有如長江大河，綿綿不絕。

那黃衣少年的劍勢卻是怪異奇突，不成章法，看上去形勢繚亂早該落敗才是，但他卻常在沈霞琳搶去主動，攻勢已成時，唰唰兩招怪劍，突亂了沈霞琳劍勢，迫得沈霞琳又得從頭來過十幾招後，才能重新取得先機。

鄧固疆雖然年過花甲，跑了大半輩子江湖，見過不少大陣惡戰，但卻從未見過今宵這種惡戰，瞧那絕招奇變，目不暇接，暗道：我鄧固疆活了六十多歲，今晚上也算開了一次眼界啦！

這時沈霞琳和黃衣少年已然鬥到百招以上，雙方仍是一個不勝不敗之局。

那黃衣少年似是想不到小小的鄧家堡中，竟然會遇上這般強敵，心中大是焦急，暗道：如若今宵不能取回解藥，只怕要受師父一頓責罰，此女劍招精奇，有很多招術和我頗爲相近，似這般纏鬥下去，不知要打到幾時才能停手，怎生想個法子把她制服才是。

但見沈霞琳愈戰愈勇，劍招變化更見沉穩，劍上來勢，亦增了不少強勁。

那黃衣少年雖然極力反擊，但卻始終無法搶得先機，更遑論制服沈霞琳了。

雙方又惡鬥了八九個回合之後，那黃衣少年已自知無能勝過對方，如若求勝必得另行設法。

他心中念頭轉動，分了不少的精神，卻被霞琳覷了個空隙，逼開他的金環劍反手一招，刺中了左肩。

那黃衣少年本待要施展暗器求勝，但左肩受傷之後，突然又改了主意。

只見他緩緩舉起手中的金環劍，在頭上繞了數匝，重又舉劍待敵。

那知過了許久時光，仍是不見動靜。

這一次那黃衣少年似是戰志全失，回身急奔而去。

沈霞琳望著那黃衣少年的背影，低聲對鄧固疆道：「這是陶玉的化身之一，陶玉鬼計多端，所有的化身亦都十分陰險，咱們不用追他了。」

鄧固疆心中雖然未必同意沈霞琳的見解，但口中卻是連連應道：「不錯，不錯，楊夫人高見。」

沈霞琳也無法分辨鄧固疆是有意奉承，還是有意譏刺，微微一笑，不再言語。

鄧固疆帶著沈霞琳找了一周，未再搜出敵蹤，才退回地窖大廳之中。

這時那兩個被擒的黑衣大漢，似是遠來佳賓一般，各自分坐一椅，一言不發。

鄧開宇急急起身謝道：「多謝夫人保護家父。」

沈霞琳笑道：「不用謝啦，我一點也未幫他，雖然傷了陶玉一個化身，但卻又被他遁走……」

目光一轉，望著楊夢寰道：「你問過這兩個人了？」

楊夢寰道：「問他們，他們也不肯多說，不如不問的好……」

語聲微微一頓，接道：「如今時光已然不早，咱們也該休息了。」

鄧開宇道：「早已爲幾位準備好了住宿之處。」舉手互擊三掌。

只見兩個丫頭行了過來，帶著沈霞琳等而去。

楊夢寰望了鄧開宇一眼，道：「這地窖外的布設防守如何？」

鄧開宇道：「不勞楊大俠費心。」

楊夢寰道：「好！」突然提起一個黑衣大漢，低聲說道：「左面第三個門戶，是宮老前輩。」

鄧開宇道：「不錯啊！」

楊夢寰提起黑衣大漢直向宮天健房中行去，推門而入，放下黑衣人，抱拳說道：「宮老前輩。」

宮天健伸手一指對面一個蒲團，道：「楊大俠請坐。」

楊夢寰盤膝坐了下去，道：「在下忽然想起一事，難以入眠，特來請教。」

宮天健道：「不敢，不敢，楊大俠有何指教，在下洗耳恭聽。」

楊夢寰笑道：「在下想和老前輩研究一個問題。」

宮天健道：「什麼問題？」

楊夢寰道：「在下想和老前輩研究一下，一個人的脈穴受傷之後，是否影響他的武功進境？」

宮天健先是一怔，繼而微微一笑，道：「楊大俠可是有心來此，助老朽恢復武功麼？」

楊夢寰嘆息一聲，道：「老前輩料事如神，在下也不便再行掩飾，聞得老前輩已爲恢復武功之事，苦修了十年，不知眼下的情形如何？」

宮天健嘆道：「王寒湘傷了我三道主要經脈，又點傷四處經外奇穴，使我數十年苦練的武功付於東流。」

楊夢寰道：「老前輩這些年來，可有什麼進境麼？」

宮天健道：「十餘年來，只不過打通了兩條經脈，還有一條主脈和四處經外奇穴未能解開，唉！看將起來，只怕還要十年時光。」

楊夢寰道：「十年打通了兩條經脈，那是足見老前輩恢復有望，如能找出訣竅，或可在短期內療治復元。」

宮天健嘆道：「老朽親身經歷，年有寸進，十餘年來，只不過打通兩條經脈，還有一條主脈和四處經外奇穴，老朽準備再下十年功夫，將它打通……」

他又長長嘆息一聲，道：「如若是難以如願，老朽也不願偷生人世了。」

楊夢寰道：「十年能成之事，也許能夠在三個月或是半年之內完成，亦未可知。」

宮天健道：「老朽已然盡我之能，想盡了辦法，唉……三月或半年之期，老朽實無把握。」

楊夢寰道：「據在下的看法，老前輩十年打通了兩條受傷的經脈，那証明王寒湘手法並非是無可挽救，其間的差別，只不過是在時間有所不同，如若能夠找出真正原因，有在下從旁相助，或可收事半功倍之效，不知老前輩意下如何？」

宮天健沉吟了一陣，道：「鄧大哥對我宮天健恩同再造，在下是感恩莫名，除了鄧大哥外，我宮某人生平之中，還未講過感恩之言，如若楊大俠真能助我恢復武功，老朽在搏殺王寒湘後，願以餘年，聽憑差遣。」

楊夢寰道：「老前輩言重了，楊某願盡心力，助老前輩恢復神功。」

宮天健道：「大概是透骨打脈一類的手法。」

伸手一撥放在身側的黑衣大漢，接道：「老前輩可知那王寒湘用的什麼手法傷了你麼？」

楊夢寰道：「那是當然，如若他沒有透傷筋脈的內勁，也無法傷到脈穴了……」

語聲微微一頓，抓起那黑衣人，接道：「此人乃是今宵來犯的匪徒之一，對付這等人，咱們也不必客氣。」

宮天健道：「楊大俠可是想要老朽把本身之傷，全部加諸在這人身上。」

楊夢寰道：「不錯，在下雖想有種解除傷穴之法，但卻是毫無把握，只有借重這位兄台的身體先行一試了。」

宮天健道：「爲著老朽，這未免有些……」

楊夢寰道：「我那師姊對陶玉恨之入骨，影響所及，凡是和陶玉有關之人，都不肯輕易放過……」

微微一笑接道：「如我不借他來幫助老前輩療傷，只怕他早已死在我那童師姊的劍下了。」

宮天健道：「原來如此。」

楊夢寰道：「咱們借他研治傷穴，雖是有些不該，但比起一刀把他殺了，那又強上許多。」

宮天健緩緩伸出手去，按在那大漢左腿「五里」、「陰廉」二穴之上，道：「老朽還有這一條主脈沒有復元。」

楊夢寰伸手摸了一下，道：「這是屬於足厥陰肝經。」突然運起掌力，在那大漢腿上拍了一掌。

宮天健嘆息一聲道：「這般相勞楊大俠，老朽甚是不安。」

楊夢寰道：「老前輩還有幾處經外奇穴也遭傷害，不知可否指出傷處？」

宮天健道：「到目前爲止，老朽還無法叫出那幾處經外奇穴的名字。」

楊夢寰道：「經外奇穴，原來就沒有一定的名稱，老前輩只要指出地方就行了。」

宮天健伸出手，就那大漢身上，指出了自己受傷之處。

楊夢寰掌勢隨著他移動，每經一處就暗運功力，傷了那大漢的經外奇穴。

宮天健道：「老朽亦曾想過這經外奇穴，乃人真氣難及之處，只怕甚難療治。」

楊夢寰道：「老前輩說的不錯。」

宮天健道：「因此老朽亦存了一份僥倖之想，它既不妨礙血氣的流轉，也許不會阻礙我恢復神功的了。」

楊夢寰微微一笑，道：「老前輩請伸雙掌。」

宮天健依言伸出雙掌。

楊夢寰道：「未得同意之前，老前輩最好不要鬆開雙掌。」

舉起雙手，四掌緊緊抵在一起。

宮天健初和楊夢寰雙掌觸接，還沒有什麼感覺，大約過了一盞茶工夫，突覺一股熱流緩緩由對方掌心湧了出來，循臂而上，直向內腑攻了過來。

熱流綿綿，有如長江大河一般，不斷的循臂湧入，帶動宮天健體內行血，真氣循轉於經脈之間。

宮天健才慧過人，楊夢寰要舉起雙掌時，已知了楊夢寰的用心，希望以本身內功幫他打通受傷經脈，但想到十數年來，曾經連得鄧固疆數番相助，均未能如願，楊夢寰以此相助，只怕亦難如願，但他卻未料到年紀輕輕的楊夢寰，竟有著如此精深的內功，有如大河之水，用之不盡，取之不竭，趕快運功相和。

但覺那運行的真氣湧到「足厥陰肝經」上時，遇到很強阻力。

宮天健暗裏一咬牙，心中暗道：此後半生之中，只怕再也難以遇上像楊大俠這般內功深厚之人相助，如若不借機打通，受傷脈穴，只怕此後永無復元之望了，暗運內力，拚受奇痛，引

接楊夢寰攻入體內的真氣，硬向那受傷經脈之上衝擊。

楊夢寰眼看宮天健滿臉汗落如雨，全身微微的顫動，似是拚力在忍受著各種痛苦，立時一吸氣，停下源源攻入的內力，笑道：「老前輩，真氣可是湧集『五里』『陰廉』二穴之上麼？」

宮天健放下雙掌，嘆道：「看起來老朽這一生中，只怕難有恢復之望，楊大俠也不用再費心了。」

楊夢寰微微一笑，道：「晚輩要証實老前輩運轉於體內的真氣，是否湧集在『五里』『陰廉』二穴之上難以通過。」

宮天健道：「不錯，正是在二穴之上。」

楊夢寰臉色一整，肅然說道：「晚輩之能，還無法自行查出老前輩的傷穴，此事老前輩必得言說清楚，倘若有了錯誤，不但要白費一番心機，或將鑄下大錯。」

宮天健凝目沉思一陣，道：「錯不了。」

楊夢寰右掌運揮，拍活那黑衣大漢的穴道，說道：「你如是想活命，那就得好好聽我的話。」

那黑衣大漢道：「你是什麼人？」

宮天健道：「楊夢寰。」

黑衣大漢道：「你就是名震武林的楊大俠麼？」

楊夢寰道：「正是在下。」

黑衣大漢道：「楊大俠譽滿天下，在下信得過你的話，但不知要我做什麼事？」

楊夢寰道：「我傷了你『足厥陰肝經』和四處經外奇穴，現在我要再行設法打通你受傷的一脈與四穴。」

那黑衣大漢道：「楊大俠此言很難讓在下相信。」

楊夢寰道：「事情很簡單，我要療治好這位老前輩的傷勢，但心中沒有把握……」

那黑衣大漢倒是爽氣得很，哈哈一笑，道：「所以要拿在下作試驗，你如是醫死在下，良心、道義上都不用負一點愧疚責任是麼？」

楊夢寰淡淡一笑，道：「你猜的只算對了一半。」

那黑衣大漢奇道：「爲什麼？」

楊夢寰道：「如非我借重閣下，你早已死在我那童師姊的劍下了，因此在下萬一醫死了，良心上不用負一點愧疚，道義上也不用負責，這一點你算是猜對了，錯的是在下有把握不會把你醫死，如借重閣下的身體試驗，只不過是要証實我心中幾個推想而已……」

他語音微微一頓，又道：「你該明白，咱們此刻是敵對相處，我如不殺你，日後你還有殺害武林同道的機會，但我借你身體試作療傷之用，決定饒你不死，但卻要毀去你一身武功。」

那黑衣大漢嘆道：「對一個會武之人而言，毀去他一身武功，那是比殺了他還要難過。」

楊夢寰道：「如若不廢你的武功，豈不是縱你爲惡，日後不知要多少武林同道性命抵償。」

那黑衣大漢沉吟了一陣，道：「好！在下答應楊大俠借我身體試驗，盡我之能合作就是……」

楊夢寰道：「好！現在我以內力助你，重開傷穴，如有不安之處，或是痛苦難耐，記著要早些告訴我。」

那黑衣大漢道：「可要在下運氣相和？」

楊夢寰道：「那自然是要。」伸出右掌，按在那大漢「命門」穴上，一提真氣，一股熱流綿綿湧入那大漢「命門」穴內。

大約有一盞茶功夫，那黑衣大漢全身突然顫動起來，汗水如泉，濕透重衣。

楊夢寰雖然感覺到他極力忍受著痛苦，但他既然不言語，總是在可忍範圍之內，也就裝作不知，內力綿綿急湧而入。

那黑衣大漢終於忍受不住，長長吁一口氣，道：「楊大俠，傷穴處疼如刀割，內力難渡。」

楊夢寰取開按在他命門穴上的手掌，說道：「你好好休息一下，等一會咱們換上一個法子試試。」

那大漢似是極爲疲累，應了一聲，閉上雙目，自行調息。

只見楊夢寰伸出手來，不停在自己身上移動，口中喃喃自語，只是聲音既低，又說得含糊不清，別人也不知道他說的什麼？大約有頓飯功夫之久，楊夢寰突然一躍而起，口中不住的喊道：「鄧兄，鄧兄，快拿銀針過來。」

但聞呀然一聲，室門大開，鄧開宇、鄧固疆齊齊走了進來。

鄧開宇低聲說道：「楊兄有何吩咐？」

楊夢寰道：「府上可有銀針？」

鄧開宇急道：「有，有……」奔出室外。

片刻之後，手中捧著一盒銀針，急步走了進來，道：「銀針在此，楊大俠請用。」

楊夢寰伸手取過銀針，望了宮天健一眼，目光移到那黑衣大漢身上，低聲說道：「如若你有痛苦之感，那就叫我一聲。」

那大漢點點頭，道：「記下了。」

楊夢寰取過四枚銀針，分別插在四處經外奇穴之上，低聲問道：「現在有何感覺，傷穴處痛還是不痛？」

那黑衣大漢道：「不痛，但卻有一種痠麻之感。」

楊夢寰喜道：「這就是了，還有什麼感覺麼？」

那黑衣大漢道：「除了四肢有著微麻之感，別無異樣。」

楊夢寰道：「好！我再用真氣助你療傷，看看真氣是否可以通過傷穴。」右掌按在那黑衣大漢「命門」穴上，立時有一股熱流攻入那大漢內腑之中。

大約有頓飯時光，那黑衣大漢臉上開始滾落汗水，但仍強自咬牙，苦忍不言。

楊夢寰緩緩停下手來，低聲問道：「不行麼？」

那黑衣大漢道：「不要緊，反正咱們在敵對地位，縱然是你把我醫死了，也是沒有話講。」

楊夢寰凝目沉思了一刻，突然又取過一支銀針刺了下去。

這一下那黑衣大漢如同挨了一次重擊般，失聲尖叫。

楊夢寰聽那人尖叫，心中似是突有所悟，自言自語，道：「大概是如此了。」

他自說自話，別人也聽不懂他言中之意。

楊夢寰似是陡然間貫通了所有的問題，緩緩把宮天健放臥在地上，右手高高舉起了一枚銀針，道：「你如有疾疼之感，快告訴我。」

鄧固疆、鄧開宇臉色嚴肅的站在楊夢寰的身後，臉上是一片端肅凝重，望著他手中緩緩落下的銀針，只聽宮天健長長吐一口氣，但卻忍下不言。

楊夢寰低聲說道：「怎麼？很疼麼？」

宮天健道：「你手按之處，似非傷穴。」

楊夢寰道：「那很好，你要小心一些了。」左手輕輕一指，彈在宮天健肘間麻穴之上。

宮天健全身突感一麻，楊夢寰鬆下手中銀針。

鄧固疆一瞧楊夢寰銀針落下之處，並非是宮天健平日常疼痛之處，忍不住說道：「楊大俠，地方沒有錯麼？」

楊夢寰隨口應道：「沒有錯。」又伸手取過來一枚銀針，在那黑衣大漢身上比試了很久，一針刺了下去，一面問道：「很疼麼？」

那黑衣大漢本想失聲呼叫，但卻強自忍了下去，道：「有些疼。」

九　浴血夜戰

楊夢寰點點頭，又取過一枚銀針，比照那大漢部位，刺入了宮天健的身上，一面問道：「疼不疼要據實而言。」

宮天健道：「兩處都很疼，但以後者爲最。」楊夢寰道：「老前輩請忍耐一下，在下經過了極仔細觀察，老前輩恢復武功的可能，希望甚大。」

言罷出室而去，順手帶上了兩扇木門。

鄧開宇悄然的追上來，道：「楊大俠，你看他可有恢復武功的希望麼？」

楊夢寰道：「現在是五十對五十的機會了……」語聲微微一頓，接道：「他傷穴和經脈之間的肌肉那般疼苦，證明傷勢並未擴展。」

鄧開宇道：「那銀針可要取出？」

楊夢寰道：「暫時不要。」

鄧開宇道：「楊大俠可要休息一會麼？」

楊夢寰點點頭道：「我很疲累。」

鄧開宇看楊夢衰疲累異常，把他帶進了一處房間，道：「那黑衣大漢呢？」

楊夢寰道：「好好看管，明日午時，我去瞧他們兩人銀針傷害之情。」

鄧開宇道：「我記下了，楊大俠休息吧！」轉身向外行去。

楊夢寰道：「鄧兄，請留步。」

鄧開宇道：「楊大俠還有什麼吩咐？」

楊夢寰道：「準備二十斤上好的陳醋。」

鄧開宇道：「記下了。」帶上房門，退了出去。

次日天亮時分，鄧固疆召集了八個精明的家丁，每人給他們一封書信，說道：「你們小心了，不論如何都要想法把這書信送到指定地點。」

八個勁裝大漢齊齊對著鄧固疆一抱拳道：「堡主放心，我等……」

鄧固疆揮手道：「你們去吧！」八個勁裝大漢魚貫出了敞廳。

鄧府大門早已備好了八匹快馬，馬上帶著兵刃、乾糧。

八匹馬離開了鄧家堡，分別就道，分奔向八面所在。

且說楊夢寰雖然內功深厚，但因打通那宮天健的受傷脈穴，消耗真力過多，亦有著疲累之感，這一調息靜坐，一直打坐了四個時辰，才清醒過來。

睜眼看去，只見陽光滿窗，已經是日昇三竿的時分。

楊夢寰伸展一下雙臂，急急打開室門，奔了出去。

鄧開宇早已在室外等待，滿臉焦急之容，想是早已來了許久。

楊夢寰低聲問道：「怎麼？可是宮老前輩傷處有了變化麼？」

鄧開宇道：「銀針處紅腫，已有兩個時辰了。」

楊夢寰啊了一聲，急急奔向宮天健的房中。

只聽一陣輕微的呻吟聲傳了過來，楊夢寰奔進宮天健的身側，低頭看去，果見銀針刺入之處，紅腫甚高。

細查兩人落針之處。並無錯誤。

再看那黑衣大漢時，卻是毫無異徵。

楊夢寰略一沉吟，迅快的拔下那宮天健和黑衣大漢身上的銀針，伸手摸去，只覺宮天健頭上高熱燙手，不禁一呆。

回目望去，只見那黑衣大漢圓睜著雙目，忍不住低聲問道：「你覺得怎麼樣？」

那黑衣大漢道：「我很好。」

楊夢寰凝目沉思了一陣，道：「你那足厥陰肝經和四處經外奇穴，可有變化？」

黑衣大漢道：「除了感覺難通之外，別無異樣之感。」

楊夢寰回頭去，伸手按在宮天健的背後「命門穴」上，低聲對鄧開宇道：「有勞鄧兄去請我那童師姊來一趟好麼？」

鄧開宇應了一聲，急急奔去。

楊夢寰外貌之上，雖仍保持著鎮靜之容，但內心之中卻十分緊張，只因這變化大大的出了

他意料之外。

他長長吁了一口氣，低聲說道：「宮老前輩……宮老前輩……」

他一連呼叫了數聲，宮天健才緩緩睜開雙目，望了楊夢寰一眼，道：「楊大俠，老朽恐怕是不行了，楊大俠的盛情，老朽心領了。」

楊夢寰道：「老前輩但請放心，楊夢寰當盡我所有之力，定要恢復老前輩的武功。」

宮天健苦笑一下，道：「楊大俠不用多費心了，我自己明白……」

一陣步履之聲打斷宮天健未完之言，鄧開宇、童淑貞聯袂奔了進來。

童淑貞打量了宮天健和那黑衣大漢一眼，道：「楊師弟找我麼？」

楊夢寰道：「請問師姊一件事。」

童淑貞道：「什麼事？」

楊夢寰道：「天機真人那遺留劍訣之上，可有療傷之法？」

童淑貞道：「似有記載，但我卻一心習練劍術，未曾細讀。」

楊夢寰道：「師姊可否把那劍訣給兄弟瞧瞧，我只要瞧療傷篇。」

童淑貞道：「師弟縱是要閱讀全篇，我也萬無不給之理。」

探手從懷中取出一本黃緞封面的冊子，遞了過去。

楊夢寰目光一瞥，只見上面寫道：天機劍訣四個字，封皮甚新，字跡似出自童淑貞的手筆，顯然是重新裝訂，心中暗自奇怪，此等奇書，把它裝訂的這樣新，豈不是故意要人注目，心中在想，口中卻是無暇去問，匆匆翻到了療傷篇，仔細讀去。

童淑貞暗道一聲：慚愧。忖道：我縱然不習醫道，也該瞧瞧那療傷篇中記些什麼？這劍訣在我身上藏了數年之久，竟然還有未看之篇。

楊夢寰看得十分仔細，那療傷篇不過僅僅兩頁，楊夢寰看了半個時辰之久，還不釋手，顯然是在逐字逐句的推敲、思索。

但聞宮天健長長歎息一聲，道：「楊大俠，不用爲老朽多費心了。」

楊夢寰全神貫注在劍訣療傷篇，根本未聽見宮天健說的什麼。

童淑貞看那宮天健狀甚痛苦，忍不住伸出手去，點了他兩處穴道。

鄧開宇靜靜的站在一側，一臉愁苦，默然不語。

童淑貞低聲說道：「少堡主不用憂苦，我師弟既然答應了，定然會盡他心力。」

餘音未絕，突聽室外叫道：「少堡主，少堡主……」聲音充滿驚恐之情。

鄧開宇急步奔了出，問道：「什麼事？」

只聽那人答道：「大廳上放了四顆人頭……」

童淑貞聽得心中一動，急急追了出去，緊追鄧開宇的身後，出了地窖，直奔大廳。

只見寬敞的大廳中一張八仙桌上，並放著四顆人頭，血色猶新，分明是被殺不久。

每一顆人頭都壓著一張信箇，但封箇早已被鮮血染紅了。

兩個家丁呆呆的站在廳門後面，動也不動一下。

童淑貞望著那四顆人頭，低聲問道：「少堡主可瞧得出是什麼人？」

只聽一個蒼涼的聲音接道：「鄧府家下，老朽派出的傳信之人。」
童淑貞目光一掠那四個人頭，道：「老堡上派出了幾個家丁？」
鄧固疆道：「八個。」
童淑貞道：「八個人死了四個。」
鄧固疆縱步行近那八仙桌邊，伸手取過左首人頭下壓的一封函簡。
鮮血透濕中，隱隱可見字跡，寫的是：少林掌門方丈親啓。
童淑貞探過頭去，瞧了一眼，道：「老堡主和那少林方丈相識？」
鄧固疆搖搖頭，道：「從未見過，老朽要借重楊大陜的身分，函邀諸大門派，和天下幾位英雄一齊會聚於鄧家堡。」
童淑貞道：「我師弟可有這等聲望麼！」
鄧固疆道：「楊大俠身受天下武林同道敬仰，雖堅辭盟主，實則仍有著盟主之實。」
只聽鄧開宇叫道：「這兩個家丁都被點了穴道。」
童淑貞霍然轉過身去，急步行了過去，看了兩人一陣，疾出兩掌，拍活了兩人的穴道。
原來鄧開宇早已發覺兩人的穴道被點，亦曾施展推宮過穴手法，企圖拍活兩人穴道，但因兩人穴道是被一種很奇異手法點中，竟然無法解得，這才呼叫童淑貞出手解開兩人穴道。
只聽一陣急促的步履之聲傳了進來。
鄧開宇心中一凜，暗道：難道又出了事麼？身子一閃，疾快的迎了出去。

只見一個家丁，滿臉驚慌之色，直向廳中衝來。

鄧開宇一揮手，低聲對那家丁問道：「什麼事？」

那家丁低聲說道：「後花園出了事情……」

鄧開宇低聲說道：「快退回去，別讓老堡主知道。」

那家丁應了一聲，轉身而去。

鄧開宇凝神聽去，鄧固疆正在向兩個家丁講話，悄然奔向了後花園中。

園中花木繁茂，假山旁水聲潺潺。

鄧開宇目光一轉，只見假山旁，一株高大的花樹上高吊著兩具屍體，不禁心中一驚，急急奔了過去，兩人早已氣絕而死。

這兩人面貌熟悉，鄧開宇目光一轉，已瞧出是鄧府家丁。

鄧開宇緩緩伸出手來，正想去解那屍體下來，突聽一聲嬌脆的呼聲道：「鄧少堡主……」

鄧開宇如被毒蛇咬了一口，急急轉身望去，只見一個頭梳雙辮，身著青衣的少女站在七八尺外。

這意外的變化，反使鄧開宇目瞪口呆的半晌說不出一句話來。

那青衣少女目睹鄧開宇驚愕之情，不禁嗤的一笑，道：「你很害怕麼？」

鄧開宇如夢初醒，暗中提聚了一口真氣，道：「你是什麼人？」

那青衣少女格格一笑，道：「多情使者。」

鄧開宇吃了一驚，道：「你是多情仙子的屬下？」

青衣少女道：「不錯。」

鄧開宇道：「來此有何見教？這兩人可是你傷的麼？」

青衣少女格格一笑，道：「仙子多情，特差使者來奉告鄧少堡主一事——」

語聲微微一頓，接道：「多情門下，素不妄殺，少堡主問的未免太唐突了。」

鄧開宇想到多情仙子那嬌美如花的容貌，有如霧中之花，使人看不真切，但卻留給人最深切的懷念，不禁心神往馳。

多情使者不見鄧開宇回答問話，忍不住又道：「少堡主心中可是仍然懷疑麼？」

鄧開宇鎮靜一下心神，說道：「在下相信姑娘不會說謊，但不知寒舍兩個家丁，是何人所傷？」

多情使者道：「我看到一老一少，兩個黑衣人，背了兩具屍體，送了進來，妾身本想出手攔阻，但後來一想，妾身此來旨在傳警，如若和人動起手來，豈不是露了真相麼？因此就隱身在花樹叢中，等待著少堡主前來。」

鄧開宇道：「你怎麼知道我一定要來？」

多情使者道：「妾身想這兩具吊起來的屍體，定然會被人發覺，家丁不敢隱匿不報，少堡主豈不是定要趕來。」

鄧開宇道：「姑娘機智過人，佩服，佩服！」

多情使者道：「好說，好說，多情門下十二花娥，妾身該算是最差的一個了。」

鄧開宇道：「姑娘此來傳警，不知賜教何事？」

多情使者道：「少堡主和我家仙子有過一面之雅，仙子最是念舊，不忍眼看一場殺劫臨頭，不聞不問，特遣小婢趕來通知少堡主一聲，準備應變。」

鄧開宇道：「什麼事？」

多情使者道：「三日之內，鄧家堡將有大變，妾身來意已然說明，就此別過了。」

鄧開宇道：「請使者轉告仙子，就說我鄧開宇感激莫名，他日相逢，再當面致謝意。」

多情使者微微一笑，道：「妾身原話轉告，一字不減，」縱身而起，一躍丈餘。

鄧開宇一抱拳道：「恕不遠送。」

遙聞多情使者答道：「不敢勞駕。」餘音在耳，人已到花牆之外。

鄧開宇放下了兩個屍體，仔細查看，都是被內家重手法一擊斃命，想那出手之人，武功定然不弱。

回目望去，只見花園門口站著兩個鄧府家丁，當下舉手一招，兩個家丁急急奔了過來。

鄧開宇低聲說道：「快把兩具屍體埋起，暫時不要告訴老堡主。」

兩個家丁應了一聲，背起兩具屍體大步而去。

鄧開宇匆匆離開後院，直奔大廳。

這時鄧固疆和童淑貞仍然守在大廳之中，那桌上人頭早已收去。

只聽鄧固疆道：「但望另外四人能夠平安把信送到，想他們在五日以內，就可以趕回來了。」

鄧開宇暗暗歎息一聲，忖道：只要能有一個把信送到，那就算不錯了。

心念轉動間，人已悄然步入大廳。

鄧固疆目光一轉，望了鄧開宇一眼，道：「什麼事情？」

鄧開宇心念老父精神負擔已重，目下暫時不宜再加重他的負擔，當下說道：「有一位姑娘來訪，孩兒已打發她去了。」

鄧固疆道：「那裏來的姑娘？」

鄧開宇道：「多情仙子差遣來的使者。」

鄧固疆道：「她說些什麼？」

鄧開宇心知茲事體大，關乎鄧家堡近千人的生死，雖將增加鄧固疆的煩惱，也不能不據實以告，當下說道：「那使者奉了多情仙子之命，來咱們鄧家堡中傳警，她說三日之內，咱們鄧家堡將掀起血雨腥風的惡戰。」

鄧固疆臉色凝重，捋著長髯，緩緩說道：「她說的不錯，咱們得早些準備一下。」

鄧開宇道：「爹爹既然相信了那多情使者傳警，咱們鄧家堡可要全面戒備？」

鄧固疆道：「不錯，咱們得全面戒備，你傳我令諭，堡中的老弱婦孺立刻撤走，有親的投親，無親亦請暫時寄住在友人家中……」

鄧開宇應了一聲，轉身而去。

鄧固疆長歎一聲道：「站住！」

鄧開宇道：「爹爹還有何吩咐？」

鄧固疆道：「凡是獨子之家，縱過弱冠之年，也不用留下，三兄弟者留一人，四兄弟者留兩人，但凡留在堡中之人，一律編組成隊，十人一隊，準備強弩，硬弓，石頭，辣粉，今夜子午之前，編隊完成，我去和你宮叔父研究一下拒敵之策，再作佈置。」

鄧開宇道：「孩兒都記下了。」轉身向外行去。

鄧固疆仰臉望天，長長吁一口氣，道：「但願他們能過今宵，再來相犯。」

童淑貞突然接口問道：「你這鄧家堡能集合多少拒敵之人？」

鄧固疆想了一想，道：「大約總在十隊以上，加上老朽府中家丁四十五人，湊足一百五十之數，總是不難。」

童淑貞道：「這些人可都習過武功？」

鄧固疆點點頭道：「大都習過武功，如是普通之人，三五個近身不得，但如要他們和武功高手頡頏，那是以卵擊石了。」語聲微微一頓，接道：「不過他們都會施用一種連環匣彎，箭短力猛，一匣二十四枝，縱是第一流的高手也不易撥開箭雨，那匣弩原是老朽仿照諸葛武侯弩弓造成，後來經過那宮天健老弟的改造，更具威勢。」

童淑貞道：「果真如此，倒不失為拒敵利器，一百餘人，如是方位佈置恰當，其力不可輕侮，我去通知楊師弟一聲，再作主張。」言罷出室而去。

她回到暗室，只見楊夢寰手中捧著那「天機劍訣」呆呆出神。

想是楊夢寰無法從「天機劍訣」療傷篇中，找出療治宮天健的方法。

童淑貞輕輕咳了一聲，道：「宮老前輩好些麼？」

楊夢寰苦笑一下，緩緩把劍訣遞了過去，道：「好些了，唉！我從劍訣的療傷篇中，找出退除身上高燒之法，卻無法使他恢復神功。」

童淑貞接過劍譜說道：「難道這劍譜上沒有提過麼？」

楊夢寰道：「沒有提到，就我記憶所及，那趙小蝶似乎說過歸元秘笈之上，有一篇專記恢復神功之法，只可惜那歸元秘笈……」

童淑貞接道：「趙小蝶早已把歸元秘笈上所有記載之事，大都默記於心，問她一聲，也是一樣。」

楊夢寰陡然轉過臉去，雙目凝注在童淑貞的臉上，淒苦地一笑道：「你認爲那趙小蝶很聽我的話麼？」

童淑貞嗤的一笑，道：「沈師妹告訴我，她對你一往情深哩！」

楊夢寰道：「沈師妹天真無邪，不解人間險惡，那趙小蝶對我面好心恨……」

童淑貞笑道：「沒有的事，師姊我是女人，對女人的心理，該比你明白，只有因妒生恨，決沒有面好心恨的事。」

楊夢寰道：「唉！師姊不知，那趙小蝶心胸狹窄，善感多變，她並非壞人，但心中卻潛藏一種仇恨男人的心理，她自幼看到母親悲慘的際遇，心中積恨甚深，所以未走極端，那是受了

朱姑娘潛移默化之功，兩種思念在她心中衝突，構成她奇怪的人生，她雖不殺害男人，但卻要把男人玩弄於股掌之上，可是她自己亦未得到快樂……」

童淑貞搖搖頭，道：「這話師姊不敢苟同，女人固是難以揣摸，心胸最爲狹窄，但也是最能容忍，趙小蝶解救了沈師妹，助你抗拒陶玉，你能全然無情……」

她仰起臉來，雙目中湧現出晶瑩的淚光，緩緩接道：「師姊的事，你是很明白了，我也不用騙你，陶玉奪我貞操後，又數度要把我置於死地，其行卑劣，其心可誅，我恨他之深，有如刺骨椎心，但我心中仍不時浮現他的影子，唉！一旦他犯在我手中，我真不知能否下得了手殺死他，趙小蝶孤傲自賞，秀冠群芳，如說她美艷秀致，縱然是沈師妹和李瑤紅都要遜她三分……」

楊夢寰淡淡一笑，欲言又止。

童淑貞理一理鬢邊散髮，接道：「照理說，她端莊清華的氣度也許不如朱若蘭，但如講雅媚俏麗，朱若蘭也得和她一爭長短。」

楊夢寰道：「夠了，師姊，她的確嬌媚，要不然如何能震動武林，傳出多情仙子的笑話。」

童淑貞掩口一笑，道：「怎麼？你妒忌？」

楊夢寰道：「師姊誤會了，你無法瞭解趙小蝶，那些陶醉在她輕顰淺笑中的天下英雄，也無法瞭解她。」

童淑貞道：「你呢？瞭解麼？」

楊夢寰道：「我瞭解，正因我很瞭解，所以才一直對她敬而遠之。」

童淑貞道：「這就使我糊塗了，倒要向師弟討教，討教。」

楊夢寰道：「好說！趙小蝶一生中應該充滿歡愉才對，上天對她特厚，使她艷壓天下之美，武蓋江湖之冠，但她卻多愁善感，她年歲愈長，知道的事情愈多，就愈覺自己際遇不幸，滿懷幽恨，這怨恨愁懷，可算是繼她母親而來，幸好有個朱若蘭能使她敬服，才算阻止了她走上極端……」

童淑貞道：「那是她心中寂寞之故，直覺天下男人都不足和她匹配，唯一能使其真心喜愛的人卻已使君有婦，而且雙風伴凰……」

楊夢寰長長一歎，道：「師姊又錯了，她心中積恨如山，視男人如草芥，遍行江湖，到處留情，她希望男人拜倒她石榴裙下，可憐無數自負的英雄人物，被她戲弄而不自覺。」

童淑貞道：「但她對你卻不同。」

楊夢寰道：「不錯，縱然有些不同，但那不是她真的喜歡我，只是我沒有屈服在她裙下，一旦我爲她所惑，拜服她輕顰淺笑之下，這後果實難想像……」

童淑貞茫然說道：「爲什麼？」

楊夢寰道：「這是一種微妙的平衡，我不求她相助，她將自行助我……」

童淑貞道：「如果你求她相助呢？」

楊夢寰道：「如果我求她相助，不但是難以如願，而且還將要受盡她的譏諷，嘲笑。」

童淑貞輕輕歎息一聲，道：「也許師弟說得不錯，那趙小蝶確然是天賦獨特，與眾不同，

唉！我來此本有一件緊要之事和你商量……」

楊夢寰接道：「可是和那趙小蝶有關麼？」

童淑貞略一沉吟，道：「也可說有些關連，但她們是否會插手其間，眼下還不能料斷。」

楊夢寰一皺劍眉，道：「究竟是什麼事？」

童淑貞把廳中發現人頭，多情使者傳訊的事一一說出來。

楊夢寰臉色凝重的說道：「如是我推想不錯，那八個傳訊之人，只怕都已遭人殺害，但得能傳出一封，那已經算是不錯了，咱們沿途破壞了陶玉不少陰謀，但也招來了他們的追蹤，只是陶玉傷勢未癒，主其事的必然另有其人。」

童淑貞道：「只要那陶玉不能親身臨敵，有楊師弟加上我和沈師妹從中相助，鄧家堡一百五十名弩箭手，或可和他們一戰。」

楊夢寰搖搖頭道：「陶玉武功雖強，智計雖高，但他年事輕輕，且身負武功，從事輕率，但這個助手卻是個老謀深算，狡獪異常的人物，眼下敵暗我明，這一戰恐怕是相當的艱苦。」

童淑貞道：「師弟可想到，那人是誰麼？」

楊夢寰道：「想不出來，但我料他必將是一位算計周密的人物，咱們不能大意。」

童淑貞望了那仰臥在地上的宮天健一眼，道：「這位宮老前輩的傷勢可以拖上一段時間麼？眼下時機急迫，不能不把療傷的事暫時壓後一些了。」

楊夢寰凝目沉思，良久不答。

童淑貞看他愁鎖眉宇，顯然是遇上了莫大的困難，想來必然是這宮天健的傷勢十分嚴重，

也不敢多驚擾他。

突然間一陣急促的喘息聲傳入了耳際，那仰臥在地上的宮天健，全身開始顫抖，似是一個受了強烈風寒侵襲，耐不住酷寒的人。

楊夢寰疾快的伸出右手，一掌拍在宮天健身邊，長長吁了一口氣。

童淑貞低聲問道：「很危險麼？」

楊夢寰道：「毫釐之差，千里謬誤，我當時推想他的傷勢，只是經穴的阻塞，只要設法打通他的經穴，也就是了，卻不料推斷有誤，致使束手無策。」

童淑貞道：「生死由命，師弟只要盡了心力，醫不好他的傷勢，那也是無可奈何的事。」

楊夢寰道：「目下的情勢，無法療治好他的傷勢，將促使傷勢迅快的惡化，不能阻止他迅快的惡化傷勢，只有任憑他傷勢惡化，自行死亡一途。」

童淑貞道：「師弟可是因為在鄧堡主父子面前誇下了海口，如無法療治好宮天健傷勢，你難以向鄧堡主父子交代，是麼？」

楊夢寰道：「這雖是重要原因之一，但另外還有更重要的原因。」

童淑貞道：「什麼原因？」

楊夢寰道：「此人才能過人，二十年的折磨，已使他雄心盡消，唯一耿耿於懷的，只是一點私人的仇恨而已，如若能使他恢復神功，對今後的江湖，必將有很大的助益。」

童淑貞心中暗道：他如是真有這等才能，也不致受人暗算，落得這般下場了，口中卻不肯反駁，站起身子說道：「既是如此，我也不打擾師弟了，不過……」

楊夢寰看她言未盡意，忽然不言，忍不住問道：「不過什麼？」

童淑貞道：「鄧家堡數百人的傷亡，似乎是重過這宮天健一人的生死。」

楊夢寰道：「這個小弟明白。」

童淑貞道：「好！我去和那鄧堡主研究一下拒敵之策，如非必要，不來驚動師弟就是。」

楊夢寰道：「萬一有變，還望師姊早來通知小弟一聲。」

童淑貞道：「那是自然。」轉身帶上室門，緩步而去。

楊夢寰爲了宮天健惡化的傷勢，用盡了心力，苦苦思索，毫不懈怠，已至廢寢忘食之境。

童淑貞悄然來了兩次，均因不敢驚擾他的思路，又悄然而退。

一聲暴烈的巨震，驚醒了如醉的楊夢寰，他鎮靜了一下心神，悄然拉開了室門，緩步而出。

整個地窖中一片黑暗，不見燈火。

楊夢寰意識到發生巨變，快步奔出了地窖。

地窖出口處，那厚重的鐵門早已關上，兩個懷抱匣弩，背插單刀的鄧府家丁，守在門後。

兩個家丁早已認識了楊夢寰乃堡主的貴賓，立時輕聲說道：「楊大俠請從左面地道出去如何？」

楊夢寰應了一下，轉入左側便道，急奔而行，出口處，卻是一座堆積雜亂之物的下房。

室中四個懷抱匣弩的家丁，都已認識楊夢寰，閃到一側，輕啓室門。

楊夢寰緩步出門，轉過兩宅院，到了中廳院中。

只聽砰然一聲輕響，一道升入高空的藍焰，暴散出一片火花。

楊夢寰抬頭望了那火花一眼，心中霍然一動，暗道：如若是少數人的偷襲，那自然用不著這等施放煙花的聯絡訊號，這等情形，分明是大舉來犯了。

心念轉動，急急向前奔了過去。

沿途之上，只見壁角，屋面上到處是隱伏的人影，但卻無人喝問，阻攔。

楊夢寰由中院奔入前廳，仍不見那鄧老堡主和鄧開宇等之面，想是早已布好了拒敵之陣，當下一提真氣，躍上大廳屋面。

抬頭望去，整個鄧家堡不見燈火。

楊夢寰心中暗道：這鄧府中防守甚嚴，即有強敵來襲，也可擋他一陣，我大可不必留在此地，何不迎上前去，截擊來犯之敵，能夠傷得他們幾個，也好減少這鄧家堡中一些壓力！

當下縱身飛起，橫越過一重屋面，直向堡外迎去，他剛剛翻過幾重屋面，瞥見東北角上火光，一閃，熊熊燃燒起來。

火光下看得真切，只見那燃燒的房屋，連接著一片瓦舍，而且密集異常，如若聽任這把火燒了下去，只怕要把數十幢株連的房屋，一把火燒光。

奇怪的是既沒有人奔逃，也不見有人救人。

楊夢寰停在屋面上略一忖思，向那大火所在奔去。

這時那火勢已然蔓延開來，五六幢房屋一齊燃燒起來，熊熊的火勢，照紅了半邊天。

楊夢寰隱在一處屋脊之上，凝神望去，只見十幾個勁裝佩帶兵刃的黑衣大漢，靜靜的倚著城堡而立，望著那高燒的火勢。

這班人以是在等待著甚麼，亦似在監視那蔓延的火勢。

楊夢寰心中暗作盤算，道：鄧固疆雖然早已有備，遣出了堡中的老弱婦孺，把留在堡中之人，集中於鄧府之中，雖然力量集中施用，可以加強了拒敵之力，但也不能任來人把這鄧家堡的房舍，一把火燒光……

心中正自沒有主意，瞥見兩條人影疾奔而來。

抬頭看去，只見來人一老一少，正是那鄧家堡的兩位堡主。

老堡主鄧固疆也換了一身黑衣勁裝，背上斜背了一把開山刀。

鄧開宇背插劍，腰繫革囊，不知放的什麼暗器。

楊夢寰一飄身，落入了屋下暗影處，但目光所及，仍可見到兩人的身影。

鄧開宇似乎已發覺偷襲城堡的黑衣人，突然探入革囊中，摸出了暗器。

楊夢寰在暗影之中，暗中卻留神鄧氏父子，和那十幾個黑衣大漢的舉動。

鄧開宇一馬當先，飄身躍下屋面，選擇了一處有利地形，雙手之中都扣著暗器，凝立不動。

楊夢寰心中暗道：這鄧開宇不知我在此地，不肯立刻出手，正待施展傳音之術，促使鄧開宇早些出手，以速戰速決方式，解決了這幾個黑衣人，突然一陣屋倒牆塌的聲音傳了過來。

原來鄧家堡中的堡丁，似是知人手不夠，難以救熄火勢，採取了隔離之法，將那火場四周

的房屋推倒。

楊夢寰細看靠在城上的十幾個黑衣人，仍然是站著不動，不禁心中動疑，暗道：「難道這人已被高手制服了麼？」

這時鄧開宇似是也發覺了情勢有異，一揚右腕，一點寒星脫手飛出，正擊中一個黑衣大漢的前胸之上。

那人中了暗器，仍然是靜靜的站著不動。

楊夢寰暗自忖道：不知何人有此武功，竟能在一瞬之間，連點了十幾個人的穴道，而不讓他有一招還擊之能。

只見鄧開宇縱身兩個飛躍，落近那黑衣人身側，伸手抓起了爲首黑衣人，尙未來得及仔細查看，瞥見城堡上，飛梭般掠下來幾條人影，直向鄧開宇撲了過去。

鄧開宇雙手齊揚，發出暗器，以阻那些來人，背上長劍已然出鞘，揮劍迎擊，打作一團。

但見城堡上人影連閃，又飛落七八個黑衣大漢，直向堡中撲來，鄧開宇已爲數條大漢纏住，惡戰激烈，無能分身迎敵，眼看著七八條人影直撲人堡中。

楊夢寰心中暗道：看來今宵敵人似是大舉來犯，如不傷他一些，只怕難以收場，取出一塊絹帕，包在臉上，一躍而出，直向那奔來的大漢迎去。

他動作奇快，疾如飄風，迎上來人，一語不發，出手就是兩記重掌，震倒了當先兩人，餘下六人，已然撤出兵刃，分由四面圍攻而上。

楊夢寰殺機已動，招招絕學，十二招便將六個圍攻的強敵擊倒。

轉目望去，只見數十條黑衣人影，流星一般撲向了鄧府中去，不禁一皺眉頭，正待回援，瞥見數丈外火光照耀之下，陣戰正烈。鄧固疆長髯飄飄，手舞開山刀，和四個黑衣大漢正展開一場兇猛的惡鬥，四人攻勢猛惡，鄧固疆已然被迫得守多攻少。

楊夢寰估量今宵之戰，形勢定然混亂，陶玉因不能親身臨敵，才遣來大批人手，如若再有慈悲心腸，只怕鄧家堡傷亡慘重異常，心念轉動，決心以快速手法求勝，長身一躍，直撲過去，左手發出一掌，逼開了一把單刀，疾快穿入了圍攻鄧固疆四周黑衣大漢群中，左掌右指，招招絕學，片刻間點倒了四個黑衣大漢。

鄧固疆低聲道：「楊大俠麼？」

楊夢寰道：「老堡主快請趕回府中，主持大局，先求穩住局勢，在下去助少堡主一臂之力。」

鄧固疆眼看楊夢寰出手的威勢，心中大爲驚服，暗道：武林奉他爲當代第一高手，看來果非虛傳。

楊夢寰眼看數十個黑衣人撲入鄧府中去，心中焦急異常，不待鄧固疆答話，長身而起，撲向城堡下，人還沒到，遙發出一記劈空掌力。

他聞一聲悶哼，一個黑衣大漢，吃那掌力擊中，踉蹌一跌，向下倒去。

鄧開宇長劍揮出，寒芒過處，把那黑衣大漢一劍斬爲兩段。

就這一瞬工夫，楊夢寰又點倒了三人。

鄧開宇精神大振，涮涮兩劍，刺傷了兩個黑衣人。

七個圍攻鄧開宇的黑衣大漢，片刻間傷亡了六個，餘下一個武功最強的，也嚇得靈魂離體，轉身一躍，奔逃而去。

鄧開宇要待追趕，卻為楊夢寰伸手攔住，道：「不用追了，他們這放火燒屋，不過是調虎離山之計，真正武功高強的，只怕都已直入堡中去了。」言罷，轉身一躍，人已到三丈開外。

鄧開宇仗劍急追，但他如何能及得楊夢寰絕世輕功，眨眼間，楊夢寰人蹤已杳。

這時那燃燒的火勢已然逐漸的弱了下來，天上陰雲密布，掩去星月，鄧家堡籠罩在一片夜暗之中。

鄧開宇輕車熟路，抄捷徑趕回鄧府，越過一道圍牆，進入了一座跨院之中，隱身在壁角暗影之中，默查形勢。

鄧府中前後院正展開一場惡戰，但因來襲之敵，都是久在江湖上走動的人物，布守鄧府中的家丁，也都是經過嚴格訓練之人，雖然到處惡戰激烈，但卻聽不到呼叫之聲，兵刃的交擊和弩箭破空聲，劃破了沉寂。

鄧開宇默查大勢，心知是布守在府中的人，連珠弩箭，發揮了極大的功用，來襲之人，大都被弩箭擋住，府中形勢，還是有驚而無險之局……忖思之間，突然聞衣袂飄風之聲，屋面上躍落下三個黑衣大漢。

這三人中，一個受了重傷，胸腹左肩上，各中了一雙弩箭。

另兩個黑衣大漢，扶著那受傷之入，緩緩在一座壁角坐了下來，拔出那受傷的人的弩箭，替他包紮傷勢。

鄧開宇默察形勢，如若自己突然出手施襲，不難一舉間盡傷兩人，但他天性正大，雖處險惡之境，仍覺著偷行施襲有欠光明，當下沉喝一聲：「小心了！」疾躍而出，直向兩人撲去，右手劍「白虹貫日」直襲右側黑衣人，左手「飛鈸撞鐘」疾攻向左面黑衣人。

那兩個黑衣人驟不及防，一時間應變不及，待挺身躍起，鄧開宇劍勢已到。

寒芒過處，生生斷了右側那黑衣大漢一條左臂。

但那左面大漢卻一個大轉身，避開了鄧開宇的掌勢，右手一翻，單刀出鞘。

鄧開宇出手之前，早已思索好拒敵之法，飛起一腳，踢中那受傷大漢，長劍疾轉，攻向右側大漢。那人一條左臂，被鄧開宇一劍斬斷，劇痛刺心，眼看鄧開宇一劍刺來，閃避不及，長劍透胸而過，當場倒地死去！

鄧開宇一舉而解決了兩個敵人，也是冒了極大的危險，伏身一躍，剛好避開左側襲來一刀，轉身搶攻，展開了一場惡戰。

那大漢武功不弱，但他眼見同伴慘死，不覺生出了畏懼之心，十成武功只能使出七成，鄧開宇卻是剛好相反，精神大振，攻勢銳利，十成武功發揮的淋漓盡致。

那大漢勉強支撐了十合，被鄧開宇一劍逼開刀勢，一掌擊中右臂，隨著一腳踢出，正中那大漢丹田要穴，摔出去七八尺外，口中鮮血狂噴，氣絕而死。

鄧開宇片刻間擊斃了三敵，飛身躍上屋面，直向正廳奔去。

那是鄧府的中心所在，也是府中發號施令的樞紐之地。

翻越過兩重屋面，瞥見迎面奔過四條人影，當下一飄身，斜向一座天井院中落下。

腳還未沾實地，嗤嗤幾聲弦響，一排弩箭，直射過來。

鄧開宇伏身避開，急急說道：「快住手，自己人！」

暗夜中傳過來一個低聲音，道：「少堡主麼？快請趕往正廳大院中去，堡主形勢危……」

鄧開宇不等對方話完，人已縱身而起，直向正廳奔去。

只見正廳前的院落中，正展開一場武林中罕見的惡鬥，童淑貞長劍飛舞，和一個青袍老人打在了一起。

那青袍老人右手中握一柄摺扇，半張半合，童淑貞劍招雖然凌厲，但無能控制大局，正是一個不勝不敗之局。

七八個黑衣大漢手橫兵刃，站在一側觀戰，大概是被兩人的惡戰震駭，竟不敢出手相助。

沈霞琳手橫長劍，白衣飄飄的站在大廳門口，頭上長髮亂垂，顯然剛經過一場劇烈的惡鬥。

四五具屍體，橫躺在大廳前面，手中還緊緊握住匣弩。

鄧開宇心惦父親安危，仗劍護胸，直向大廳衝去。

那並排而立的黑衣大漢，欲待出手攔阻，已經不及，鄧開宇有如一陣疾風飄過，衝入了大

廳之中。

三個大漢，尾隨鄧開宇進來。

沈霞琳嬌軀一側，讓開鄧開宇，長劍一震，幻起三朵劍花，分向三人刺去。

這位心地慈善，滿懷柔情的姑娘，縱然遇上大惡不赦之人，也是不肯輕易施下毒手，她劍上招術，有很多來自歸元秘笈，本是奇奧異常之學，出手一擊，就可置人於死地，全因心地慈善，不願下手，劍勢一出，點到即收，因此之故，使她劍招的威力大爲減弱，有時根本變了樣子，全不是那麼一回事，授人以可乘之機，是以縱然遇到武功不如她甚多之人，也是難以取勝。

那三個黑衣大漢，看她劍花紛錯刺來，齊齊舉刀一封。

但聽三聲金鐵交鳴，三人手中單刀，盡被震開。

沈霞琳這時如若下得毒手，急攻兩劍，縱然不能盡傷三人，至少也有兩人傷在她的劍下，但她卻留劍不發。

三人似是未料到一個年輕美貌姑娘，腕力如此雄渾，劍上之力，竟能一舉間震開了三人手中單刀，不禁微微一怔。

只聽嗤嗤箭風破空，一排勁箭，由廳中射了出來，三人騾不及防，距離又近，盡皆爲弩箭射中，兩個傷重的當堂倒了下去，另一個傷勢較輕，卻帶著弩箭，回頭奔去。

且說鄧開宇奔入廳中，運足目力望去，只見門口，窗外，到處隱伏著懷抱匣弩的家丁，鄧

固疆卻端坐在廳中一張大師椅上，一語不發。

鄧開宇緩步走了過去，只見鄧固疆一條左臂上盡是鮮血，不禁悲從中來，強忍痛苦，黯然說道：「爹爹傷得很重麼？」

鄧固疆道：「不用管我，拒敵要緊，爲父的雖然老邁，但這點傷還撐得住。」

鄧開宇雖然未能細看爸爸臂上傷勢，但見整個衣袖盡被鮮血染濕，已知傷勢甚重，但又素知鄧固疆剛正的性格，當下說道：「爹爹教訓的是。」

突然厲嘯破空，直達庭院，顯然強敵又來了援手。

鄧固疆一揮右手，道：「還不快去拒敵，咱們不能盡靠別人爲保護咱們這鄧家堡拚命，埋骨桑梓，死而何憾。」

鄧開宇不敢拗違，轉身向外行去，心中卻是知道了父親受傷甚重，這幾句話，明是激勵，暗中卻是含有訣別之意。

他素知爹爹的個性，知道多言無益，回身向外行去，走到廳門處，心中不覺一沉，低聲對沈霞琳道：「家父受傷甚重，但他生性剛強，不肯讓我替他裹傷，姑娘是客人，他不好堅持拒絕，還請代出援手，在下是感激不盡，如若家父堅不肯包紮傷勢，姑娘不妨強行出手，點了他的穴道。」

沈霞琳點點頭，回身行去，一面低聲說道：「那施摺扇的人，武功高強，出於毒辣，但童師姊劍招精奇，盡可應付，你不用出手幫她了，守在廳門，等我寰哥哥趕來，就可以制服他了。」

鄧開宇心知她說的是客氣之言，以自己的武功，縱然豁出命去，也難以幫得上忙。抬頭看去，只見院中惡戰已至緊要關頭，童淑貞劍勢如虹，灑出朵朵劍花，把那青袍老人圈入劍影之中。

但那青袍人武功也異常精純，仍在童淑貞急驟的劍勢中展開反擊。

這是一場武林罕見的高手惡戰，雙方都在全力求勝，形成拚命之局。

突然間傳來了一聲朗朗大喝：「王寒湘，昔年黔北一戰，留了你一條生路……」

那青袍人聽到有人直呼出姓名，心中震動，手中摺扇一慢。童淑貞劍招何等凌厲，乘隙而入，唰的一聲，劃破了青袍人的左臂衣袖，如非他閃避奇快，這一劍當生生斬斷他一條手臂。

王寒湘摺扇呼的一張，唰唰攻出兩招，逼住童淑貞的劍勢，道：「在下正是王某，閣下何人？」

鄧開宇抬頭看，只見楊夢寰青帕包面，站在對面屋脊之上。

王寒湘不待楊夢寰答話，突然縱聲而笑，道：「是啦，你是楊夢寰。」突然仰臉發出一聲動盪人心的怪嘯，向兩個奇裝大漢道：「快些！不要放過他。」

這奇異的變化，只瞧得童淑貞和鄧開宇齊齊為之一怔。

這就一怔間，兩個裝束詭異的大漢已然躍上屋面，猛向楊夢寰撲了過去。

楊夢寰似是已知遇上勁敵，雙掌疾翻，搶先攻出兩掌。

兩個奇裝大漢竟然不肯避讓，各出左掌，接下了楊夢寰的掌力，右手一齊探出，抓了過去。

楊夢寰一閃避開，立時和兩個奇裝人展開一場激烈的惡鬥，以楊夢寰強勁的掌力，竟是無法逼開兩人，兩個奇裝人卻緊逼在楊夢寰的身側，展開了一場近身的惡戰。

雖然三人手中都沒有使用兵刃，但搏鬥的兇險，卻比用兵刃有過之而無不及，因爲三人一直近身搏鬥，掌指伸縮之間，即可遍及對方的大穴要害。

鄧開宇只瞧得心中大感震動，意識到今宵之戰，兇多吉少，那青袍人和這兩個奇裝人，武功的高強，都是江湖上難得一見的高手，看這番纏鬥，楊夢寰、童淑貞武功雖強，只怕一時也難勝得幾人！

激鬥中，突然童淑貞怒喝道：「著！」長劍一閃，刺中王寒湘的左肩。

王寒湘冷哼一聲，絕學突出，手中摺扇一沉疾張，劃破了童淑貞的左腿，衣褲應手而裂，鮮血濺湧而出。

劍光突斂，扇影疾收，兩條交錯人影，霍然分開。

童淑貞疾退兩步，以劍撐地，肅立不動，那王寒湘亦似受傷甚重，一時間無再戰之能。

請續看《風雨燕歸來》（二）

臥龍生武俠經典珍藏版 17

風雨燕歸來（一）

作者：臥龍生
發行人：陳曉林
出版所：風雲時代出版股份有限公司
地址：10576台北市民生東路五段178號7樓之3
電話：(02) 2756-0949　　傳真：(02) 2765-3799
執行主編：劉宇青
美術設計：許惠芳
行銷企劃：林安莉
業務總監：張瑋鳳
出版日期：臥龍生60週年珍藏版 2022年6月
ISBN ：978-986-5589-62-2
風雲書網：http://www.eastbooks.com.tw
官方部落格：http://eastbooks.pixnet.net/blog
Facebook：http://www.facebook.com/h7560949
E-mail：h7560949@ms15.hinet.net
劃撥帳號：12043291
戶名：風雲時代出版股份有限公司

風雲發行所：33373桃園市龜山區公西村2鄰復興街304巷96號
電話：(03) 318-1378　　傳真：(03) 318-1378
法律顧問：永然法律事務所 李永然律師
　　　　　北辰著作權事務所 蕭雄淋律師

行政院新聞局局版台業字第3595號 營利事業統一編號22759935

定價：320元　

國家圖書館出版品預行編目資料

風雨燕歸來／臥龍生 著. -- 臺北市：風雲時代出版股份有限公司，2021.06- 冊；公分（臥龍生武俠經典珍藏版）
ISBN：978-986-5589-62-2（第１冊：平裝）
ISBN：978-986-5589-63-9（第２冊：平裝）
ISBN：978-986-5589-64-6（第３冊：平裝）
ISBN：978-986-5589-65-3（第４冊：平裝）

863.57　　110007327